第一章　緒　論

第一節　問題意識的形成

歷史有時如同一面稜鏡，它會折射出不同的色彩、光澤，那飄忽眩目的光影，令人感到迷離。清代纂修《四庫全書》的歷史，不也是如此嗎？

孟森先生說：「《四庫全書》乃高宗愚天下之書，不得云學者求知識之書也。」❶楊家駱先生說：「十八世紀以後，歐洲的法國和亞洲的中國，在初不相謀的時期中，分別以其代表西方文化和代表東方文化的資格，各編了一部巨籍，以清算當時所認知之知識世

❶ 孟森：〈選刻四庫全書評議〉，見氏著：《明清史論著集刊（下）》（北京：中華書局，2006.4），頁 682-685。魯迅也說：「清的康熙、雍正和乾隆三個，尤其是後兩個皇帝，對於『文藝政策』或說得較大一點的『文化統制』，卻真盡了很大的努力的。文字獄不過是消極的一方面，積極的一面，則如欽定四庫全書，於漢人的著作，無不加以取捨，所取的書，凡有涉及金元之處者，又大抵加以修改，作為定本。此外，對於《七經》，《二十四史》，《通鑑》，文士的詩文，和尚的語錄，也都不肯放過，不是鑒定，便是評選，文苑中實在沒有不被蹂躪的處所了。」見氏著：〈買《小學大全》記〉，《且介亭雜文》，《魯迅全集》（北京：人民文學出版社，1981.1），第 6 卷，頁 57。

界的一切，成為東西映輝的兩大文化工程。這兩部巨籍的主編人、書名、字數和年代如下：法國、狄岱麓：狄岱麓學典、22,680,000字、1751-1772 年；中國、紀昀、四庫全書、997,000,000 字，1772-1790」❷，昌彼得先生說：「乾隆之修《四庫全書》，固然有他的政治意圖，但他大規模地整理中國傳世歷代典籍的行動，的確具有文化上的深遠意義，對後世發生了很大的影響。」❸他們同樣凝視著《四庫全書》，卻觀看出不同的姿態與形貌，並且分佔《四庫》學譜系的不同位置。

本書題名為「權力、知識與批評史圖像——《四庫全書總目》❹『詩文評類』的文學思想」，即以《四庫全書》纂修成果——

---

❷ 楊家駱：〈四庫全書通論〉，見李煜瀛、楊家駱著：《世界學典與四庫全書》（臺北：世界書局，1953.5），頁 1。

❸ 昌彼得：〈「四庫學」展望〉，《書目季刊》，第 32 卷第 1 期，1998.6。

❹ 《四庫全書總目》常或稱《四庫全書總目提要》、《提要》等名，據大陸學者崔富章先生考證，自乾隆時期以降的二十四種版本，作《四庫全書總目提要》一名者，僅出現於二十世紀前期的二十餘年間；至於《提要》與《四庫全書總目》內容或有出入，故仍應稱作《四庫全書總目》。〈提要〉乃《總目》修改定稿之前形成的，而「獨立在《總目》之外存在的許多〈提要〉傳本，相互之間差異甚大。如《四庫全書薈要》所載〈提要〉四百六十三篇，跟文淵閣所載比較，不同者二百八十篇，微有不同者四十六篇，合計三百二十六篇，達十分之七以上。」〈提要〉傳本已各自不同，其又與「《四庫全書總目》確實不是一回事。」見氏著：〈二十世紀四庫學研究之誤區——以《四庫全書總目》為例〉，《書目季刊》，第三十六卷第一期，2002.6。本文採崔氏說法，並於後文一律將《四庫全書總目提要》省稱為《總目》。此外，本文稱「《總目》」、「〈提要〉」，皆指《總目》整部書或《總目》書中的某篇〈提要〉；稱「書前提要」，則專指在《總目》以外的〈提要〉，即書籍經館臣纂修後所附錄的〈提要〉。

《總目》為研究對象，以「詩文評類」為主要範圍，嘗試探述《總目》的文學思想。至於觀看《總目》的方式，就以權力、知識和文學批評史的關係為視角，捕捉瞬間流動的光影。

一、《總目》研究趨向的反省

(一) 從補證、訂誤到詮釋、重建

周積明先生曾指出《總目》自十八世紀下半葉完成以來，即得王昶、周中孚、繆荃蓀、余嘉錫、張之洞等人推崇，但這些讚語也有值得反省的地方，他說：「（前人）雖然無不高度評價《總目》的價值，但皆局限於從目錄學立論，即僅僅把《總目》看作一部體制完善、編制出色的大目錄書……研究者也從刊誤、補正、考核、糾謬上下功夫……但是，僅僅從目錄學的角度看待、研究《總目》，畢竟視野太狹窄。包容廣闊意蘊豐富的《總目》，決非『簿錄之書』或『目錄學著作』之名可以加以範圍。」❺周氏呼籲從整體學術文化的角度，重新掌握《總目》的精神與內涵。至於在文學範圍裏，周氏建議《總目》的詩學思想、（文學）批評方法等議題，都應予以關注。

周氏藉用法國文化史家丹納（Hippolyto Adolphe Taine）的說法，認為《總目》「本質上是一種文化產品、一種客觀化的精神，因而必

---

❺ 周積明：〈《四庫全書總目》文化價值重估〉，《書目季刊》，第三十一卷第一期，1997.6。

蘊含著鮮明的價值取向和特定的學術文化觀念」❻，換言之，在既有目錄學、文獻學的研究基礎上，進一步研究《總目》特定的學術文化觀念及其價值取向，應能開拓《四庫》學，乃至乾嘉學術的深度與廣度。

據陳曉華先生的觀察，大陸自 1980 年以降，《總目》研究已站在傳統補正、訂誤、目錄版本的成果上，展開經世價值取向、文化價值重估、經學觀、文風觀，乃至研究方法的探討，其中如黃愛平、張新民、葉文青、季野、吳承學、王記錄等等學者，都分別自學術思想、學術方法、小說觀、詩文批評史、史學批評範圍，從事《總目》文學、史學、經學各方面內在邏輯理論與變化規律的研究，並且掌握《總目》思想精神與時代處境的互動關係，斐然有成。❼於是，《總目》可被視為一種反映學術思想的客觀文本，研究者有詮釋、重建其特定價值取向、文化觀念的可能性與必要性。

---

❻ 周積明：〈《四庫全書總目》與十八世紀中國文化的流向〉，淡江大學中國文學系主編：《兩岸四庫學——第一屆中國文獻學學術研討會論文集》（臺北：臺灣學生書局，1998.9），頁 56。

❼ 陳曉華：〈四庫總目學研究述略〉，《西南師範大學學報》（人文社會科學版），第 32 卷第 4 期，2006.7，頁 138-144。這類總結式的觀察論文，所見大致相同，請參考周積明：〈四庫學通論〉，收入氏著：《文化視野下的《四庫全書總目》》（北京：中國青年出版社，2001.10），頁 265-293；李杰：〈90 年代《四庫全書總目》研究論文綜述〉，《圖書館研究與工作》，2001 年第 3 期；司馬朝軍：〈《四庫全書總目》研究述略〉，《圖書館雜誌》，2002 年第 6 期。陳東輝：〈20 世紀上半葉「四庫學」研究綜述〉，《漢學研究通訊》，25 卷 2 期，2006.5。

㈡ 詮釋、重建的理論基礎

《總目》應該擴大研究路向的呼籲與實踐，約已持續二十年了。但是對於應該擴大的理由，依舊罕見理論層次的思考與說明。其實，我們可以從「『歷史理解』的性質」與「『提要』的導引性質」兩方面，加以思考。

1.「歷史理解」的主觀性質

若以西方詮釋學的觀念來看，「歷史理解」乃作為過去和現在的中介❽。客觀文本在歷史學家看來，是一種可以掌握意義的泉源與材料；而歷史學家通過具體脈絡去理解文本內容，並以自我的整體知識決定個別事件的歷史意義。客觀文本在時間屬性上，是「過去」的；歷史理解在時間屬性裏，卻是從「現在」通往「過去」，並由「過去」返回「現在」。在歷史理解的活動中，首出的「現在」與再出的「現在」不同，其差異就在——後者產生並賦予了新的歷史意義。如此，周積明先生所謂《總目》是「文化產品」，應就《總目》成書而言；「客觀化的精神」應指涵藏時代的情緒、思想、精神等。有的學者研究指出：《總目》以樸學的實證態度，嘗試消解理學霸權，並吸納西學❾，這便是將「文化產品」做一「客觀化的精神」研究的結論。換言之，《四庫》館臣面對歷史文本

---

❽ 貝蒂：〈作為精神科學一般方法論的詮釋學〉，收入阿斯特、施萊爾馬赫、狄泰爾、海德格等著，洪漢鼎等譯：《詮釋學經典文選（上）》（臺北：桂冠圖書有限公司，2002.6），頁 159-161。

❾ 周積明：〈《四庫全書總目》與十八世紀中國文化的流向〉、黃愛平：〈《四庫全書總目》的經學觀與清中葉的學術思想走向〉，《兩岸四庫學——第一屆中國文獻學學術研討會論文集》，分見頁 55-79，81-103。

（即四部諸圖書文獻），通過具體文字表述其「歷史理解」（即《總目》對諸圖書的述評內容），而「歷史理解」的「現在」性，即具「客觀化的精神」。所以，我們可以就館臣「歷史理解」的內容、過程，做一重新反省，以詮釋、重建他們所賦予的歷史意義。

《總目》〈凡例〉第九條⑩云：

> 今於所列諸書，各撰為提要，分之則散弁諸編，合之則共為《總目》。每書先列作者之爵里，以論世知人；次考本書之得失，權眾說之異同，以及文字增刪，篇帙分合，皆詳為訂辨，巨細不遺。而人品學術之醇疵，國紀朝章之法戒，亦未嘗不各昭彰癉，用著勸懲。其體例悉承聖斷，亦古來之所未有也。

〈提要〉的體例來自「聖斷」，帶有強烈官方權威的意味，其下貫於書寫當中，包含了作者的「論世知人」，書籍的「訂辨」，以及個體表現（「人品學術」）、群體表現（「國紀朝章」）的詮釋與評價。

---

⑩ 〔清〕永瑢、紀昀等：《四庫全書總目提要》（臺北：臺灣商務印書館，2001.2），卷首三〈凡例〉，頁 1（冊）－36-37。後文《總目》版本一律據此，不再贅述。此外，不只〈提要〉書寫是為了追求古今相通，有俾當世的目的，連編書活動也是如此，《總目》卷首一的第一則〈聖諭〉云：「朕稽古右文，聿資治理，幾餘典學，日有孜孜。因思策府縹緗，載籍極博。其鉅者，羽翼經訓，垂範方來，固足稱千秋法鑒。即在識小之徒，專門撰述，細及名物、象數，兼綜條貫，各自成家，亦莫不有所發明，可為游藝養心之一助。是以御極之初，即詔中外蒐訪遺書……」總之，環繞纂修《四庫全書》的活動，都帶有深切的當代關懷。頁 1（冊）－1。

換言之，在館臣的觀念裏，歷史理解可以通過考究（「考本書之得失」）、權說（「權眾說之異同」）等工夫，獲得歷史圖像，使得圖像具有客觀性、正確性。可是，「人品學術之醇疵，國紀朝章之法戒，亦未嘗不各昭彰癉，用著勸懲。」的說法，又何嘗不意指：我們對歷史圖像的思辨與解釋，終是一種價值指向的解釋。「各昭彰癉」的彰善癉惡、勸善懲惡，就在通過具體歷史人物與著作的理解與建構中，逐步落實、完成。而理解與思辨的文本材料是個別的人物與著作，但個體生命終要還入群體生命之中，重新受到考量，乃至評價，故「論世知人」說明了館臣將文本材料往兩個向度延伸——個體的與群體的。所以，在建構歷史圖像的同時，「人品學術之醇疵」可受評價，「國紀朝章之法戒」亦需重視。上述種種努力，乃「悉承聖斷」，即政治權力瀰漫於歷史解釋、評價、敘述中，以期完成當代「庶幾公道大彰，俾尚論者知所勸戒」（〈凡例〉第十五條語）的嚮往。

「知人論世」的談法，原出於孟子⓫，但孟子所謂的「知」，具有生命實踐的意義，亦即以自我性命「知論」他人之性命人格與時代文化，最終所欲成就者乃為「善」。故「知論」是一種實踐的

⓫ 〔先秦〕孟軻著、〔漢〕趙岐注、〔宋〕孫奭疏：《孟子注疏》，《十三經注疏》（臺北：藝文印書館，1985.12），卷十下：「孟子謂萬章曰：『一鄉之善士斯友一鄉之善士，一國之善士斯友一國之善士，天下之善士斯友天下之善士也。以友天下之善士為未足，又尚論古之人，頌其詩，讀其書，不知其人可乎？是以論其世也，是尚友也。」頁 188。關於這段文字，顏崑陽先生有精闢之闡釋，請參見氏著：《李商隱詩箋釋方法論》（臺北：臺灣學生書局，1991.3），頁 69-70。

理解與推論，並非純粹客觀認知的理解與推論；應為性命自身與時代環境的洞察與對話，而非歷史真相的片面重建。至於館臣的看法，將「作者爵里」之記列做為「知論」的開端，似乎是接近客觀認知的理解與推論；次而對書籍的考得失、權異同、訂辨文字與篇帙，都偏向認知活動的作用⓬。因此，「論世知人」的性質應同於「訂辨」的考據格局，與孟子的談法已有出入。當考據完足之後，人物自身與時代已被充分掌握，進而可做人物（「人品學術」）及其時代（「國紀朝章」）之解釋與評價，最後以達「勸懲」的目的。

這條〈凡例〉已充分說明〈提要〉的書寫性質，其實就是歷史理解、解釋、與評價。在古今相通相貫的歷程中，客觀知識與主觀目的相即合一，造就了〈提要〉的特殊體性——述評前人著作的工具、實踐當今意識的成品，即一種既依附又獨立的文本。在從「今」以知「古」，借「古」以鑑「今」雙向流動的格局中，今古具備交互影響的效力。舉例來說，大多數學者都能同意《總目》具有支持漢學而貶抑宋學的基本態度，而夏長樸先生從《總目》與《纂修四庫全書檔案》進行研究，發現纂修《四庫全書》的原始目的在於關注宋學，最後卻成為批判宋學而標榜漢學⓭，這種觀察與

⓬ 周積明先生對於《總目》的批評方法，曾有較完整的論述，請參見氏著：《文化視野下的《四庫全書總目》》，第五章〈《四庫全書總目》的批評方法與批評風格〉，頁 216-253。另劉墨：〈《四庫全書》及其評價標準〉亦指出《總目》的兩大評價標準：「一、用比較客觀的方法來求得中國學術發展的基石：實證；二、講求歷史經驗與現實問題的結合」見氏著：《乾嘉學術十論》（北京：生活、讀書、新知三聯書店，2006.11），頁 212。

⓭ 夏長樸：〈《四庫全書總目》與漢宋之學的關係〉，《故宮學術季刊》23 卷 2 期，2005 年冬季號，頁 83-128。

發現，無疑將《總目》學術傾向予以「歷程化」。換言之，我們常常歸納整理《總目》的文本資料，找出《總目》「固定化」的學術傾向，並且當做最終的研究成果，但是，這個學術傾向是如何生成的？生成的過程又歷經怎樣變化？變化的理由是什麼？總之，學術傾向的內在邏輯與生成條件，都是值得我們深深思考的議題，而這一切議題正環繞在「歷史理解」的「現在」性之中。

此外，吳光明先生曾說：「中國是一個具有豐富的歷史與歷史意識的文化，這項事實說明了，中國文化的『自我瞭解』，是透過具有歷史意識的自我詮釋而進行的。」⓮至於「自我瞭解」的活動與目的為：「中國人在歷史的過程中，進行『自我詮釋』而將中國的社會結構內在化，而成為中國人共同的心理結構。『自我詮釋』正是透過歷史性的思考來進行的。」「瞭解一個生命就是解釋他的『自我』，由此瞭解而解釋存在，我們回溯以往而領悟了這層道理，這種歷史性的瞭解是存在本身的自我顯示——通過人的存在，而這人的存在等於他的『自我解釋』」⓯因此，我們可以說：《總目》面對的述評對象，正是歷史遺留下來的文本；而述評本身就是「自我瞭解」的成果。所以，當館臣將心力投向外在的歷史文本時，他們同時也正進行內在的「自我詮釋」與「自我瞭解」，經過反思後的文化內容，將會反饋並成為自我心理結構的一部分。《總目》的主觀性質就在歷史理解的間架中，逐步衍化、產生。

2.「提要」的導引性質

⓮　吳光明：《歷史與思考》（臺北：聯經出版事業公司，1991.9），頁 123。

⓯　吳光明：《歷史與思考》，頁 122-123。

《總目》原具有目錄性質，館臣又強調以考據態度做為寫作標準，所以我們很容易忽略論述底層的主觀性質。從考訂、解釋到評價，館臣的當代關懷，多集中在「公道大彰」的目標上，這在〈凡例〉中處處可見。〈凡例〉第十六條⑯云：

> 文章德行，自孔門既已分科，兩擅厥長，代不一二。今所錄者，如龔詡、楊繼盛之文集，周宗建、黃道周之經解，則論人而不論其書；耿南仲之說《易》、吳幵之評詩，則論書而不論其人。凡茲之類，略示變通，一則表章之公，一則節取之義也。至於姚廣孝之《逃虛子集》、嚴嵩之《鈐山堂詩》，雖詞華之美，足以方軌文壇，而廣孝則助逆興兵，嵩則怙權蠹國，繩以名義，非止微瑕。凡茲之流，並著其見斥之由，附存其目，用見聖朝彰善癉惡，悉準千秋之公論焉。

館臣將姚廣孝《逃虛子集》與嚴嵩《鈐山堂集》置於存目書中，並於《總目》內書寫被排斥的理由⑰，而其理由背後充滿「公論」的

⑯ 《總目》，卷首三、〈凡例〉，頁1（冊）－38-39。

⑰ 〈逃虛子集提要〉云：「（姚廣孝）初為僧，名道衍，字斯道，洪武中以僧宗泐薦選侍燕邸。燕王謀逆，資其策力居多。……其詩清新婉約，頗存古調，然與嚴嵩《鈐山堂集》同為儒者所羞稱。是非之公，終古不可掩也。」《總目》，卷一百七十五、集部二十、別集類存目二，頁4（冊）－653。又〈鈐山堂集提要〉云：「王世貞《樂府變》云：『孔雀雖有毒，不能掩文章』亦公論也。然迹其所為，究非他文士有才無行可以節取者比。故吟詠雖工，僅存其目，以昭彰癉之義焉。」《總目》，卷一百七十六、集部二十九、別集類存目三，頁4（冊）－690。

諦造與實踐。館臣一方面服膺千秋以降的公理，一方面欲成就「彰善癉惡」的目的，這些都顯露知識型態（「知論」）的最後趨向。

至此，〈凡例〉第十六條「公論」⓲一詞，表面詞意為「公正的評論」，但深層裏兼含「時間性」與「道德性」的概念。其「時間性」來自堅信古今存有恆常不變的真理，而「道德性」乃為真理的主要內涵。兩者又相互作用，即道德支撐時間之永恆；時間之永恆鑄造道德之高顯。總之，這種「道德性」是官方論斷與運作的「道德性」，而「時間性」則為保障論斷與運作更為合理的基礎。對於歷史的掌握，館臣通過考據型態展開論述，但終不免涉入主觀態度，其中至少包括官方權力下的一切關懷。

近年致力於目錄學理論化的周彥文先生，曾以明代文學為例，指出《總目》將萬曆以後的文學，進行了負面的評價，其「很明顯的貶抑明末的文學，並大力提高清初文學的振興局面，給後人一種聖朝臨治，文教大興的印象。」並據此稱《總目》為一種「導引性」的提要⓳。「導引性」即表現出一分主觀的態度與企圖的結果。

總之，館臣通過歷史文獻的述評活動，展現怎樣的歷史理解、解釋乃至敘述呢？他們述評內容的主觀性質為何呢？〈提要〉所導

⓲ 關於「公論」的細部討論，可參見龔詩堯：《《四庫全書總目》之文學批評研究》，國立暨南大學中國語文學研究所碩士論文，2001.6，頁 76-106。

⓳ 請參見氏著：〈論提要的客觀性、主觀性與導引性〉，《書目季刊》，第 39 卷第 3 期，2005.12，頁 34-37。當然，館臣是否是單純地抑明末文學以烘托清初文學之振興，而毫無文學藝術之內部考量，尚待進一步釐清，但是館臣的主觀性，的確會使〈提要〉產生以某種意識形態引導書寫方向的現象。

引的內容與目的是什麼呢？這些都是本文問題意識之所在。

二、文學批評史研究趨向的反省

㈠ 文學批評史長期遺落《總目》

朱東潤先生曾說：「曉嵐論析詩文源流正偽，語極精，今見於《四庫全書提要》，自古論者對於批評用力之勤，蓋無過於紀氏者。」⑳朱自清先生亦指出：「《四庫全書總目提要》集部各條，從一方面看，也不失為系統的文學批評。」㉑兩者都已從文學批評（史）的角度來肯定《總目》價值，只是這些聲音尚為微弱，且尚未立體展現「歷史理解」的內容與過程。在現存文學思想（或批評）史中，少有專節討論《總目》的內容㉒。

簡化地說，《總目》述評集部著作——楚辭、別集、總集、詞曲等文學著作時，它的性質應屬文學批評；針對詩文評等著作時，它的性質則應屬文學批評的再批評。無論是何者，它們都可以屬於文學批評的範圍。但是，目前多數的古典文學批評史著作，都較少涉及《總目》研究。這或許出於在學術現代化的轉變過程中，需以遺落傳統知識細節做為代價，以便迅速建立新學門與新觀念。

㈡ 古代學術現代轉型的遺落因素

我們可以從「文學批評史的屬性問題」與「詩文評的書寫問

---

⑳ 朱東潤：《中國文學批評史大綱》（上海：上海古籍出版社，2005.4），頁323。

㉑ 朱自清：〈詩文評的發展〉，收入氏著：《朱自清全集》第三冊（南京：江蘇教育出版社，1999.3），頁27。

㉒ 請參見本章第二節「目前研究的概況」。

題」兩方面，嘗試說明《總目》受到遺落的原因。

首先，中國從十九世紀末開始，「文學批評（史）」所強調的「文學」或「文學性」，就逐漸以「非實用的」、「抒情的」做為特性內涵，並成為文學批評史研究的核心概念㉓。所以，上述《總目》〈凡例〉第十六條中充滿道德的、政教的意識形態，終究離異於核心概念，而無法受到批評史學者的特別關注。

其次，在《總目》所區分的學術門類中，與當今「文學批評」較為相近的應是「詩文評」類。㉔當我們將「詩文評」著作視為

㉓ 黃念然先生認為十九世紀末到二十世紀上半葉，由文學革命的「批桐城派」、「批『文以載道』」、「批〈詩序〉」等活動，瓦解傳統文學中的經典或觀念，使其「普遍性話語」和「合法信念」等，不再具有「壟斷著文學合法定義的權力」，氏著：〈近現代之交古代文論研究的現實語境〉，見氏著：《中國古代文論研究的現代轉型》（北京：中國社會科學出版社，2006.3），頁 68-82。至於瓦解經典以後造成中心觀念缺位的狀態，勢必需要盡速填補，所以，「詩緣情」的傳統觀念便被重新融鑄，逐步取代「詩言志」。同時，魏晉、晚明、五四等以個人性靈對抗群體道德的時代特色，就成為近百年中國文學史、文學批評史、文學思想史著作的論述基調。換言之，「文學性」即為「非實用性」、「抒情性」。近年顏崑陽先生對於抒情傳統論述的發衍、缺失，已有深刻反思，請參見氏著：〈論『文類體裁』的『藝術性向』與『社會性向』〉，收入左東嶺、陶禮天主編：《中國古代文藝思想國際學術研討會論文集》（北京：學苑出版社，2005.12），頁 3-30；〈從反思中國文學「抒情傳統」之建構以論「詩美典」多面向變遷與叢聚狀結構〉，淡江大學主辦「第十屆文學與美學暨第二屆中國文藝思想國際學術研討會」《會前議論文》，2007.6.21-22，頁 22。

㉔ 「文學批評」在中國做為一種知識學門，不過是近百年間的事情而已，無論從書寫形式、論述方法、文化精神來看，西方文學批評的著作與中國詩文評的著作，有許多不同之處。可是，自二十世紀二〇年代開始，「文學批評」、「文學批評史」逐漸躍上學術舞臺，甚而取代「詩文評」、「詩文評

「文學批評」著作，那《總目》便是對「文學批評」著作再行「批評」的文本，換言之，詩文評類〈提要〉具有文學批評的再批評色彩。此外，《總目》依照時序編列著作的形式，或許也牽動館臣面對時間推移的感受，並且順承編列情形，成就一套文學批評史論述。

可是，類近「文學批評」的「詩文評」，或類近「文學批評史」的「詩文評史」，至少有兩個書寫上的限制：

第一、簡要原則的限制——〈提要〉原是目錄版本學的產品，所以館臣的許多見解，往往通過「注解」的型態，簡潔地表達；其中或有「判斷」型態的批評，卻因〈提要〉書寫常規的限制，顯得僅具聲明性質，缺乏深刻舉證、詮釋與推論。㉕所以，標籤化、簡單化就成為快速而必要的書寫特色。

第二、工具原則的限制——〈提要〉是「著作」的衍生品，沒

史」的概念。本文不是要混同「文學批評」與「詩文評」、「文學批評史」與「詩文評史」的各自內涵，只是企圖將它們的相似性做為觀察起點，並且運用現代學術語彙，重新討論《總目》文學思想而已。關於中國「文學批評」、「文學批評史」的形成過程，尤其由「詩文評」傳統轉型而來的狀況，請參見劉紹瑾：〈中國古代文論研究的現代轉型〉，見蔣述卓、劉紹瑾、程國斌、魏中林等：《二十世紀中國古代文論學術研究史》（北京：北京大學出版社，2005.8），頁 3-30；黃念然：〈中國文學觀念的現代轉型與古代文論研究〉，見氏著：《中國古代文論研究的現代轉型》，頁 99-142。此外，黃念然也曾針對（中、日）重要的文學批評研究者關於「文學批評」與「詩文評」的看法，提出較為完整的說明，值得參考。見氏著：〈中國古代文學批評學研究的現狀與反思〉，《東方叢刊》，2004 年 3 期。

㉕ 請參見孫紀文：〈《四庫全書總目》對歷代詩歌的批評〉，《內蒙古社會科學》（漢文版），2005 年 05 期，頁 81-86。

有客觀存在的「著作」，也就沒有了〈提要〉。因此，附生在「著作」的〈提要〉，受限於必需描述、評價特定「著作」的工具功能，確實不易建構無依傍的、豐富的、自由的文學批評史。

吳承學先生曾說：「當然，如果作為文學批評史來看，《總目》『詩文評類』提要也存在一些局限。除了一些具體批評失當之外，由於體制所限，『詩文評』類提要範圍比較狹隘，所論只是古代比較重要著作，而對於那些重要的單篇論文，就無法涉及了，所以有些在文學批評史上相當重要的批評家、文學流派或文學理論，在《總目》詩文評類提要中卻無法涉及。我們如果要全面地研究《四庫全書》關於中國古代文學批評的思想，就必須以詩文評類的提要作為基礎，而兼及總集、別集、詞曲部（其中有詞話）的提要。」㉖這樣的結語應基於上述兩個限制而然。因此，目前古典文學批史的著作，也就罕從《總目》「詩文評類」展開文學批評（史）層次的討論與研究。

當我們逐漸了解中國抒情傳統論述，為一套具有籠罩性的大論述，含有可貴而精彩的解釋效力時，是否也能進一步思考：這套論述會不會遮蔽了中國文學的許多細節，使得具有抒情質素以外的文體（如章奏銘誄）、題材（如玄言詠物）、主題（如政教道德）受到排拒，甚而使多元、豐富的文學樣貌，窄化為單元、簡單呢？

在這個基本理解下，若能夠放寬文學批評的「文學」範圍，那文學批評的邊界也就相對開闊了，如此一來，我們將能看見中國文

㉖ 吳承學：〈論《四庫全書總目》在詩文研究史上的貢獻〉，《文學評論》，1998 年第 6 期。

學更為豐富的姿態。至此，如果我們願意承認「詩文評」與「文學批評」有類通的地方，「詩文評」〈提要〉是一種「文學批評」的著作與形式，那麼〈提要〉所展現的文學思想是什麼呢？總之，本文問題意識就在《總目》研究、文學批評史研究趨向的淡漠處，逐漸萌生、形成。

第二節　目前研究概況

一、《總目》文學領域的研究概況㉗

劉兆祐先生在〈民國以來的四庫學〉㉘一文中，曾指出民國以來的《四庫全書總目提要》研究，最值得重視的是「補正」工作，該文並收錄專著十一種、論文二十一種的名稱與出處。其中，郭紹

㉗ 司馬朝軍先生曾將《總目》研究分成三個時期，第一時期為十九世紀，重要學者如錢大昕、姚鼐、方東樹等；第二時期為二十世紀前半葉，主要學者孫德謙、陳垣、余嘉錫、胡玉縉、劉國鈞、夏承燾、錢穆、金毓黻、王重民、楊家駱、陳樂素、郭伯恭、黃雲眉、任松如等等，又以陳垣、余嘉錫、王重民、楊家駱的成果最為重大；第三期為二十世紀後葉，大陸主要學者除余嘉錫、胡玉縉、王重民外，還有崔富章、李裕民、周積明、曹之、黃愛平、周少川、張新民等等新起之秀，臺灣先有劉兆祐、昌彼得、喬衍琯、嚴耕望、楊家駱、吳哲夫等重要學者，後有許文淵、莊德輝、李孟晉、顧力仁、張維屏、楊晉龍等人繼起。見氏著：《《四庫全書總目》研究》（北京：社會科學文獻出版社，2004.12）。唯本文僅簡略陳述《總目》文學領域研究概況，故不一一介紹上述學者的成就。

㉘ 劉兆祐：〈民國以來的四庫學〉，《漢學研究通訊》，第 2 卷 3 期，1983.7，頁 146-151。

虞〈四庫著錄南宋詩話提要述評〉，是唯一研究詩文評類〈提要〉的成果。這篇發表在 1939 年《燕京學報》的論文，後來被整理成《宋詩話考》一書的部分內容㉙，可說是文學研究中最重要成果。

1983 年臺灣商務印書館影印文淵閣《四庫全書》，促使四庫學㉚研究工作快速發展，無論研究方向、方法或對象，都有明顯突破。其中，楊家駱先生、昌彼得先生、吳哲夫先生、劉兆祐先生、葉慶炳先生㉛等等，都是臺灣提倡四庫學研究的重要學者。昌彼得先生的學生——周彥文先生更不遺餘力地推動四庫學研究，並在 1998 年舉行「第一屆中國文獻學學術研討會——兩岸四庫學」㉜，此足見四庫學研究蓬勃發展的情形。

縱然如此，在林慶彰先生的《乾嘉學術研究論著目錄（1900-1993）》〈參、四庫學〉㉝、侯美珍女士的〈「四庫學」相關書目

㉙ 郭紹虞：〈宋詩話考〉〈序一〉（臺北：漢京文化事業有限公司，1983.1），頁 1。

㉚ 昌彼得先生在《四庫全書》文獻考察、傳播與研究等方向，都有重要的引導成就。見氏著：〈「四庫學」展望〉，《書目季刊》，第 32 卷第 1 期，1998.6。

㉛ 葉慶炳先生雖無四庫學之主要著作，但其晚年在輔仁大學擔任文史資料專題研究課程時，就曾以《總目》為研討對象，並促使廖棟樑先生等人完成有關《總目》之論文。

㉜ 淡江大學中國文學系主編：《兩岸四庫學——第一屆中國文獻學學術研討會論文集》。

㉝ 林慶彰：《乾嘉學術研究論著目錄（1900-1993）》（臺北：中國文哲研究所籌備處，1995.1）。

續編〉㉞的資料中，都不難發現關於文學研究的部分，還是遠不及稽考古籍版本源流、校對補正文獻字句、勾勒《總目》纂修過程、考察纂者生平等等屬於考據性質的研究。再以 1998 年周彥文先生舉辦的學術會議為例㉟，會中十四篇會議論文，沒有一篇涉及文學領域之討論。而在文學研究的成果中，「詩文評類」的研究更為鮮少。

《總目》文學領域研究成果，約有下列數者：劉黎卿〈論《四庫全書總目提要》評明代前後七子〉㊱、包根弟〈《四庫全書總目提要》歷代詞家評論探析〉㊲、廖棟樑〈《四庫全書總目・詩文評類序》對文學批評的認識〉㊳、曾聖益〈從《四庫全書總目・詩文評類》看中國詩文論著之特性〉㊴、張麗珠〈從《四庫全書總目提

㉞ 侯美珍：〈「四庫學」相關書目續編〉，《書目季刊》，第 33 卷 3 期，1999.9。

㉟ 淡江大學中國文學系主編：《兩岸四庫學——第一屆中國文獻學學術研討會論文集》。

㊱ 劉黎卿：〈論《四庫全書總目提要》評明代前後七子〉，《臺中商專學報》，第 27 期，1995.6。

㊲ 包根弟：〈《四庫全書總目提要》歷代詞家評論探析〉，《輔仁國文學報》，第 9 期，1993.6。

㊳ 廖棟樑：〈《四庫全書總目・詩文評類敘》對文學批評的認識〉，《輔仁國文學報》，第 9 期，1993.6。

㊴ 曾聖益：〈從《四庫全書總目・詩文評類》看中國詩文論著之特性〉，《國立中央圖書館臺灣分館》，第 2 卷第 2 期，1995.12；第 2 卷第 3 期，1996.3。

要》看紀昀的小說觀〉❹⓿、龔詩堯〈《四庫全書總目》之文學批評研究〉❹❶、楊晉龍〈王士禎在四庫全書總目中的地位初探〉❹❷、陳美朱〈析論紀昀對王士禛之詩學與結納標榜的批評〉❹❸等等。

其中，將論題集中在「詩文評類」上的，僅有廖楝樑與曾聖益兩先生著作。廖楝樑先生逐一詮解〈詩文評類序〉內容，並透過〈序〉及〈提要〉分析，論述館臣對文學批評的性質、範疇、發展等看法，並彰顯該〈序〉在中國文學批評史上的地位。曾聖益先生則歸納《總目》中的評價文字，發掘「詩文評類」賦與「詩話」的價值，並勾勒其對中國詩文論著特色的看法。這些都是從宏觀的角度闡述「詩評類」的重要內涵，多有創發。

至於劉黎卿、包根弟、張麗珠、楊晉龍、陳美朱五位學者，則分別論析《總目》對明代前後七子、詞學、小說、王士禎的觀點，可見他們從文學社群、文學作家、文體等角度，進行重構與反省，並且發顯、評價《總目》的文學思想，實有佳績。龔詩堯女士則以

---

❹⓿ 張麗珠：〈從《四庫全書總目提要》看紀昀的小說觀〉，《國文天地》，第19卷第4期，2003.9。

❹❶ 龔詩堯：〈《四庫全書總目》之文學批評研究〉，國立暨南大學中國語文學研究所碩士論文，2001.6。此外，潘美月、杜潔祥教授主編：《古典文獻研究輯刊初編》（臺北：花木蘭文化工作坊，2005.12），規畫「四庫學研究專輯」，共收錄三部學位論文，而龔文收錄於第一冊。

❹❷ 楊晉龍：〈王士禎在四庫全書總目中的地位初探〉，《中國文學研究》，第7期，1993年5月，頁1-31。又館臣將王士「禛」諱作王士「禎」，本文處理方式請參見第四章註❶。

❹❸ 陳美朱：〈析論紀昀對王士禛之詩學與結納標榜的批評〉，《東華人文學報》，第8期，2006年1月，頁123-148。

集部為範圍，尋繹並詮釋《總目》的文學批評方法、思想內涵，以及帶有官方整齊思想的「公論」觀念。該著為碩士學位論文，所以能以較大篇幅處理相關學術課題，故應是臺灣目前研究《總目》文學思想最為深入者。

近年來將《總目》焦點移至集部，且有重要成果的外國學者，應推日本學者筧文生先生與野村鮎子女士。二人合作出版《四庫提要北宋五十家研究》、《四庫提要南宋五十家研究》㊹兩部著作，其雖為語譯、注釋形式，同時偏重版本考察，但野村女士在注解之餘，也加入詮釋活動。㊺可惜的是：他們所注解與詮釋的〈提要〉，還僅限於兩宋別集類而已。

九〇年代中國大陸的《總目》研究，也愈顯豐富，據統計共有八十二篇㊻。其中仍以文獻的目錄、版本之考證、訂補為主，與文學相關的，約有季野〈開明的迂腐與困惑的固執——《四庫全書總目提要》小說觀的現代觀照〉㊼、成林〈試論《四庫提要》的文學

㊹ 〔日〕筧文生、野村鮎子：《四庫提要北宋五十家研究》（東京：汲古書院，2000.2）；〔日〕筧文生、野村鮎子：《四庫提要南宋五十家研究》（東京：汲古書院，2006.2）。

㊺ 〔日〕野村鮎子：〈論《四庫提要》如何評論南宋文學〉，收入沈松勤主編《第四屆宋代文學國際研討會論文集》（杭州：浙江大學出版社，2006.10），頁 319-333。據野村女士表示，這篇論文的內容，本來只是口頭演說，並非書面論文，至於成為書面形式，乃大陸相關單位擅自製作，非出自野村女士筆下。

㊻ 李杰：〈90 年代《四庫全書總目》研究論文綜述〉，《圖書館工作與研究》，2001 年第 3 期。

㊼ 季野：〈開明的迂腐與困惑的固執——《四庫全書總目提要》小說觀的現代觀照〉，《小說評論》，1997 年第 4 期。

批評方法〉㊽、吳承學〈論《四庫全書總目》在詩文研究史上的貢獻〉㊾。二○○○年以後，《總目》的文學研究數量增多，約有李劍亮〈試論《四庫全書總目》詞籍提要的詞學批評成就〉㊿、涂謝權〈論《四庫全書總目》文學批評的經世價值取向〉[51]、楊有山〈論《四庫全書總目》的文體研究〉[52]、〈試論《四庫全書總目》的文學批評觀念〉[53]、〈試論《四庫全書總目》的文學史研究〉[54]、孫微〈《四庫全書總目》所體現的杜詩學〉[55]、岳書法〈《四庫全書總目》詩類著錄情況分析〉[56]、夏翠軍〈《四庫全書總目》

㊽ 成林：〈試論《四庫提要》的文學批評方法〉，《南京大學學報》，1998 年第 1 期，1998.1。

㊾ 吳承學：〈論《四庫全書總目》在詩文研究史上的貢獻〉，《文學評論》，1998.11。

㊿ 李劍亮：〈試論《四庫全書總目》詞籍提要的詞學批評成就〉，《文學遺產》，2001 年第 5 期。

[51] 涂謝權：〈論《四庫全書總目》文學批評的經世價值取向〉，《貴州師範大學學報》（社會科學版），2002 年第 3 期。

[52] 楊有山：〈論《四庫全書總目》的文體研究〉，《南陽師範學院學報》（社會科學版），2002 年第 3 期。

[53] 楊有山：〈試論《四庫全書總目》的文學批評觀念〉，《江漢論壇》，2003 年第 4 期。

[54] 楊有山：〈論《四庫全書總目》的文學史研究〉，《信陽師範學院學報》（社會科學版），2003 年第 3 期。

[55] 孫微：〈《四庫全書總目》所體現的杜詩學〉，《杜甫研究學刊》，2003 年第 1 期。

[56] 岳書法：〈《四庫全書總目》詩類著錄情況分析〉，《西華師範學院學報》（社會科學版），2003 年第 5 期。

小說類探析〉[57]、朱則杰〈《四庫全書總目》五種清詩總集提要補正〉[58]、孫紀文〈《四庫全書總目》中的詞籍批評〉[59]、〈《四庫全書總目》在詩歌批評史上的價值〉[60]、〈《四庫全書總目》對歷代詩歌的批評〉[61]、〈《四庫全書總目》對本朝詩歌的批評〉[62]、張傳峰〈《四庫全書總目》詩學批評與紀昀詩學〉[63]、吳承學〈《四庫全書》與評點之學〉[64]等等。從上述篇目可以發現：大陸學者分別從個別作家及其接受史、文體學、文學史、批評方法等方面，展開研究工作，且豐富程度略勝臺灣。

綜上所述，本文的研究範圍與主題，應尚有發展空間。

---

[57] 夏翠軍：〈《四庫全書總目》小說類探析〉，《山東圖書館季刊》，2004 年第 1 期。

[58] 朱則杰：〈《四庫全書總目》五種清詩總集提要補正〉，《深圳大學學報》（人文社會科學版），2006 年第 3 期，頁 91-94。

[59] 孫紀文〈《四庫全書總目》中的詞籍批評〉，《內蒙古社會科學》（漢文版），第 27 卷第 6 期，2006.11。

[60] 孫紀文：〈《四庫全書總目》在詩歌批評史上的價值〉，《固原師專學報》，2005 年 5 期。

[61] 孫紀文：〈《四庫全書總目》對歷代詩歌的批評〉，《內蒙古社會科學》（漢文版），2005 年 5 期。

[62] 孫紀文：〈《四庫全書總目》對本朝詩歌的批評〉，《寧夏社會科學》，2005 年 3 期。

[63] 張傳峰：〈《四庫全書總目》詩學批評與紀昀詩學〉，《北方論叢》，2006 年 6 期。此外，張傳峰先生另有多篇相關論文，請參見氏著：《「四庫全書總目」學術思想研究》（上海：學林出版社，2007 年 6 月）。

[64] 吳承學：〈《四庫全書》與評點之學〉，《中國古代、近代文學研究》，2007.5。

二、文學批評史的研究概況

「中國文學批評史」做為一門獨立的研究學科，約到 20 世紀 20 年代末陳鐘凡先生才開始(65)。他將古代文學批評的歷史分為八期，開列專節的批評家有 93 人，可是並無紀昀或《四庫》學之介紹。進入 30、40 年代，則以朱東潤、郭紹虞、羅根澤三位先生為代表。這三位學者的著作，皆費時多年、陸陸續續完成的。朱氏《中國文學批評大綱》在清代列有「紀昀」一節，亦涉及《總目》的簡要評價，然卻罕用《總目》建構紀昀的文學思想。郭紹虞《中國文學批評史》將全史分三期，未涉「紀昀」或《總目》之述評；羅根澤《中國文學批評史》止於晚唐，自無「紀昀」或《總目》之述評。

1949 年以後，羅宗強先生認為可分為前 17 年與後 23 年兩段(66)，前段除郭紹虞的修正本、羅根澤續寫兩宋部分外，最能夠成為代表的是劉大杰先生《中國文學批評史》上冊。劉氏病逝以後，改由王運熙、顧易生先生主編完成中、下冊，遲至 1985 年出版完整，時間已步入後段。劉氏的上冊止於晚唐五代，至於後段，王、顧中、下冊雖補述至清代，並數次援引《總目》資料討論王士禛等人，但仍未正面處理這些文獻。此外，後段的重要學者與作品還有：周勛初先生《中國文學批評小史》、敏澤先生《中國文學理論

---

(65) 羅宗強：〈20 世紀古代文學理論研究之回顧〉，見氏著：《古代文學理論研究》（武漢：湖北教育出版社，2002.10），頁 3。

(66) 羅宗強：〈20 世紀古代文學理論研究之回顧〉，頁 10-13。下文所述，乃以羅氏說法為基礎，再進行考察，不敢掠美，特予註明。

批評史》、蔡鐘翔先生等五卷本的《中國文學批評史》、王運熙和顧易生先生主編七卷本《中國文學批評史》、張少康和劉三富先生《中國文學理論批評發展史》、張少康先生《中國文學理論批評史教程》、蔡鎮楚先生《中國古代文學批評史》等足為代表。在這幾部具有代表性的專著中，只有王運熙等主編的七卷本《中國文學批評史》和蔡鎮楚《中國古代文學批評史》兩種涉及紀昀和《總目》的討論，並列專節予以討論。但是，王氏書對紀昀思想做出立體性之建構，但仰賴推證的資料不以《總目》為主；蔡氏雖以《總目》為主，但對紀昀文學思想之展開又不若王書細膩。

至於臺灣學者部分，張健先生的《明清文學批評》一書，雖非以史為名，但在討論六十多位批評名家之餘，亦兼顧歷史發展，多有創發之處。該書亦列「紀昀」一節，簡要陳述紀昀思想之特點，唯非舉《總目》為證。當然，《總目》是否為紀昀之作，尚有爭議，故王運熙等先生編本、張健先生《明清文學批評》，實有不需負擔之理由。縱是如此，《總目》文學性的研究方向，亦應有值得注意的地方。

此外，日人青木正兒先生《清代文學評論史》亦無討論，故就此說來，《總目》「詩文評類」在文學批評史的討論中，確有罕及的現象。

總之，《總目》（尤其詩文評類〈提要〉）不成為文學批評史的研究對象，或許是不被認定為文學批評著作；又或許可以被認定為文學批評著作，但其歷史地位與價值不高，所以予以捨棄。無論理由為何？只要從「歷史理解」的主觀性質、「提要」的導引性質、古代學術現代轉型的遺落等幾個問題予以反省，我們應該能夠確認：

詮釋、重建《總目》文學思想，是一個值得努力的研究方向。

第三節　研究對象與範圍

一、《總目》纂修的時間與宗旨

四庫全書館於乾隆三十八年（1773）二月正式開館[67]，但《總目》的纂修工作，一般認為可追溯至乾隆三十七年（1772）購訪遺書的詔命[68]：

> 今內府藏書，插架不為不富，然古今來著作之手，無慮數千百家，或逸在名山，未登柱史，正宜及時採集，彙送京師，以彰稽古右文之盛。……各省蒐輯之書，卷帙必多，若不加之鑒別，悉行呈送，煩複皆所不免。著該督撫等先將各書敘列目錄，注係某朝某人所著，書中要旨何在，簡明開載，具摺奏聞。

在訪求圖書的過程中，要求搜集者先敘列各書目錄，並簡明登載書中要旨，這或許僅出於徵書工作的便利性而已。可是安徽學政朱筠在同年十一月二十五日所提出的四項建議中，則對著錄校讎有了更

---

[67] 關於開館過程，請參見黃愛平：《四庫全書纂修研究》（北京：中國人民大學出版社，2001.2）頁 15-21。

[68] 〈諭內閣著直省督撫學政購訪遺書〉，張書才主編：《纂修四庫全書檔案》（上海：上海古籍出版社，1997.7），頁 1-2。

具體的期待[69]：

> 著錄校讎，當並重也。……臣請皇上詔下儒臣，分任校書之選，或依《七略》，或準四部，每一書上，必校其得失，措舉大旨，敘于本書首卷，並以進呈。

朱筠的見解，本出於中國目錄學的傳統，將書籍的著錄與校定工作，採取更為嚴謹的作法——校其得失，舉其大旨。隔年，四庫館臣的回應是[70]：

> 查古人校定書籍，必綴以篇題，詮釋大意。《漢書·藝文志》所稱：「條其篇目，撮其指要」者，所以倫次得失，使讀者一覽了然，實為校讎良法。但現今書籍，較之古昔更繁多，況經欽奉明詔訪求著錄者，自必更加精博。若如該學政所奏——每一書上必措舉大旨，敘于卷首，恐群書浩如淵海，難以一一概加題識。……俟各省所採書籍全行進呈時，請敕令廷臣詳細校定，依經史子集四部名目，分類彙列，另編目錄一書，具載部分卷數，撰人姓名，垂示永久，用昭策府大成，自軼唐宋而更上矣。

---

[69] 〈安徽學政朱筠奏陳購訪遺書及校核《永樂大典》意見摺〉，《纂修四庫全書檔案》，頁 21。

[70] 〈大學士劉統勳等奏議覆朱筠所陳採訪遺書意見摺〉，《纂修四庫全書檔案》，頁 54。

館臣認為徵書的初步工作，實為龐雜，故校定等實質工作，待進書以後再行展開，並俟時董理為一部專書。《總目》就在這樣的氛圍下，於乾隆六十年（1795 年）完成(71)。

從纂修行動的表層看來，既出於整理、保存文獻（「稽古右文」的工作），那《總目》就應為文獻資料的彙編而已。可是從《總目》卷首〈凡例〉第十五條(72)看來，則又不如此單純：

> 漢唐諸儒，謹守師說而已。自南宋至明，凡說經、講學、論文，皆各立門戶，大抵數名人為之主，而依草附木者囂然助之。朋黨一分，千秋吳越，漸流漸遠，并其本師之宗旨亦失其傳。而讎隙相尋，操戈不已。名為爭是非，而實則爭勝負也。人心世道之害，莫甚於斯。伏讀御題朱弁《曲洧舊聞》

---

(71) 關於《四庫全書總目》的纂修過程，請參考黃愛平：《四庫全書纂修研究》，頁 296-341。司馬朝軍：《《四庫全書總目》研究》，頁 1-144。此外，崔富章先生考察指出：乾隆六十年有兩種《總目》刻本出現，一是浙江刻本（簡稱浙本、杭本、杭州小字本，或被誤稱作揚州本、揚州小字本）；另一是北京武英殿刻本（簡稱殿本，或被誤稱作聚珍本）。從乾隆六十年到現在，《總目》共有二十幾個版本，但都源於浙本與殿本。又殿本刊竣時間，有五種不同說法：(1)乾隆五十四年(2)乾隆五十五年(3)乾隆五十五至五十九年之間(4)乾隆五十八年秋冬(5)乾隆六十年。崔先生運用考證學的內證法和《纂修四庫全書檔案》等資料，得出殿本刊竣刊印裝潢、呈送御覽的時間在乾隆六十年十一月十六日。見氏著：〈《四庫全書》武英殿本刊竣年月考實〉，《浙江大學學報》（人文社會科學版），第 36 卷第 1 期，2006.1。本文已聲明採用商務印書館《總目》武英殿本，而該書刊竣時間接受崔先生結論。

(72) 《總目》，卷首三〈凡例〉，頁 1（冊）—38。

致遺憾於洛黨(73)，又御題顧憲成《涇皋藏槁》示炯戒於東林(74)，誠洞鑒情偽之至論也。我國家文教昌明，崇真黜偽，翔陽赫耀，陰翳潛消，已盡滌前朝之敝俗。然防微杜漸，不能不慮遠思深，故甄別遺編，皆一本至公，劃除畛域，以預消芽蘖之萌。至詩社之標榜聲名，地志之矜誇人物，浮辭塗飾，不可盡憑，亦併詳為考訂，務核其真，庶幾公道大彰，俾尚論者知所勸戒。

這段〈凡例〉指出一個歷史現象：漢、唐諸儒生雖謹守師說，但不致互相群聚成黨，操戈爭勝。可是從南宋到明朝，由於好為議論，無論是闡述經學、講揚學術、議論文學都各成門戶，甚至脫離學術文章的討論，彼此「仇隙相尋」(75)。館臣為避免朋黨相爭，蠹害人心世道，所以在編收前人著作之時，更藉「一本至公」以消除國家災難。其中以「考訂」為起點，去除門戶之見，致力「核真」，就

(73) 《曲洧舊聞》（《景印文淵閣四庫全書》，臺北：臺灣商務印書館，1986.3），書前〈提要〉之前，錄有〈御題《曲洧舊聞》四首〉，第一首「留金弗紀金間事，曲洧依然紀舊聞。二帝播遷雖自取，禍緣新法變更紛。」第四首「清濁渭涇本自殊，操戈同室若為乎。因翻汝琛藏獨本，略恨爾時程與蘇。」頁 863（冊）－285。《曲洧舊聞》乃追述北宋遺事的著作，對於「新法」及黨爭多有著墨，故有御題絕句中的概歎。

(74) 《涇皐（〈凡例〉作皋）藏稿》未見御題詩文，《總目》云：「姑錄其集並論末流之失，以示炯戒」倒直言收錄此集的訓示意義。頁 4（冊）－564-565。

(75) 《總目》，卷一百四十八，〈集部總敘〉云：「大抵門戶構爭之見，莫甚於講學，而論文次之。」亦屬此類看法。頁 4（冊）－2。

成為整理圖書的基本態度之一[76]。

當然，此則〈凡例〉也是本文展開討論的重要起點，即館臣面對論文性的著作——詩文評類著作，他們怎樣理解、解釋、評價這些著作？在理解、解釋、評價中，又呈顯怎樣的文學思想呢？

二、《總目》的作者

《總目》作者的身分問題，是一個長久以來眾說紛紜的問題。近年研究《總目》著力甚深的司馬朝軍先生曾整理出三個主要代表意見：「一曰館臣集體之意志，主此說者有李慈銘、胡玉縉、來新夏、沈津等人；二曰紀昀『一人之私見』，主此說者有黃雲眉、周積明等人；三曰清高宗『欽定』，昌彼得、吳哲夫等人皆主此說。」[77]但從館臣分纂〈提要〉的角度看來[78]，這不會是成於一人之手的；但《總目》能夠完成，紀昀整理與高宗認可，也都是重要的條件。

司馬朝軍經過分纂稿〈提要〉、《總目》〈提要〉、《總目》〈凡例〉〈聖諭〉〈進表〉、各作者的作品等材料，逐一比對、考察後，得出兩個結論：「第一，《總目》是集體創作而非一人所

---

[76] 當然，館臣作《總目》的態度、思想，還有許多可以討論的地方，此處只是借〈凡例〉十五條導出與本文主題有關的要點。館臣其他態度或思想，請參見黃愛平：《四庫全書纂修研究》，頁 296-376。

[77] 司馬朝軍：《《四庫全書總目》編纂考》（武漢：武漢大學出版社，2005.11），頁 724。

[78] 請見《《四庫全書總目》編纂考》；《四庫全書纂修研究》，頁 311-320。另外，關於分纂考內容，請參見〔清〕翁方綱等撰、吳格、樂怡標校整理：《四庫全書分纂稿》（上海：上海書店出版社，2006.10）。

為。……第二，《總目》是官撰而非私撰。《總目》體現的是官方意志而非個人意志。」[79]簡言之，《總目》代表集體式的官方意見。當然，所謂的「集體式」，應從一般共相上來看，至於細微地方，可能還有分纂官與分纂官、總纂官與分纂官、館臣與高宗之間歧見、矛盾現象存在。因此，本文援引「《總目》代表集體式的官方意見」為基本立場，但不反對其中容有駁雜的觀點。至於這些駁雜的觀點內容、形成原因等等問題，則待日後另做深入探討。

三、範圍的圈定與游移

《總目》的表述方式往往零散而片斷，本文雖然針對「詩文評類」〈提要〉進行文學思想研究，但經常會面臨研究材料斷裂的狀況，所以不得不轉往其他部類〈提要〉尋求文獻支援。如此一來，確已越出題目所設定的研究對象範圍。可是在研究處境上，這是不得已的權宜做法。當然，一旦進入其他部類尋求支援，就牽涉不同作者意見與態度的問題（其實，連詩文評類〈提要〉也未必成於一人之手），此將再捲入《總目》作者究竟是誰的困局中。因此，「《總目》代表集體式的官方意見」將成為暫時隔離轇葛的方法了。

第四節　研究方法與進路

本文的主要論題是：《總目》「詩文評類」〈提要〉的文學思想。此處先歸結前三節的主要內容，並簡要說明研究立場：

---

[79] 《《四庫全書總目》編纂考》，頁 724-725。

第一、《總目》「詩文評類」〈提要〉是館臣針對詩文評著作的述評作品，若詩文評著作是文學批評著作的話，那「詩文評類」〈提要〉便是文學批評的再批評。當然，「詩文評」與「文學批評」的異同問題，是本文基本假設以外的論題，暫不討論。

第二、《總目》〈提要〉的再批評內容，亦屬文學思想（史）[80]研究的範圍，所以本文以「《總目》「詩文評類」〈提要〉的文學思想」為題名。

第三、本文雖以《總目》「詩文評類」〈提要〉為研究對象，但有時需旁涉其他部類以求文獻支援，增加詮釋效力，此乃權宜方法，而非不自覺之錯置。

第四、前述權宜方法尚能成立理由在於：我們將《總目》視為反映集體式官方意見的一部著作。至於理由本身還存在的許多學術問題，本文暫不討論。

第五、從《總目》〈聖諭〉、〈凡例〉中出現的「稽古右文」的語詞看來，纂修《四庫全書》、書寫〈提要〉等活動，都是充滿歷史意識、歷史知識、歷史解釋、歷史敘述[81]的活動。

---

[80] 「文學思想史」的研究內涵，因涉及文學創作層次所反映的思想，故較「文學理論史」「文學批評史」廣泛。而《總目》所牽涉的範圍，不限於「理論史」或「批評史」，實亦涉及館臣對文學創作活動、作品之掌握，故此處以「思想史」稱之。關於「文學思想史」的研究範圍，參見羅宗強：《隋唐五代文學思想史》（上海：上海古籍出版社，1986.1），〈引言〉，頁 1-12；羅宗強：〈我與中國古代文學思想史〉，《因緣集——羅宗強自選集》（天津：南開大學出版社，2004.10），頁 1-11。

[81] 這幾個語詞，在後文中將經常出現，故簡單定義如下：歷史意識（Historical Mindedness）乃指：「人類詮釋其外在世界變遷及其自身變遷的心靈活動；

一、研究方法的理論基礎

㈠「歷史解釋」存在於「歷史敘述」之中

在前述五項基本立場上，我們將從《總目》「詩文評類」〈提要〉的歷史敘述（圖像）(82)做為探察的核心，然後詮釋、評估館臣的文學思想。換言之，站在文學研究的立場，我們要通過《總目》「詩文評類」〈提要〉所建構的文學批評史圖像，去詮釋、反省館臣的文學思想。因此，本文的前端問題為——歷史表層與文學思想有何關係？

在二十世紀八〇年代歐美史學界、文學界，出現一種新的史學主張與文學批評方法——新歷史主義（New Historicism）。他們對於文本與歷史的主張，大致如下(83)：

藉著這個心靈活動，人瞭解自己的特質以及自己在外在世界中的位置及方向」，見胡昌智：《歷史知識與社會變遷》（臺北：聯經出版事業公司，1988.12），頁 20。歷史知識是指「人對於具體而變動的現象，加以推理而構成之知識系統。」，見黃俊傑：《歷史知識與歷史思考》（臺北：國立臺灣大學出版中心，2003.12），頁 51。歷史解釋（Historical Interpretation），大致是闡明歷史發展的軌跡及其意義所在；歷史敘述（Historical Narrative），乃指將以往曾經發生的事件，不憚繁瑣地敘述出來，見杜維運：《史學方法論》（臺北：三民書局，1989.3），第十三章〈歷史敘事與歷史解釋〉，頁 211-213。

(82) 本文經常以「歷史圖像」一語取代「歷史敘述」，其實，「歷史圖像」是指歷史敘述內容中的歷史樣貌，二詞無本質之差異，惟本文欲強調被史家建構出來的歷史樣貌，所以採「圖像」二字說之。因此，「歷史圖像」非指歷史所遺留下來的具體圖案、形象，如相片、繪畫等等歷史材料。

(83) 朱立元主編：《當代西方文藝理論》（上海：華東師範大學出版社，2005.4），頁 396。

> 歷史是一個延伸的文本，文本是一段壓縮的歷史。歷史與文本構成了生活世界的一個隱喻。文本是歷史的文本，也是歷時和共時統一的文本。歷史不同於矢量的時間，歷史是一個意味深長的過程，在其中不可逆轉性一再重複出現，過去與未來在文本意義生成中瞬間接通。歷史視界使文本成為一個不斷解釋而且被解釋的螺旋體。歷史語境使文本構成一種既連續又斷裂的感覺和反思空間。歷史高於文本，過程大於結果。

西方二十世紀文學理論發展，曾有以語言為文學研究中心的流派與階段，諸如俄國形式主義、英美新批評、結構主義等等學說。新歷史主義的立場，正是背離以語言為中心的理論。新歷史主義論者認為：文本成為有意義的形式，是經過語言具體化、客觀化的結果；而凝聚成形的力量，端賴整個歷史的力量。所以，語言文本只是被壓縮的歷史，為整個真實歷史的一部分而已；在語言文本之外，還有一個未經語言形塑的文本（即真實歷史）。換言之，我們所看見的語言文本——各種歷史敘述，都只是某種語言化的成品。從後代人的角度來看，真實歷史就是語言文本的延伸。因此，語言文本永遠是歷史的文本，它隱含敘述者在現實世界的經驗或期待。真實歷史具有不可逆轉性，所以語言文本所重複的歷史，都是一個經過「解釋」的歷史，正因如此，語言文本也就成為可再「被解釋」的對象，並成為一個「螺旋體」。語言文本既為「螺旋體」，真實歷史又具不可逆轉性，因此，語言文本所再現的歷史，不會是真實歷史，它只是一個含帶歷史隱密的載體。循此，我們可這樣說：《總目》是館臣面對歷史而予以語言化的文本，而當它一旦成為語言文本的時候，也即刻成為被解釋者。接著，我們可以問：館臣的歷史敘述究竟「隱喻」何種現實世界的經驗與期待呢？

「隱喻」的概念，在研究十九世紀歐洲歷史的海登·懷特（Hayden White）《史元》中，有許多論述[84]：

> 若於正規史著與演繹性歷史哲學必有所區別，則有別者乃是二者之強調方向，而非內涵之互異。以正規史著言，其之建構元素，係散置於敘事內部，嘗於故事脈絡中，立於明顯主要地位者，乃是採訪（found）所得史料元素。而演繹性歷史哲學，則循相反方式，係將觀念建構元素攜至表層，明白推演，並施以系統性析辯，至於史料部分，其主要功能僅為闡明或徵驗。故筆者結論乃謂，正規史著之元素中，即包含有歷史哲學，而完整綻放之歷史哲學，其眾元素中，又莫不包含有正規歷史。

歷史著作[85]與歷史哲學有著內在相同性，即「建構元素」同樣存在

---

[84] 海登·懷特著，劉世安譯：《史元：十九世紀歐洲的歷史意象》（臺北：麥田出版社，1999.12），下冊，頁575-576。

[85] 本文以歷史著作代稱「正規史著」，即指通過史料而勾勒歷史圖像的著作而言，海登·懷特或稱為"historiography"（歷史編纂），其在〈「描繪逝去時代的性質」：文學理論與歷史寫作〉指出：「過去的事實，這是歷史學家的研究對象；歷史編纂，這是歷史學家關於這一對象所寫的話語；以及歷史哲學，這是對上述對象和上述話語之間可能關係的研究。」此話已為歷史著作、歷史哲學做出基本區分。該文收入拉爾夫·科恩主編，程錫麟等譯：

兩種敘述書寫之中。只是在論述的表層，歷史著作將建構元素散置於敘事內部，其表層為史料所構成的故事脈絡；歷史哲學則將建構元素直接置於表層，至於史料及其所構成的故事，便是做為闡明或徵驗而已。所謂的建構元素，其實就是歷史解釋。

就此看來，歷史著作的敘事文本有其內層結構，而內層結構的本質，「通俗說法是屬於詩學，專業說法則屬於語言學」[86]因此，歷史文本即是具有文學虛構性的文本。歷史文本的虛構性主要來自精製情節、析辯詮釋法以及意識形態。海登·懷特說[87]：

> 敘事，或稱事件的句法散居（syntagmatic dispersion），通過作為散文話語的系列，表現出一個綜合形式的闡釋，可以代表話語所採用的「內在趨向」（inward turn），向讀者展示事物或人的真正模式。……敘事的最初模式解構比喻模式中編碼的事件系列（無論是真實的還是想像的事件系列），然後在另一個比喻模式中重構事件系列。這樣一來，敘事就成為解碼和重新編碼的過程，在這個過程中，一個新的比喻模式代替了原初由常規、權威、習慣所編碼的比喻模式。因此，敘事的闡釋力量依賴原初編碼與重新編碼的對立。

敘事活動就是一個不斷重新編碼的活動，而在編碼的過程中，「敘

《文學理論的未來》（北京：中國社會科學出版社，1993.6），頁 46。

[86] 《史元：十九世紀歐洲的歷史意象》，上冊〈序言〉，頁 xxiii。

[87] 海登·懷特：〈作為文學虛構的歷史本文〉，見張京媛主編：《新歷史主義與文學批評》（北京：北京大學出版社，1997.5），頁 176。

述的故事凝塑成一特定類型故事，並為該故事注入『意義』」[88]這即為精製情節詮釋法。海登·懷特循精製情節詮釋法的語相，區別四種形式：傳奇式、悲劇式、喜劇式、譏諷式。[89]換言之，符碼的內容是事件系列，而編纂的意義除了是自我建構的，同時也是對其他編碼系統的衝撞，甚或取代。值的注意的是，這樣的取代並非故事外貌的取代而已，更是「意義」的取代。史學家將自己對於歷史的析辯詮釋與意識形態，展現在歷史圖像的深層結構中，所以每個歷史敘事自有其面貌。至於深層結構表諸於敘事文本，其方式不外於詩學、語言學所說的隱喻、轉喻、提喻、諷喻等四種類型[90]。

---

[88] 《史元：十九世紀歐洲的歷史意象》，頁 10。

[89] 傳奇式主要以「英雄之超凡成就並自俗世得到解脫為表徵」、「強調救贖」；譏諷式「乃以人類最終仍為天地之囚徒而非其主人」、「強調消散」；喜劇式乃「將人類暫時克服其所居之世界，植基於自然環境與人類社會正在運作之各種力量間之偶而妥協。而此種妥協又以歡樂合作為表徵，喜劇作家慣以歡樂場合作為其對於變遷、蛻化敘述之結尾。」；悲劇「結尾所顯示之妥協，則較為陰鬱，其特質係顯示人類對於環境必然較認命，處於此情勢之下，人類必須辛勤努力。」《史元：十九世紀歐洲的歷史意象》，頁 10-13。

[90] 海登·懷特認為在歷史敘述的過程中，需要塑造出事件之間的因果律，故他自歷史敘述裏區分四種歷史詮釋的典範，其分別為：形式論者、有機論者、機械論者、文脈論者。至於意識形態，乃指處身在現實社會中，欲對社會有所作為而持有的一套意識，他進一步區分四種意識形態：無政府主義、保守主義、激進主義、自由主義。結合正規析辯、意識形態與精製情節，便構成史家著作的個別風格。另外，海登·懷特認為要將歷史敘述呈顯於外時，需通過比喻法。比喻法可分為四種：隱喻——「藉彼此相似抑或互異之語辭，經由類比或直喻，刻畫某一現象之特質」；轉喻——「即一物之全稱，可藉該物部分之稱謂予以取代」；提喻——「其係就賦與整體之性質中之部分，

當代史學家丹圖（A. Danto）和利科（Paul Ricoeur）曾指出「歷史敘述」與「歷史解釋」是不可分開的，即「歷史解釋的邏輯，就是通過對對象是如何的敘述，而達到對其為何如此的解釋。」「敘述在歷史中具有其它解釋方法所不能取代的優先地位。換言之，一切歷史解釋首先和必然是敘述的。」[91]因此，「歷史敘述」就是一種歷史的「敘解模式」（Historical Narrative Model），在敘事的底層仍具有強烈的解釋意義。若此，德學史學家宙恩·呂森（Jörn R Üsen）所認為的：「通過敘述的方法，人的大腦掌握了偶然性。它賦予了發生在人類社會變化中的事件的時間序列某種意義。這樣，人類就可以在文化方面受到人類世界和人類自身的時間連續性觀念指導。」[92]據此可以說明：「歷史敘述」與「歷史解釋」，並非出於單純外物（過往的歷史事件）與自我（敘解歷史事件者）的斷裂關係，而是一種相攝互函的關係，因為在敘述與解釋的過程中，個別事件在時間中的偶然性，得到序列化，並紛紛被賦予某種意義。甚而，人將受到人類世界與人類自身的「時間連續性觀念指導」，從而產生面對未來的動力。這些當代的史學理論，實能解釋《總目》深深隱含館臣

以表徵整體」；諷喻——「凡是將字義文面肯定之物，於象徵層面中予以否定」簡言之，隱喻的本質是代表、轉喻是化約、提喻是整合、諷喻是反語。見《史元：十九世紀歐洲的歷史意象》，〈導論：歷史之詩學〉，上冊，頁3-54。此外，本文引朱立元先生的說法，取「隱喻」的廣義用法，可包含海登·懷特的四種喻法。

[91] 參見周建漳：〈當代西方哲學關於「歷史解釋」的方法論思考〉，《廈門大學學報》（哲社版），1994年第2期，頁10-11。

[92] 宙恩·呂森撰，張永華譯：〈賦與時間意義——以歷史意識為概念基礎的普遍分類學〉，《史學理論研究》，2002年01期，頁12。

的歷史意識、歷史解釋與歷史敘述。

總之，第一、歷史敘述的文本是虛構的文學，那文本就具備了文學質素；歷史敘述文本是史家主觀經驗的投射，那史家思想將融於文本之中。因此，從歷史敘述中尋繹作家文學思想，是一個合理的研究方法。第二、我們先嘗試將詩文評〈提要〉當作文學批評史的著作，然後，去掌握館臣所建構的批評史圖像（即歷史敘述），最後，在圖像中尋繹歷史解釋。當然，我們只側重帶有文學討論成份的歷史解釋。

(二) 「權力」滲入「歷史敘述」之中

人類的歷史意識經過自覺化、系統化以後，上昇為以理性為中心的歷史知識。歷史知識發用為歷史解釋，成就歷史敘述。前一小節已針對歷史敘述的主觀性質，予以討論。至於構成個別史家主觀性質的因素，尚有許多不同而複雜的內容，而本文論題則以通過「權力」的角度，予以梳理。

法國思想家米歇爾・福科（Michel Foucault）對於權力構築知識的情形，有很深入的解析。朱立元先生指出：「在福科看來，權力是檔案的負面的社會政治現實，是一種無所不在，無以擺脫的社會罪惡。權力總是與知識攜手並進，利用知識來擴張社會控制，故而知識不是客觀的、中立的，他是拉起『真理』來做虎皮、包裹起統治階級意識型態的東西：『即便在今日所呈現的極大地擴張了的形式中，知識的追求也沒有達成一種普遍真理，賦予人類以正確、寧靜把握自然的能力。相反，它無止境地倍增風險，在每一個領域中製造險象。……它的發展不是旨在建立一個自由的主體，而是製造一個與日俱增的奴性，屈從它的狂暴本能』……福科以知識和權力為一對共生體。這個共生體的表象是知識，實質是權力。」[93]權力是一切意義生成的起點，但是做為終點的真理，卻遙不可及。福科從犯人肉體懲罰的發展歷史發現[94]：

> 權力製造知識（而且，不僅僅是因為知識為權力服務，權力才鼓勵知識，也不僅僅是因為知識有用，權力才使用知識）；權力和知識是直接相互連帶的；不相應地建構一種知識領域就不可能有權力關係，不同時預設和建構權力關係就不會有任何知識。……總之，不是認識主體的活動產生某種有助於權力或反抗權力的知識體系，相反，權力——知識，貫穿權力——知識和構成權力——知識的發展變化和矛盾鬥爭，決定知識形式和可能的領域。

無論西方近兩百年懲罰犯人的方法、工具等等有何改變，這一切都不離開權力與知識的範圍。權力能夠產生知識，並且滲透到各個社會脈絡之中。我們在福科的著作《規律與懲罰》、《性意識史》中，都能看見他所揭示的實例：權力和知識合併之後，顯現在處置肢體、改變性意識的力量。[95]當然，權力在福柯看來，未必為國家

---

[93] 朱立元主編：《當代西方文藝理論》，頁337。

[94] 米歇爾・福柯著、劉北成、劉遠嬰譯：《規訓與懲罰》（北京：生活、讀書、新知三聯書店，2003.1），頁29-30。

[95] 米歇爾・傅柯著、王德威翻譯・導讀：《知識的考掘》（臺北：麥田出版社，2001.1），頁57-63。

機器所產生，它無邊無際地產生在各類機制網絡之中[96]。

明清史著名學者孟森先生曾指出[97]：

> 四庫定以抄本著錄，世尚無抉其隱者。河間獻王之寫書留真，其時本無刻本，故必以寫本著錄。宋以前藏書皆然。至雕版既行，收書自應收刻本。翻刻之書，尚為世所輕視，為其迻寫必多舛誤耳，豈有反將刻本改寫，糜費鉅貲，自造舛誤之理？乃當時刻本寫本，歧而二之：刻本貯於昭仁殿，名曰：「《天祿琳琅》」，不與天下共之；其與天下共者，悉付重抄，而有抽燬，始許天下覆印。蓋除全毀者外，凡有存書，皆經審定，以剗除忌諱語為本旨也。……故《四庫全書》乃高宗愚天下之書，不得云學者求知識之書也。

---

[96] 汪安民先生認為福科的權力概念，並不是一個本質主義概念，我們很難為它下一個明確的定義，他並引福科所說：「權力無所不在，這並不因為它有特權將一切壟罩在它戰無不勝的整體中，而是因為它每時每刻，無處不在地被生產出來，甚至在所有關係中被生產出來。權力無處不在，並非因為它涵括一切，而是因為它來自四面八方」見趙一凡、張中載、李德恩主編：《西方文論關鍵詞》（北京：外語教學與研究出版社，2006.1），頁 442-456。因此，權力是關係中的權力，權力無所不在，不能被化減為禁令法律或國王權力。如果我們只用國王權力、國家機器產生權力概念去掌握福科的權力理論，則是出於誤解。所以，本文只借用福科理論中權力能夠生產知識，並且達成馴服的意義而已，然後仍將焦點放回官方統治、國王權力之上。

[97] 孟森：〈選刻四庫全書評議〉，見氏著：《明清史論著集刊（下）》，頁 682-685。此外，乾隆以強烈手禁毀圖書的方法、過程及影響，請參考吳哲夫：《清代禁燬書目研究》（臺北：嘉新水泥公司文化基金會，1969.8）。

> 四庫館未開以前，自康熙以來，君主之意旨，臣民之揣摩，為女真諱，為建州諱，其風已熾。無設定之禁燬機關，所及者少，如乾隆四十二年諭旨，不滿於康熙間所刻《宗澤集》、《楊繼盛集》，改夷為彝，改狄為敵，又忽將此二字挖空存圈，未能一律。……至四庫館開，而根本刪改，禁毀原書。

四庫全書之所以採寫本行世，孟森先生認為與控制思想有關。所以，在鈔錄刻本時的刪改動作，和禁毀原書的舉動，都是透過行使權力，以遂行統治目的。大陸學者楊念群先生也認為，乾隆藉著纂修《四庫全書》，推行廣搜天下秘笈與嚴查違礙禁書的雙向策略，是為了實踐大一統的構想。所謂的大一統，是指乾隆將「江南」視為亟須重整、新編的文化區域。[98]這在在說明由乾隆經由權力，推動纂修《四庫全書》，並藉此建構一套國朝知識。當然，這一套國朝知識便是歷史圖像的喻義所在。此外，在本章第一節曾引《總目》〈凡例〉第十六條為例，說明館臣渴望追求「公論」，可是弔詭的是，當權力滲入《四庫全書》纂修活動時，「公論」就不是純然理性思辨下的真理，而是帶有國家意志的主觀意識。總之，從建構國朝知識到實踐大一統的構想，都有權力滲透的顯明身影。

因此，我們若通過權力與知識的視野，應能進一步理解《總

---

[98] 楊念群：〈文字何以成獄？——清初士人逃隱風格與「江南」話題〉，收入氏編：《新史學（第一卷）——感覺．圖像．敘事》（北京：中華書局，2007.4），頁 3-55。

目》的主觀性質與〈提要〉的導引性質了。

二、研究進路

本書名為《權力、知識與批評史圖像——《四庫全書總目》「詩文評類」的文學思想》，意在說明：《總目》是經由權力運作而生成的著作，著作之內的一切知識，都與權力密不可分。知識可以展現在歷史敘述中，所以選擇文學批評史圖像做為研究起點，並進入《總目》的文學思想裏。至於研究材料，我們選擇詩文評類做為開端。

事實上，新歷史主義者的見解，與中國史學傳統，頗有相通之處。如孟子曾指出：《春秋》乃為「其事則齊桓晉文，其文則史，孔子曰：『其義則丘竊取之』」[99]之著作，「事」為歷史事件，「文」為重新編碼的敘事文本，「義」則為史家的意見。此外，《春秋》的「微言」，則又與海登·懷特所說的喻法有相似之處。而司馬遷的「述往事，思來者」[100]、「欲以究天人之際，通古今之變，成一家之言」[101]則充分將歷史敘述的主觀性（「成一家之言」），以及文本乃將過去（「往事」）、現在（「述」與「思」的活動）、未來（「來者」），做一瞬間連通的說法，也類似新歷史主義

[99] 〔清〕焦循：《孟子正義》（臺北：文津出版社，1988.7），頁574。

[100] 〔漢〕司馬遷：《史記》（北京：中華書局，1997.11），卷一百三十、列傳第七十、〈太史公自序〉，頁834。

[101] 〔漢〕班固：《漢書》（北京：中華書局，1997.11），卷六十二、列傳第三十二，〈司馬遷傳〉，頁697。

者的理解模式。[102]因此，視《總目》「詩文評類」〈提要〉中文學批評史圖像為某種隱喻，則成為整個研究的基本設定。

在研究方法的理論層次，本文資藉新歷史主義的部分理論，將《總目》視為具有隱喻性質的文本，從而循著〈提要〉文字脈絡，重建館臣心中的歷史圖像。在重建的過程中，以《總目》〈凡例〉提及的「公論」做為切入點，留意各種文學流派與「公論」的落差。「公論」函著一個相對的概念——私見[103]，而「私見」除了有

---

[102] 為了凸顯本文借用新歷史主義的普遍合理性，所以試著與中國史學傳統的部分精神做一簡略連通，但這不表示本文企圖將不同文化所生成的論述，毫不思辨地接合起來，成為學術格義的實踐者。新歷史主義對歷史情節的種類、意識形態的分析，都是站在西方的文學傳統與政治社會模式而論的；而將歷史文本視為全然虛構的文學，實與中國學術傳統將「史」「集」分門別類不同。況且，新歷史主義重要看法——所有的歷史都只剩下歷史文本，而歷史文本是經過文學虛構而成的，是一種充滿解構性質的認識論，它就與中國史學傳統「垂變以顯常，述事以求理」的扣實性質，截然不同。所以，研究方法的資藉程度，是從中西學術的共法上來進行取捨，絕非無意識地、無區判地、一味地套用挪借。同理，本文也無意完全套用福科的權力理論，否則，不僅館臣的「公論」（真理）應該被解構，連現實人生中的真理，也該一併被取消，這實在不符合中國學術文化的精神。顏崑陽先生曾在〈自有我在與客觀對話〉一文中，展現中國古典文學研究者所面臨的時代困局，其中亦隱含期待建立兼顧主體性與普遍客觀性的研究方法，見《中國文哲研究通訊》，第 12 卷第 3 期，2002.9。在學術轉型的過程中，當我們面對每個個殊的學術議題時，唯有不斷省視個別方法的妥切程度，或許才能透過累積經驗而突破困局吧！

[103] 《總目》，卷一百四十三、子部五十三、小說家類存目，〈西峯淡話提要〉云：「是書多論明末時政。其論有明制度，多本於元，尤平情之公議，非明人挾持私見、曲相排抑者可比。」頁 3（冊）－1036。唯此處出現的語詞為「公議」，但實與「公論」相通。

偏見的意思外，亦指流派門戶的個別意見。因此，泯除門戶私見，締造公論；追求千秋公論，平息私見，就成為《總目》循環式的目標。簡言之：館臣的文學批評史圖像是什麼？為什會是這樣的圖像呢？這些答案與「公論」（它的內容屬於知識、它的來源屬於權力）有何關係？這些都是我們最基本的問題。然後，尋思《總目》，求得答案。

本文除了緒論與結論外，正文以時間段落與重大議題，做為分割界限，一方面照應文學批評史圖像的時間順序，另一方面符合館臣對於文學發展段落的基本掌握，故第二章為「朋黨與正典：南朝至元朝批評史圖像及其文學思想」、第三章為「贗古與本色：明朝批評史圖像及其文學思想」、第四章為「祖宋與神韻：清朝批評史圖像及其文學思想」。

每章的章名標目，是整章的重要概念，也是研究進路的指標，簡要說明如下[104]：

㈠朋黨與正典：《總目》〈凡例〉第十五條說：「自南宋至明，凡說經、講學、論文，皆各立門戶。……朋黨一分，千秋吳越，漸流漸遠，并其本師之宗旨亦失其傳。」館臣認為朋黨分立，各持私見是明清學術、文學的整體趨向，他們運用這整體印象去檢覈部分文化現象——詩文評的活動與著作，並且加深這個印象。而《總目》「不詭於正」（見〈歲寒堂詩話提要〉）的評語，可以視為超越門戶私見的具體表現與理想標準。因此，我們側重館臣眼中的朋黨現象，以及克服私見的方法——追求公正典型的精神，並做為本

---

[104] 各重要概念之原始文獻，請參見各章內容，此處不一一詳註。

章章名與進路。

㈡贗古與本色：《總目》對於明朝文學批評史的觀察，可說是以七子派為中心而展開討論。館臣認為七子派是明朝門戶爭論的開啟者，其主張流弊在於「贗古」。《總目》捨棄李攀龍引述《周易・繫辭傳》「擬議以成變化」中的「擬議」概念[105]，改取「摹擬」，甚至使用帶有強烈批評意味的語詞——贗古（見〈懷麓堂詩話提要〉），來形容七子派的文學主張。本章章名採用「贗古」，凸顯館臣充滿主觀評價的色彩。「本色」（見〈袁中郎集提要〉）即公安派強調的「性靈」之意，它是變革七子派的重要方法，也是館臣用來勾勒公安派的用語。本章循著館臣對復古派與反復古派的論述，討論館臣的文學思想。

㈢祖宋與神韻：《總目》觀察清朝文學批評著作時，特別側重王士禛現象。館臣認為「祧唐祖宋」[106]（見翁方綱〈漁洋先生精華錄

---

[105] 李攀龍：〈古樂府序〉：「胡寬營新豐，士女老幼相攜路首，各知其室，放犬羊雞鶩于通塗，亦競識其家；此善用其擬者也。至伯樂論天下之馬，則若滅若沒，若亡若失。觀天機也，得其精而忘其麤，在其內而忘其外，色物牝牡，一弗敢知；斯又當其無有擬之用矣。古之為樂府者，無慮百家，各與之爭片語之間，使雖復起，各厭其意，是故必有以當無有擬之用。有以當其無有擬之用，則雖奇而有所不用也。《易》曰：『擬議以成其變化』『日新之謂盛德』不可與言詩乎哉！」見吳文治主編：《明詩話全編》（四）（南京：鳳凰出版社，2006.1），頁 3823。李攀龍藉胡寬營新豐（善擬）與伯樂相馬（無有擬）為喻，強調一種既擬議又能成其變化的詩歌方法、境界。這樣看來，擬議是為了成全變化，甚而可得日新，故絕非只追求形肖而已。

[106] 蕭榮華先生認為「祧唐祖宋」是清代詩學思想的主流，而最具代表性的說法是邵長蘅〈研堂詩稿序〉中的一段話。蕭先生說：「『祧』為遠祖之廟，《經籍纂詁》卷十七：『祧，遠意，親盡為祧』『祖』，父廟。《經籍纂

序〉）是當時重要的文學走向，神韻說就是為了「矯宋之弊」而興起的。因此，本章就以「祖宋」與「神韻」做為考察館臣文學思想的開端。當然，既以王士禛為核心，那錢謙益與虞山派被壓抑的處境，正顯示了《總目》的主觀位置。

詁》卷三十八：『祖，近也，于諸廟父為最近也。』故通俗地說，『祧唐祖宋』即『遠唐近宋』」見氏著：《中國詩學思想史》（上海：華東師範大學出版社，1996.4），頁 298。唯祧除有「遠」之意，亦有「遷廟」之意，故「祧唐祖宋」即「遷唐尊宋」；又本文採《四庫全書》纂修官翁方綱〈分纂稿〉語為標目，一方面展現清人對於詩學風尚的某種概念，一方面契合《總目》之討論。

第二章　朋黨與正典：南朝至元朝批評史圖像及其文學思想

第一節　前　言

一、確立「詩文評」的門類知識

當《總目》「詩文評類」確立為圖書目錄的一大類別以後，具有文學批評性質的書籍，才有了更為明確的門類界線。《總目》「詩文評類」所收的第一部著錄書為劉勰《文心雕龍》，其成書時間約為西元 501 年至 502 之間❶，而《總目》在西元 1795 年編纂成書，如此說來，官方目錄確立文學批評性質的圖書門類——詩文評類，共歷經將近一千三百年的漫長時間。

在這段漫長光陰中，唐吳兢先將《文心雕龍》等書，從總集類

---

❶　見王更生：《文心雕龍研究》（臺北：文史哲出版社，1984.10），頁 98-99。

改隸文史類❷。明代焦竑《國史經籍志》在總集類之後，另列詩文評，將《文心雕龍》等書，更置詩文評類中❸，祁承㸁《澹生堂藏書目》、錢曾《讀書敏求記》也都建立詩文評類。❹直到《總目》綜理明末以前的分類知識，才以官方立場確立詩文評類的門類意義。

《總目》未將《文心雕龍》等書置於總集類或文史類，自與《總目》門類知識有關。《總目》〈總集類敘〉❺云：

---

❷ 〔元〕馬端臨：《文獻通考》，《景印文淵閣四庫全書》，卷二百四十八，云：「《宋三朝藝文志》：『晉李充始著《翰林論》，梁劉勰又著《文心雕龍》，言文章體製。又鍾嶸為《詩評》，其後述略例者多矣。至於揚搉史法，著為類例者，亦各名家焉。前代志錄，散在雜家或總集，然皆所未安。惟吳兢西齋有文史之別，今取其名而條次之。』頁 614（冊）－976。可見吳兢始列文史類，且頗具影響力。

❸ 焦竑《國史經籍志》本屬史志書目，可是焦氏草稿未成，卻遭到貶謫，嚴格說來，並非官書。見李文琪：《焦竑及其國史經籍志》（臺北：漢美圖書有限公司，1991.7），頁 181；王國強：〈論《國史經籍志》〉，《鄭州大學學報（哲學社會科學版）》，第 31 卷第 6 期，1998.11。

❹ 傅剛先生曾對詩文評類的獨立過程，做過深入考察，值得參考。唯《總目》之前設置詩文評類的學者，他只述及焦氏、祁氏，而缺錢曾。見氏著：〈「文史」與「詩文評」——論文學批評的分類〉，見《新史學》（鄭州：大象出版社，2003.10），第一輯，頁 213-221。另見〔清〕錢曾撰、章鈺校證：《讀書敏求記校證》（臺北：廣文書局，1967.8），頁 871-892；〔清〕錢曾撰、瞿鳳起編：《虞山錢遵王藏書目錄彙編》（上海：上海古籍出版社，2006.4），頁 221-225。

❺ 《總目》，卷一百八十六、集部三十九、總集類一、〈敘〉，頁 5（冊）－1。

> 文集日興，散無統紀，於是總集作焉。一則網羅放佚，使零章殘什並有所歸；一則刪汰繁蕪，使莠稗咸除，菁華畢出。是固文章之衡鑒，著作之淵藪矣。《三百篇》既列為經，王逸所裒又僅《楚詞》一家，故體例所成，以摯虞《流別》為始。其書雖佚，其論尚散見《藝文類聚》中，蓋分體編錄者也。《文選》而下，互有得失。至宋真德秀《文章正宗》，始別出談理一派，而總集遂判兩途。然文質相扶，理無偏廢，各明一義，未害同歸。

在這段文獻裏，館臣認為「總集」的作用有兩項。其一、文集日益增多，在沒有統整工具的情形下，作品很容易散佚。總集就在需求中氤氳而生，負起保存文獻的功能。其二、總集往往通過刪汰繁蕪，存全菁華的手段，保留文獻。館臣並就文學發展指出，《詩經》應為最早的「總集」，可是它已列入經部。東漢王逸裒集《楚辭》，但「他集不與楚辭類，楚辭類亦不與他集」❻，體類自成一格，所以置於集部之首，不入總集。後來出現的摯虞《文章流別集》，才正式開啟總集的歷史。館臣又將總集歸納為《文選》與《文章正宗》兩類。《文選》以分體編錄為主，《文章正宗》以「談理」為主❼；《文選》重詞章之「文」，《文章正宗》重詞章

❻ 《總目》，卷一百四十八、集部一、楚辭類、〈敘〉，頁 4（冊）－2。王逸裒集《楚辭》而為總集之首，乃就現存文獻而言，因為在〈楚辭類敘〉開端明言：「裒屈宋諸賦，定名《楚辭》，自劉向始也。」

❼ 〈文章正宗綱目〉：「夫士之於學，所以窮理而致用也。文雖學之一事，要亦不外乎此。故今所輯以明義理、切世用為主，其體本乎古，其指近乎經

之「質」，故各趨兩端。整體說來，館臣認為總集除了具備保存文獻的功能外，還兼具刪蕪存菁的鑒衡功能。

《總目》〈集部總敘〉❽云：

> 集部之目，《楚辭》最古，別集次之，總集次之，詩文評又晚出，詞曲則其閏餘也。……總集之作，多由論定。而蘭亭金谷，悉觴詠於一時。下及漢上題襟，松陵倡和，《丹陽集》惟錄鄉人，《篋中集》則附登乃弟。雖去取僉孚眾議，而履霜有漸，已為詩社標榜之先驅。其聲氣攀援，甚於別集。要之浮華易歇，公論終明，巋然而獨存者，《文選》、《玉臺新詠》以下數十家耳。

館臣將《總目》集部五類——楚辭、別集、總集、詩文評、詞曲的排列次序，按圖書出現的先後時間安排。其中，總集多因「論定」而形成。「論定」之意，〈敘〉並未正面陳述，只接著描繪一段簡潔的歷史：晉代《蘭亭集》、《金谷詩集》因一時宴集觴詠而成；唐代《漢上題襟集》、《松陵集》為朋友倡和之作，《丹陽集》、《篋中集》附錄鄉里親友篇什。內容的取捨，具有群體共同認可的

者，然後取焉；否則，辭雖工亦不錄其目。凡四：曰辭命，曰議論，曰敘事，曰詩賦」，〔宋〕真德秀：《文章正宗》，《景印文淵閣四庫全書》，卷一，頁 1355（冊）－5。在這四類中，除詩賦以形式體類做出識別外，其餘的辭命、議論、敘事都是從作品的涉外性、功能性來區分，所以，某類之中又非僅有一種形式體類，故與側重分體的著作不同。

❽ 《總目》，卷一百四十八、〈集部總敘〉，頁 4（冊）－1。

意涵，展現特定意義的內聚現象。當同質的、內聚的力量過大時，互相標榜甚或群起排他的團體，就出現在文學活動之中。因此，總集逐漸成為社群自我實踐的空間，也是黨同伐異的場域。那詩文評呢？《總目》〈集部總敘〉❾接著說：

> 詩文評之作，著於齊梁。觀同一八病四聲也，鍾嶸以求譽不遂，巧致譏排；劉勰以知遇獨深，繼為推闡；詞場恩怨，亙古如斯。冷齋曲附乎豫章，石林隱排乎元祐，黨人餘釁，報及文章，又其已事矣。固宜別白存之，各核其實。……大抵門戶搆爭之見，莫甚於講學，而論文次之。講學者聚黨分朋，往往禍延宗社，操觚之士，筆舌相攻，則未有亂及國事者。蓋講學者必辨是非，辨是非必及時政，其事與權勢相連，故其患大。文人詞翰，所爭者名譽而已，與朝廷無預，故其患小也。

從齊、梁之際開始出現的詩文評，因為形式體類的關係，更容易將個人恩怨與社群立場，直接帶入語言言說之中。館臣枚舉鍾嶸、劉勰對於沈約聲律說的不同態度——譏諷排拒或推衍闡發，以及惠洪《冷齋夜話》、葉夢得《石林詩話》親附元祐或紹聖而產生門戶私見為例，說明以恩怨、私見來講論學術文章，終會帶來災難。

至此，我們得知：總集經由「論定」而成，詩文評經由講論而成，它們都具聲明鑒衡的主張與立場，只是總集採取相對靜默的語

---

❾ 《總目》，卷一百四十八、〈集部總敘〉，頁 4（冊）－1-2。

言方式。當詩文評著作累計到足以發生質變的時候，門類知識就會產生變化。

再從歷史發展來說，《文心雕龍》等書被移出總集類後，便轉入了文史類。我們以《新唐書・藝文志》、《宋史・藝文志》文史類所收的劉知幾《史通》❿為例，它在《總目》已改隸為史部史評類⓫。文評與史評的對象畢竟不同，所以，綜合文學與史學評論為一類的文史類，有其粗略不足的地方。

館臣終究沒讓《文心雕龍》等書回到文史類，也不倒回總集類，因此，我們可以推測館臣門類知識的間架：詩文評的對象是文學，所以不宜和史學評論相雜，被安排在文史類中；詩文評的功能是討論瑕瑜，論述方法是直接說明，所以不宜與保存文獻、靜默聲明的總集相混。

二、門類知識的當代性

第一章曾提及米歇爾・福科的說法，他認為「權力和知識是直接相互連帶的」、「不同時預設和建構權力關係就不會有任何知識」若從生產模式來看，權力就比知識更具根源性，而權力所要對治的事物，正是屬於當代的事物，所以知識也就必須面對當代。

館臣在建立門類知識的過程，確實離不開歷史經驗，也帶有思考事物本質的色彩。但是，他們絕非抽空地、孤懸地去思考歷史遺

❿ 分見楊家駱主編：《唐書經籍藝文合志》（臺北：世界書局，1976.12），頁381；楊家駱主編：《宋史藝文志廣編（上）》（臺北：世界書局，1975.4），頁231。

⓫ 《總目》，卷八十六、史部四十四、史評類，頁2（冊）－807。

留下來的事物本質——此類與彼類有何異同？我們應該離合彼此嗎？館臣在正視類與類的異同時，也端詳著評論類型圖書所造成的國家災難，〈集部總敘〉末端所述：「大抵門戶構爭之見，莫甚於講學，而論文次之。」前文已提及〈凡例〉第十五條：「漢唐諸儒，謹守師說而已。自南宋至明，凡說經、講學、論文，皆各立門戶，大抵數名人為之主，而依草附木者囂然助之。朋黨一分，千秋吳越，漸流漸遠，并其本師之宗旨亦失其傳。而讎隙相尋，操戈不已。名為爭是非，而實則爭勝負也。人心世道之害，莫甚於斯。」⓬這些都一再次醒豁：應該建立公論，泯除私見，並求有益世道人心。⓭

總之，館臣建立門類知識的時候，一方面進行事物本質的思考，另一方面也回應當代政教關懷的呼聲。

第二節　批評形式的發展圖像

《總目》「詩文評類」收列選錄著作（下文簡稱「著錄書」）共有六十四部，七百三十卷⓮，存目著作（下文簡稱「存目書」）⓯共有八

⓬　《總目》，卷首三〈凡例〉，頁1（冊）－38。

⓭　帶著當代政教關懷去纂修《四庫全書》的例子，屢見不鮮，連選編文學著作的準則，都曾出現皇帝的指導命令：「朕輯《四庫全書》，當採詩文之有關世道人心者，若此等詩句，豈可以體近《香奩》概行採錄？所有〈美人八詠詩〉，著即行撤出。至此外各種詩集，內有似此者，亦著該總裁督同總校、分校等詳細檢查，一併撤出，以示朕釐正詩體，崇尚雅醇之至意。」見《總目》，卷首一、〈聖諭〉，頁1（冊）－15-16。

⓮　分見《總目》，卷一百九十五、集部四十八、詩文評類一；卷一百九十六、

十五部，五百二十四卷⑯。在〈詩文評類敘〉云：

> 文章莫盛於兩漢，渾渾灝灝，文成法立，無格律之可拘。建安、黃初，體裁漸備，故論文之說出焉，《典論》其首也。其勒為一書、傳於今者，則斷自劉勰、鍾嶸。勰究文體之源流，而評其工拙；嶸第作者之甲乙，而溯厥師承：為例各殊。至皎然《詩式》，備陳法律；孟棨《本事詩》，旁採故實；劉攽《中山詩話》、歐陽修《六一詩話》，又體兼說部。後所論著，不出此五例中矣。宋、明兩代，均好為議論，所撰尤繁。雖宋人務求深解，多穿鑿之詞；明人喜作高談，多虛憍之論。然汰除糟粕，採擷菁英，每足以考證舊聞，觸發新意。《隋志》附總集之內，《唐書》以下，則並

集部四十九、詩文評類二，頁 4（冊）－215-254。

⑮ 〈凡列〉第十八則云：「《七略》所著古書，即多依託。班固《漢書·藝文志》註可覆按也。遷流洎於明季，譌妄彌增，魚目混珠，猝難究詰。今一一詳核，並斥而存目，兼辨證其非。其有本屬偽書，流傳已久，或掇拾殘剩，真贗相參，歷代詞人已引為故實，未可槩為捐棄，則姑錄存而辨別之。大抵灼為原帙者，則題曰某代某人撰；灼為贗造者，則題曰舊本，題某代某人撰。其踵誤傳訛，如呂本中《春秋傳》，舊本稱呂祖謙之類，其例亦同。至於其書雖歷代著錄，而實一無可取，如燕丹子《陶潛聖賢羣輔錄》之類，經聖鑒洞燭其妄者，則亦斥而存目，不使濫登。」依此則而言，館臣收錄的存目書約有三類，偽託、真假參半、內容實無一可取之書。《總目》卷首三、〈凡列〉，頁 1（冊）－39。

⑯ 《總目》，卷一百九十七、集部五十、詩文評類存目，頁 4（冊）－254-279。關於詩文評類收錄著作狀況，請參見本書【附錄一】：《總目》「詩文評類」著作暨作者（生卒年）一覽表。

> 於集部之末，別立此門。豈非以其討論瑕瑜，別裁真偽，博參廣考，亦有裨於文章歟？

這段文獻隱含下列幾個觀點：一、在文學發展的過程裏，語言一旦以具體形式客觀展現，就內含一套法則。這套內在法則與文本相即不離，具有支配文本的力量，但是它未經詮說論述，也就未產生指導、限制其他作品的效力。直到語言形式呈現多元表現以後，自然促成理論層次的反省，乃至書寫。二、中國文學批評的正式文獻，需要到曹丕的《典論》才開始出現。至於勒寫而成專著，並成為特定體類，則更為晚出，至於基本的形式模態有：探究文體的本源與流衍，並且評定代表作家工拙的《文心雕龍》；品第作者高下，並且追溯其師法承繼的《詩品》；完備地陳述詩歌作法與律則的《詩式》；旁涉選採詩歌創作之相關事件的《本事詩》；體裁兼具小說性質的《中山詩話》、《六一詩話》等⓱。這五種體類，不但是「詩文評類」的早出體裁，更成為代表性的著作。三、進入宋、明兩代，文人喜好議論，所以多有詩文評論的作品。可是宋人多求深刻解說，故難免穿鑿附會；明人喜歡高談闊論，所以多有虛浮憍傲的議論。縱然有上述的缺點，但仍不掩其「考證舊聞」「觸發新意」的表現。因此，館臣在集部的末端獨立出「詩文評類」，乃認為可以幫助創作文章之用。

⓱ 此說亦見〈優古堂詩話〉提要：「蓋詩話中兼及雜事，自劉攽、歐陽修等已然矣。」《總目》卷一百九十五、集部四十八、詩文評類一，頁 5（冊）一223。

館臣從批評形式建構批評史的發展樣貌，同時關注文學創作與文學批評的交互性。既然文學作品會隨語言遷動變化，並經數量累積（「渾渾灝灝」）與質量轉異（「體裁漸備」），產生文學批評；而文學批評也發生反饋的力量，指導文學創作。如此說來，文學批評應從依附文學作品的地位，獨立出來，並成為一門新的學術領域，此說應具洞見⓲。此外，館臣針對「詩文評」衍流，從後設的立場，提出整體性的批判：「宋、明兩代，均好為議論，所撰尤繁。雖宋人務求深解，多穿鑿之詞；明人喜作高談，多虛憍之論。」「穿鑿之詞」、「虛憍之論」究竟何指？從字面看來，「穿鑿之詞」來自「務求深解」，「虛憍之論」起於「喜作高談」，我們可以推知兩朝學術一者求之過深、一者流於空泛。至於兩者缺失的深沉根源，在〈詩文評類敘〉則未見揭示。

總之，館臣認為詩文批評的五種形式模態，在宋朝前期業已完成，並凝固定為常態。換言之，南朝至宋朝前期的文學批評史意義，在於鍛鑄批評著作的形式模態，並發展出指導後世的常例。館臣在複雜的歷史現象中，以形式模態做為觀察角度，得出這樣的結論，並且將結論擴大於學術分類的層次，造就了中國新的學術體類——詩文評類。可是，細就館臣的理論，亦隱含理論的自我瓦解性，因為作品的數量累積與質量轉異，若能創造出新的批評著作與形式，即意謂「文體」在創作活動裏具有擴張、轉化，產生新體類

⓲ 四庫館臣的洞見，仍經由歷史演變，逐漸累積而成。當然，在洞見之外，其仍有不見之處，諸如文學批評乃針對詩歌、散駢文體而發，小說、詞曲、戲曲則乏獨立之評類。關此請參見吳承學：〈論《四庫全書總目》在詩文評研究史上的貢獻〉，《文學評論》，1998 年第 6 期，頁 130-139。

的可能性。那麼，文學評類就不應只限於詩與文兩體，且批評形式也不應停頓於五種常例之中。⓳

在〈詩文評類敘〉後，《總目》接著載錄各書〈提要〉。在著錄書部分，收錄南朝人撰書四部（嚴格說來僅有三部，因為其中包含黃叔琳的《文心雕龍》輯注本）、唐代兩部、宋代三十九部、元代四部、明代六部、清代九部，共計六十四部。在存目書部分，唐代四部、宋代十七部、元代八部、明代四十部、清代十六部，共計八十五部。本章基於：詩文評著作起於南朝，唐代繼續發衍，宋朝是完成批評模態的時代，也是內容惡質化的起始時代（「朋黨一分」、「仇隙相尋」），元朝則深受唐宋時期的影響，故將南朝至元朝視為第一個研究階段。

第三節　南朝至元朝批評史圖像及其思想

一、常例初衍的階段——分品、極則與王士禛

㈠ 南朝

《總目》共收錄南朝著錄書三部：《文心雕龍》、《詩品》、《文章緣起》。館臣對這三部書的負面評價不多，倒是針對後代輯

⓳ 《總目》的「常例」模態乃歸結歷史經驗而得，具有從變動到穩定的創造性；可是一旦成為「常例」以後，卻只剩下指導性、規範性。換言之，在常例規範以外的著作，則無法受到館臣相應地欣賞，葉燮《原詩》即是一例。關於《總目》對《原詩》論述方法的批評，請參見本文第四章，此暫不贅述。

注者（如《文心雕龍》的黃叔琳）、補註者（如《文章緣起》的張績、陳懋仁），多指陳誤謬。針對原作者而加以辨正的，只見〈詩品提要〉[20]：

> 所品古今五言詩，自漢魏以來一百有三人，論其優劣，分為上、中、下三品。每品之首，各冠以序，皆妙達文理，可與《文心雕龍》並稱。近時王士禎，極論其品第之間多所違失。然梁代迄今，邈踰千祀，遺篇舊製，什九不存，未可以掇拾殘文，定當日全集之優劣。

> 史稱嶸嘗求譽於沈約，弗為獎借，故嶸怨之，列約中品。案約詩列之中品，未為排抑。惟序中深詆聲律之學，謂「蜂腰，鶴膝，僕病未能；雙聲、疊韻，里俗已具」，是則攻擊約說，顯然可見，言亦不盡無因也。

《詩品》為作家分品的批評方法與論述，是鍾嶸評價詩歌的主要特色。在分品方法上，館臣先徵引王士禎認為該書「品第之間，多有違失」[21]之語，做為攻擊《詩品》的例證，後復以文獻散佚的情

---

[20] 《總目》，卷一百九十五、集部四十八、詩文評類一，頁 5（冊）－217-218。

[21] 〔清〕王士禛：《漁洋詩話》云：「鍾嶸《詩品》，余少時深喜之，今始知其踳謬不少。嶸以三品銓敘作者，自譬諸九品論人、七略裁士。乃以劉楨與陳思並稱，以為文章之聖。夫楨之視植，豈但斥鷃之與鯤鵬耶？又置曹孟德下品，而楨與王粲反居上品。他如上品之陸機、潘岳，宜在中品。中品之劉

形，試為鍾嶸辯護。事實上，在文獻散逸的狀況下，後人不宜僅依殘存篇章論斷《詩品》得失，但亦不能就此肯定王士禛之說盡為屈枉。王士禛是否屈枉《詩品》，應自理論內部進行對駁，因此，館臣辯說顯得氣弱。在此，館臣亦表露出——保守地同意鍾嶸優劣之論的態度。所謂保守，乃在文獻主義的立場下，謂若無足夠史料證明新說成立時，則難以斷定前人違失。當然，館臣也非一味迴護鍾嶸詩學。館臣認為：《詩品》將沈約列於中品，其評語確無貶抑之意，但是〈序〉文仍出現批評聲律說的跡象，所以史傳鍾嶸報怨之說，自有憑據。大體說來，館臣對於創造「詩文評類」形式的濫觴作品，並無積極批判的現象。

㈡ 唐朝

《總目》收錄唐代兩部著錄書為：《本事詩》、《詩品》。館臣認為孟棨《本事詩》雖有失實之處，但「唐代詩人軼事頗賴以存，亦談藝者所不廢也。」故自有貢獻之處。至於對司空圖《詩品》的述評，則較有詩學思想層次上的討論，〈詩品提要〉㉒云：

琨、郭璞、陶潛、鮑照、謝朓、江淹，下品之魏武，宜在上品。下品之徐幹、謝莊、王融、帛道猷、湯惠休，宜在中品。而位置顛錯，黑白淆譌，千秋定論，謂之何哉？建安諸子，偉長實勝公幹，而嶸譏其以莛扣鐘，乖反彌甚，至以陶潛出于應璩，郭璞出于潘岳，鮑照出于二張，尤陋矣，又不足深辯也。」館臣或指此說。見丁福保編：《清詩話》（臺北：西南書局有限公司，1979.1），頁 179-180。

㉒ 《總目》，卷一百九十五、集部四十八、詩文評類一，頁 5（冊）－219-220。此外，自 1994 年陳尚君、汪涌豪二先生提出〈司空圖《二十四詩品》辨偽〉一文開始，學界對《二十四詩品》就出現四種學術態度，其一認為《二十四詩品》出自明懷悅《詩家一指》，其二認為《二十四詩品》出於元

〈與李秀才論詩書〉謂「詩貫六義，諷諭、抑揚、渟蓄、淵雅，皆在其中。惟近而不浮，遠而不盡，然後可言意外之致。」又謂：「梅止於酸，鹽止於鹹，而味在酸鹹之外。」其持論非晚唐所及，故是書亦深解詩理。凡分二十四品，曰雄渾、曰沖淡、曰纖穠、曰沉著、曰高古、曰典雅、曰洗鍊、曰勁健、曰綺麗、曰自然、曰含蓄、曰豪放、曰精神、曰縝密、曰疎野、曰清奇、曰委曲、曰實境、曰悲慨、曰形容、曰超詣、曰飄逸、曰曠達、曰流動，各以韻語十二句體貌之。所列諸體畢備，不主一格。王士禎但取其「采采流水，蓬蓬遠春」二語，又取其「不著一字，盡得風流」二語，以為詩家之極則，其實非圖意也。

館臣徵引〈與李生論詩書〉㉓，指出司空圖「味外之味」的思想，

虞集之中，其三為對《二十四詩品》舊說保持存疑態度，其四堅信《二十四詩品》為司空圖所作者。唯本文旨論《總目》的文學思想，而館臣確信在唐人詩格諸作中，僅《二十四詩品》真正出自司空圖之手，故本文暫不贅論《二十四詩品》作者問題。關於此爭論，參見程國斌：〈20 世紀司空圖及其《二十四詩品》研究回顧〉，收入蔣述卓、劉紹瑾、程國斌、魏中林等：《二十世紀中國古代文論學術研究史》（北京：北京大學出版社，2005.8），頁 315-319；黃念然：《20 世紀中國古代文學研究史（文論卷）》（上海：東方出版中心，2006.1），頁 348-325。事實上，陳尚君在 1995 年以後，已經放棄《二十四詩品》出自明懷悅《詩家一指》的說法了，見氏著：〈《二十四詩品》偽書說再證——兼答祖保泉、張少康、王步高三教授之質疑〉，淡江大學主辦「第十屆文學與美學暨第二屆中國文藝思想國際學術研討會」，《會議前論文集》，2007.6.21-22，頁 250。

㉓〔唐〕司空圖〈與李生論詩書〉原為：「文之難，而詩之尤難。古今之喻多

高於晚唐人之習見。又引《詩品》中的二十四體，並謂該書非專主一格，故王士禛所說乃「實非圖之意也」。這樣看來，館臣大抵欣賞司空圖的詩學思想，不滿晚唐的主流詩學觀念。但對於清初汲取司空圖思想的神韻派，又多所保留。事實上，本篇〈提要〉應該談論《詩品》的文字與內容，但它卻涉入王士禛取用《詩品》的現象，實見《總目》借古論今的處理方式。館臣認為《詩品》並列二十四種詩體，不專主一格，而王士禛卻以「采采流水、蓬蓬遠春」、「不著一字，盡得風流」做為詩之最高準則，是一種出於偏頗的誤取。至此，館臣表露出對於清初神韻詩學的觀感，並試圖從文獻立場表達兼融並蓄的重要性。在泯除門戶私見的意圖下，強調兼容並蓄自有其時代意義，但此一具有針對性的議論，又壓縮了後世對前代詩學的自由選擇權。換言之，除非王士禛是刻意扭曲或無心誤讀《詩品》，謂「采采流水」等為《詩品》之「極則」，否則「極則」仍可視為王士禛自行標出的理想準則，其雖受《詩品》啟示，但非欲以此囿限《詩品》的理論格局。王士禛《香祖筆記》卷八[24]云：

矣，而愚以為辨於味，而後可以言詩也。江嶺之南，凡是資於適口者，若醯，非不酸也，止於酸而已；若鹺，非不鹹也，止於鹹而已。華之人以充飢而遽輟者，知其鹹酸之外，醇美者有乏耳。彼江嶺之人，習之而不辨也，宜哉。詩貫六義，則諷諭、抑揚、渟蓄、溫雅，皆在其間矣。……噫！近而不浮，遠而不盡，然後可以言韻外之致耳。」見氏著：《司空表聖文集》，《景印文淵閣四庫全書》，卷二，頁 1083（冊）－494-495。

[24] 〔清〕王士禛：《香祖筆記》，《景印文淵閣四庫全書》，卷八，頁 870（冊）－479。

> 表聖論詩，有二十四品，予最喜「不著一字，盡得風流」八字，又云「采采流水，蓬蓬遠春」二語，形容詩境，亦絕妙，正與戴容州「藍田日暖，良玉生烟」八字同旨。

王氏謂「予最喜」，即可證其非以《詩品》「采采流水，蓬蓬遠春」（「纖穠」品）、「不著一字，盡得風流」（「含蓄」品），做為司空圖理論的最高準則。故館臣所述，實有虛欠之處。

就此看來，《總目》不純為整理文獻的客觀文本而已，其亦存有對治自我時代的主觀意圖。至於唐代四部存目書：《樂府古題要解》、《詩式》、《詩法源流》、《二南密旨》，館臣皆評價不高，主要原因乃為後世偽託之作，而作者見識不高，「議論荒謬，詞意拙俚」。㉕

大體說來，館臣對於唐人詩文評著作未予嚴厲批判（偽託著作除外）；又《總目》涉及對王士禛的批評，由此可見館臣的主觀意圖——對治自我時代的文學走向。

二、常例完成的階段（宋朝）——門户私見與正典精神

本章第一節曾引述《總目》〈凡例〉第十五條內容，其中清楚提及「自南宋至明，凡說經、講學、論文，皆各立門戶。……而讎隙相尋，操戈不已。名為爭是非，而實則爭勝負也。人心世道之

㉕ 見〈二南密旨提要〉，《總目》，卷一百九十七、集部五十、詩文評類存目，頁 5（冊）－256。

害，莫甚於斯。」同樣看法也出現在〈史部總敘〉所說：「蓋宋明人皆好議論，議論異則門戶分，門戶分則朋黨立，朋黨立則恩怨結。恩怨既結，得志則排擠於朝廷，不得志則以筆墨相報復。其中是非顛倒，頗亦熒聽。」[26]只是〈史部總敘〉對宋代朋黨爭鬥的時間，稍有不同記載，即不以南宋為起始。

事實上，〈凡例〉十五條還曾提御題《曲洧舊聞》之事，而《曲洧舊聞》內容多追述北宋因朋黨而衰敗的歷史[27]。此外，〈徂徠集提要〉云：「厥後歐陽修、司馬光朋黨之禍屢興，蘇軾、黃庭堅文字之獄迭起，實（石）介有以先導其波。」[28]均可見館臣不盡以朋黨之禍起於南宋。因此，〈凡例〉所指的南宋，恐非真正的起點，而是就門戶私見更形激烈而言。

一般說來，所謂北宋黨爭，乃指王安石變法並引發新、舊黨派爭鬥而言，時間約起於宋神宗熙寧二年（1069），迄於欽宗靖康元年（1126）年。其間又可細分為三階段：第一為熙寧、元豐時期，

---

[26] 《總目》，卷四十五、〈史部總敘〉，頁 2（冊）－2。

[27] 〈曲洧舊聞提要〉云：「今考其書，惟神怪、諧謔數條，不脫小說之體，其餘則多記當時祖宗盛德及諸名臣言行，而於王安石之變法，蔡京之紹述，分朋角立之故，言之尤詳。蓋意在申明北宋一代興衰治亂之由，深於史事有補，實非小說家流也。」《總目》，卷一百二十一、子部三十一，雜家類五，頁 3（冊）－613-614。

[28] 《總目》，卷一百五十二、集部五、別集類五，頁 4（冊）－105。另外，〈二程文集提要〉云：「蓋南宋之初，學者猶各尊其所聞，不似淳祐以後，門戶已成，羽翼已眾。」亦見門戶私見的演化狀況。《總目》，卷一百八十六、集部三十九、總集類一，頁 5（冊）－23。

第二為元祐時期、第三為紹述以來時期㉙。在這近六十年中，有許多文人捲入政治旋渦，也造成了北宋衰亡。換言之，就宋代的歷史文化而言，黨爭是一個重要推動與毀敗的力量。宋代的黨爭，余英時先生認為「自始即起於士大夫不同組合之間的內在分歧，既與宦官集團無任何關係，也不涵有與皇權相對抗的意味」㉚，至於起因，在於「士大夫因學術思想與政治觀點不同而形成的內部分化」以及「『國是』觀念的法度化」㉛士大夫因治道理想與政治現實的分歧見解，促使他們各自集結成伍。而館臣認為士大夫的分歧見解，已滲透到「說經、講學、論文」之上，並且造成門戶私見。

因此，〈史部總敘〉雖意指「宋明人皆好議論」而產生「門戶」、「朋黨」；但就〈凡例〉看來，又何嘗不是宋明人因「各立門戶」而產生「讎隙相尋，操戈不已」的議論風潮與衝突。事實上，「好議論」與「朋黨」互成因果，並且成為宋明學術的整體面相。《總目》詩文評類就以這個歷史現象為線索，展開相關論述。

㈠ 凸顯門戶私見的現象

《總目》宋代詩文評著作共收錄三十九部著錄書、十七部存目

㉙ 參見蕭慶偉：《北宋新舊黨爭與文學》（北京：人民文學出版社，2001.6），頁 1-11。另外，沈松勤：《北宋文人與黨爭——中國士大夫群體研究之一》（北京：人民出版社，1998.12），將哲宗紹聖以來的紹述新法為名，稱第三階段為「紹述」。

㉚ 余英時先生認為東漢黨錮、唐代牛李黨爭、明末東林黨爭等，主要由宦官操縱鬥爭主軸，而宋代則為士大夫的歧見所造成。氏著：《朱熹的歷史世界——宋代士大夫政治文化的研究》（臺北：允晨文化實業有限公司，2003.6），頁 425。

㉛ 《朱熹的歷史世界——宋代士大夫政治文化的研究》，頁 430-441。

書。館臣在這幾部書的〈提要〉中，確實展現與〈凡例〉第十五條、〈詩文評類敘〉、〈史部總敘〉相同的意見——宋人習於分黨派而議論。換言之，館臣建構的宋代文學批評史圖像，乃以黨爭現象做為主要觀察視域，同時，對於以門戶私見論斷文學的現象，予以揭露、批評；對於能夠避開私見的作者與著作，予以肯定、讚揚。

〈餘師錄提要〉㉜云：

> 宋人論文，多區分門戶，務為溢美溢惡之辭。是錄採集眾說，不參論斷，而去取之間，頗為不苟，尤足尚也。

館臣認為王正德《餘師錄》，雖為採錄形式，不作直接論斷，在取捨之間，已能避開門戶之見，避免「溢美溢惡之辭」，不苟合於俗見，故足以推尚。《餘師錄》確實以人為綱目，載錄北齊至宋代論文之語，故謂「錄採眾說，不參論斷」。其中卷一的晁補之、卷二的黃庭堅、卷四的蘇軾都列於崇寧元年〈元祐黨人碑〉㉝中，為舊

㉜　《總目》，卷一百九十五、集部四十八、詩文評類一，頁 5（冊）－235。

㉝　宋徽宗崇寧元年九月將元祐黨一百二十人姓名，刻石於端禮門，見〔元〕脫脫：《宋史》（北京：中華書局，1997.11），卷十九、本紀第十九、〈徽宗本紀〉，頁 365。至於〈黨人碑〉名單，本文參照〔清〕秦緗業著、〔清〕黃以周輯注、顧吉辰點校：《續資治通鑑長編拾補》（北京：中華書局，2004.1），卷 20，所錄列的 119 人，頁 715-716。當然，歐陽修、陳師道、呂本中等人雖未被列於黨人名單，但實可視為舊黨人士，唯本文以嚴格意義來看待《餘師錄》，故僅提及文中數人。又《餘師錄》採錄陳師道、蘇軾、黃庭堅、呂本中等人的文章篇幅最多，故在數量上頗有舊黨多於新黨的現象。

黨人士；卷二的沈括、卷三的葉夢得則為新黨人士，故可謂不限於門戶之私者。

此外，下列兩則提要，館臣乃從新舊黨爭視角，進行分析。〈臨漢隱居詩話提要〉[34]云：

> 泰為曾布婦弟，故嘗託梅堯臣之名，撰〈碧雲騢〉以詆文彥博、范仲淹諸人。及作此書，亦黨熙寧而抑元祐。如論歐陽修，則恨其詩少餘味；而於「行人仰頭飛鳥驚」之句，始終不取。論黃庭堅則譏其自以為工，所見實僻，而有「方其拾璣羽，往往失鵬鯨」之題。論石延年則以為無大好處，論蘇舜欽則謂其以奔放豪健為主，論梅堯臣則謂其乏高致。惟於王安石則盛推其佳句，蓋堅執門戶之私，而甘與公議相左者。

館臣認為魏泰曾託梅堯臣之名，作〈碧雲騢〉詆毀舊黨之人[35]，且《臨漢隱居詩話》對舊黨人多所批評，而對王安石詩「南圃東岡二月時，物華催我有新詩。含風鴨綠鱗鱗起，弄日鵞黃嫋嫋垂。」卻盛推為佳句，故與「公議」相異。「公議」的內容究竟何指？在這

[34] 《總目》，卷一百九十五、集部四十八、詩文評類一，頁5（冊）－222。

[35] 李裕民則認為此事不可盡信，唯〈臨漢隱居詩話提要〉與〈東軒筆錄提要〉記載相同，代表館臣前後見解一致，本文僅察館臣眼中的魏泰形象，至於史實為何，暫不詳考。氏著：《四庫提要訂誤》（北京：中華書局，2005.9），頁321。〈東軒筆錄提要〉，《總目》，卷一百四十一、子部五十一、小說家類二，頁3（冊）－996。

段文獻中，不見申述，但從語脈看來，「公議」與「堅執門戶之私」兩概念，當互具相斥性，準此，魏泰既「黨熙寧而抑元祐」㊱，則「公議」內容可能反轉為「黨元祐而抑熙寧」；或是遣去黨抑的執私性，成為「無黨抑於元祐、熙寧」的格局。若是前者，則館臣具有「尊元祐」的立場；若是後者，須再追問館臣為消極迴避論斷文學是非的空白論述㊲？還是一種另有積極開創文學價值的追求過程？又〈石林詩話提要〉㊳云：

> 是編論詩，推重王安石者不一而足，而於歐陽修詩，一則摘其評河豚詩之誤……於蘇軾詩，一則譏其繫懣割愁之句為險諢……皆有所抑揚於其間。蓋夢得出蔡京之門，而其婿章

㊱ 熙寧與元祐黨爭的發展與歧見所在，請參見余英時：《朱熹的歷史世界——宋代士大夫政治文化的研究》，頁 424-441。

㊲ 本文空白論述的談法，是資藉日內瓦學派的文學觀念。日內瓦學派的第一代學者馬歇爾·雷蒙的批評特點之一：「通過放棄自己的思想偏見而起的一種純粹的、他人意識的、初始的空白意識，從而使他者能在自己的意識中真實地呈現出來。因此，這種批評是一種現象學意識的疊合式批評，他在進入他者的意識中的時候，先清理了自己的意識偏見，從而使自己閱讀和批評成為自我披露的行為，同時也是對他者精神的揭示行為。……雷蒙排除了一切自我思慮與偏見，將主體帶回到一種原始未分的狀態，使主體不是在其分別之中，而是在其初始的無分別之中獲得自身，於是，意識自身成形而被本真地浮現上來。」換言之，館臣若在批評前，放棄自我的思想，回到原初無分別的意識狀態（即空白意識狀態），並客觀地揭示他人精神意識的論述，本文姑且名之「空白論述」。若館臣放棄偏見，無私屬元祐或熙寧，後文即簡謂之「雙譴」。關於雷蒙的文學觀念，請參見王岳川：〈日內瓦學派的文學批評〉，《文藝研究》，1998 年 06 期，頁 33-34。

㊳ 《總目》，卷一百九十五、集部四十八、詩文評類一，頁 5（冊）—226。

> 沖，則章惇之孫，本為紹述餘黨，故於公論大明之後，尚陰抑元祐諸人。然夢得詩文，實南北宋間之巨擘。其所評論，往往深中窾會，終非他家聽聲之見，隨人以為是非者比。略其門戶之私，而取其精核之論，分別觀之，瑕瑜固兩不相掩矣。

《石林詩話》引論王安石共有十六處，確多有揄揚之意；對於歐陽修與蘇軾的詩作，則有所指摘譏嘲，其所以如此，館臣認為皆出於葉夢得的「紹述餘黨」身份。㊴政治立場影響文學立場，門派區別紛亂價值評斷，實為館臣對宋代文學批評史的一大察識。總之，我們約略可見館臣將北宋黨爭分為熙寧、元祐、紹述三大派別，而三大派別簡約來說，就是新舊黨爭的產物。

當然，館臣認為詩文的門戶，也不限於新、舊黨的爭鬥而已，在〈文章精義提要〉㊵中云：

> 其論文多原本六經，不屑屑於聲律章句，而於工拙繁簡之間，源流得失之辨，皆一一如別白黑，具有鑒裁。其言蘇氏

㊴ 郭紹虞認為〈提要〉謂「蓋夢得出蔡京之門，而其婿章沖，則章惇之孫，本為紹述餘黨，故於公論大明之後，尚陰抑元祐諸人。」應可推知當時已非黨爭盛炎的時期。又其對元祐諸人的態度，應與晚年詩學宗旨近於滄浪有關，不盡出於黨派之見，且對王安石詩亦非一味推重。見氏著：《宋詩話考》（臺北：漢京文化事業有限公司，1983.1），頁 32-40。郭氏之說頗為合理，故館臣的主觀性，在此可見一斑。另館臣謂葉夢得為「紹述餘黨」，乃因哲宗即位，以紹述熙寧、元豐新政為志，任用章惇、蔡京用事。

㊵ 《總目》，卷一百九十五、集部四十八、詩文評類一，頁 5（冊）－240。

> 之文，不離乎縱橫；程氏之文，不離乎訓詁。持平之論，破除洛、蜀之門戶，尤南宋人所不肯言。

《文章精義》首端即謂：「《易》、《詩》、《書》、《儀禮》、《春秋》、《論語》、《大學》、《中庸》、《孟子》，皆聖賢明道經世之書，雖非為作文設，而千萬世文章，從是出焉。」㊶唯其「從出」之義，並非僅限於歷史發生意義下的從出關係，且是文章內在精義啟示與繼承的從出關係，所以該書末端所謂「古人文字、規模間架、聲音節奏皆可學，惟妙處不可學。譬如幻師塑土木偶，耳目口鼻儼然似人，而其中無精神魂魄，不能活潑潑地，豈人也哉？」後人唯學古人文章之精義（「妙處」），才能創造出佳作。就此說來，〈提要〉所謂的「原本」，尚有創作層次上的積極意義，並以此為重要準則；至於對宋代洛、蜀之別，也能清楚檢別，亦無做出任意親附或摒斥之論，不落入洛、蜀之爭。

另外，對宋詩的評價，在〈紫微詩話提要〉㊷云：

> 其學出於黃庭堅，嘗作《江西宗派圖》，以庭堅為祖，而以陳師道等二十四人序列於下。宋詩之分門別戶，實自是始。……又極稱李商隱〈重過聖女祠〉詩：「一春夢雨常飄瓦，盡日靈風不滿旗」一聯，及〈嫦娥〉詩：「嫦娥應悔偷

㊶ 〔宋〕李耆卿：《文章精義》，《景印文淵閣四庫全書》，頁 1481（冊）－804。

㊷ 《總目》，卷一百九十五、集部四十八、詩文評類一，頁 5（冊）－224。

靈藥，碧海青天夜夜心」二句，亦不主於一格。蓋詩體始變之時，雖自出新意，未嘗不兼採眾長。自方回等一祖三宗之說興，而西崑、江西二派乃判如冰炭，不可復合。元好問題《中州集》末，因有「北人不拾江西唾，未要曾郎借齒牙」句，實末流相詬有以激之。觀於是書，知其初之不盡然也。

此段文獻，一方面說明宋詩分派論始於呂本中，但呂本中的態度較為開放，亦能「兼採眾長」；唯方回以降，其末流才形成激烈詰詬的現象。正是如此，館臣在論《六一詩話》時，特別提及「葉夢得《石林詩話》謂修力矯西崑體，而此編載……劉子儀詩一條，殊不盡然。」以肯定不以門派意識審覈作品的見解。故從批評史的立場看，宋詩分派論自呂本中起，但詩論的激烈化從方回始。

總之，館臣從黨爭的觀點，建構了宋代詩文批評史，並指出歷史現象上的新／舊，洛／蜀，西崑／江西之爭等。館臣進一步主張泯除黨派立場的轇葛，其細部的理路為何？則是另一個值得觀察的現象。

㈡ 追溯文學正典的精神

《總目》在建構文學批評史時，除了著眼詩文評類著作的黨派外，亦觀察著作論點與前代文學的關係。換言之，館臣從共時面討論批評家的門戶家派，從歷時面耙梳批評家的詮評內容。

1.從〈風〉〈騷〉到元祐諸人

〈歲寒堂詩話提要〉[43]云：

---

[43] 《總目》，卷一百九十五、集部四十八、詩文評類一，頁5（冊）－228。

> 是書通論古今詩人，由宋蘇軾、黃庭堅，上溯漢魏風騷，分為五等。大旨尊李、杜而推陶、阮，始明言志之義，而終之以無邪之旨，可謂不詭於正者。

館臣謂《歲寒堂詩話》將詩歌發展分成五等，對於李、杜、陶、阮有所尊推，且以「言志」「無邪」為論詩標準，並謂該思想「不詭於正」[44]。「正」的觀念，應是出於價值判斷後，所給出的一套正面標準。如果重新釐清張戒的見解，或能逼顯館臣的基本想法。

〈提要〉的文字，館臣或據《歲寒堂詩話》[45]中下列段落而成：

> 建安、陶、阮以前詩，專以言志。潘、陸以後詩，專以詠物。兼而有之者，李、杜也。言志乃詩人之本意，詠物特詩人之餘事，古詩、蘇、李、曹、劉、陶、阮，本不期於詠物，而詠物之工，卓然天成，不可復及。其情真、其味長、其氣勝，視三百篇幾于無愧，凡以得詩人之本意也。潘、陸以後，專意詠物，雕鐫刻鏤之工日以增，而詩人之本旨掃地

---

[44] 〈砦溪詩話提要〉云：「其論詩大抵以風教為本，不尚雕華。然徹本工詩，故能不失風人之旨，非務以語錄為宗，使比興之義都絕者也。」館臣強調黃徹以風教論詩與以風人之旨作詩，看似現象之描述，但若參照〈歲寒堂詩話提要〉，或可推測館臣之所以特別提及黃徹論詩與作詩之特質，與其藝術評價之傾向不無關係。《總目》，卷一百九十五、集部四十八、詩文評類一，頁5（冊）－226。

[45] 〔宋〕張戒：《歲寒堂詩話》，見吳文治主編：《宋詩話全編》（三）（南京：鳳凰出版社，2006.10），頁3235、3236、3248。

盡矣。（卷上）

國朝諸人詩為一等，唐人詩為一等，六朝詩為一等，陶、阮、建安七子、兩漢為一等，風騷為一等，學者須以次參究，盈科而後進可也。黃魯直自言學杜子美，子瞻自言學陶淵明，二人好惡，已自不同。魯直學子美，但得其格律耳；子瞻則又專稱淵明，且曰：曹、劉、鮑、謝、李、杜諸子，皆不及也。夫鮑、謝不及，則有之，若子建、李、杜之詩，亦何愧于淵明？（卷上）

孔子曰：「《詩》三百，一言以蔽之，曰思無邪。」世儒解釋終不了。余嘗觀古今詩人，然後知斯言良有以也。〈詩序〉有云：「詩者，志之所之也。在心為志，發言為詩，情動于中而形于言。」其正少，其邪多，孔子刪詩取其思無邪者而已。自建安七子、六朝、有唐及近世諸人，思無邪者惟陶淵明、杜子美耳，餘皆不免落邪思也。（卷上）

上列文獻可見「五等」之說，然「五等」是否帶有價值高下之區判呢？館臣〈提要〉中指出《歲寒堂詩話》五等詩時，並無特別提及其是否帶有價值區辨。但在《歲寒堂詩話》中，確明顯有價值區別的痕跡。在五等中，「六朝」應指南北朝而言，如此方可與「陶、阮、建安七子、兩漢」做出區別，又可與張戒論「思無邪」時所謂「六朝顏、鮑、徐、庾」相合。縱然如此，第二則引文謂「建安、陶、阮以前詩，專以言志。潘、陸以後詩，專以詠物」似有時間上的衝突性，即陶淵明屬潘、陸之後的詩人，且潘、陸又非南朝詩人。唯若以「五等」不純為時間之區分，其亦包涵文學風格之意義，即可化解此一衝突性，換言之，在兩晉時期，存著「言志」與「詠物」消息生長的過渡性。事實上，「五等」的文學風尚，張戒並非平等對待，「言志」明顯高於「詠物」。因此，「國朝」詩人蘇、黃，相較於六朝外之〈風〉〈騷〉等三等，終有不及之處，此在「〈國風〉〈離騷〉固不論，自漢、魏以來，詩妙于子建，成于李、杜，而壞于蘇、黃，余之此論，固未易為俗人言也。子瞻以議論作詩，魯直又專以補綴奇字，學者未得其所長，而先得其所短，詩人之意掃地矣。」㊻清晰可知。所以，五等中的精蘊，雖待學者「以次參究」，但其所列代表詩人，亦非無高下好壞之別。館臣〈提要〉之說，雖未深入勾勒了張戒的見解，但已隱含館臣對文學典範的印象。

《環溪詩話》對於文學前賢的表彰與效法，同樣受到館臣的注意，〈環溪詩話提要〉㊼云：

> 其經術頗有足取，而詩亦戛戛自為，不囿於當時風氣。其大旨以杜甫為一祖，李白、韓愈為二宗，亦間作黃庭堅體，然非所專主。……然其取法終高，宗旨終正，在宋人詩話之中，不能不存備一家也。

㊻　《歲寒堂詩話》，《宋詩話全編》（三），頁 3240。

㊼　《總目》，卷一百九十五、集部四十八、詩文評類一，頁 5（冊）－232-233。

館臣認為《環溪詩話》應為後人輯吳沆論詩之語而成。吳沆有一祖二宗之說㊽：

> 環溪云：「若論詩之好，則好者固多。若論詩之正，則古今惟有三人，所謂『一祖二宗』杜甫、李白、韓愈是已。」……環溪云：「甫長於學，故以字見工；李白長於才，故以篇見工；韓愈長於氣，故以十數篇見工。」

又云：

> 環溪仲兄又問：「山谷詩亦有可法者乎」？環溪曰：「山谷除拗體似杜而外，唯以物為人一體最可法。於詩則為新巧，於理則未為大害。」

杜甫等三人的學、才、氣，使作品展現不同的工妙風格，足為典正的代表。此外，黃庭堅的拗體與新巧㊾，又有值得效法之處。這樣的見解，館臣謂為「取法終高，取旨終正」自是肯定之意。

又〈後山詩話提要〉㊿：

㊽ 〔宋〕吳沆：《環溪詩話》，《宋詩話全編》（四），頁 4343。

㊾ 沆曾舉黃庭堅詩〈次韻張詢齋中晚春〉而云：「『春至（曾案：「至」應作「去」，吳沆誤）不窺園，黃鸝頻三請』是用主人三請事。」黃鸝請人窺園，即為「以物為人」之例。《宋詩話全編》（四），頁 4346。

㊿ 《總目》，卷一百九十五、集部四十八、詩文評類一，頁 5（冊）－222。

> 其「詩文寧拙毋巧，寧朴毋華，寧麤毋弱，寧僻毋俗」；又謂「善為文者，因事以出奇，江河之行，順下而已；至其觸山赴谷，風搏物激，然後盡天下之變。」持論間有可取。

館臣認為《後山詩話》乃「疑南渡後，舊稿散佚，好事者以意補之耶」之書[51]。

縱然書為依託之作，但論點尚有可取之處，〈提要〉所舉二則文獻即是。此二則與黃庭堅思想相類。黃庭堅〈題意可詩後〉[52]云：

> 寧律不諧，而不使句弱；用字不工，不使語俗。此庾開府之所長也，然有意於為詩也。至於淵明則所謂不煩繩削而自合。雖然巧於斧斤者，多疑其拙；窘於撿括者，輒病其放。孔子曰：「寧武子其智可及也，其愚不可及也。」淵明之拙與放，豈可為不知者道哉！

作者一方面「有意於為詩」，故在「寧取」與「不使」（「毋」）

---

[51] 館臣指出：「今考其中於蘇軾、黃庭堅、秦觀俱有不滿之詞，殊不類師道語。且謂『蘇軾詞如教坊雷大使舞，極天下之工，而終非本色。』案：蔡絛《鐵圍山叢談》稱雷萬慶宣和中以善舞隸教坊。軾卒於建中靖國元年六月，師道亦卒於是年十一月，安能預知宣和中有雷大使？借為譬況，其出於依託，不問可知矣。」郭紹虞亦認為《總目》所言之證據，「鐵案如山，不容翻矣。」見氏著：《宋詩話考》，頁 17。

[52] 〔宋〕黃庭堅：《山谷集》，《景印文淵閣四庫全書》，卷二十六，頁 1113（冊）－276。

之間，做出刻意之抉擇與安排；另方面又要臻於「不煩繩削而自合」的渾成之境，最終使得深思鍛煉與天然渾成相融成體。〈提要〉所引文獻，第一則可視為「有意於為詩」之說，第二則論奇之真諦，乃在「江河之行，順下而已」，而非停留在刻意為奇（「思苦而詞艱」）之境。[53]

另〈庚溪詩話提要〉[54]云：

> 而於元祐諸人徵引尤多，蓋時代相接，頗能得其緒餘，故所論皆具有矩矱。……亦見舛誤，然大旨不詭於正。其論山谷詩派一條，深斥當時學者未得其妙，而但使聲韻拗捩，詞語艱澀，以為江西格，尤為切中後來之病。

從這段話看來，元祐諸人的見解，應較為館臣所接受，故評陳巖肖說「所論皆有矩矱」且「大旨不詭於正」。縱然如此，館臣亦非一味肯定元祐詩學，因為陳巖肖曾批評江西格詩法，而受到館臣肯定。《庚溪詩話》云：

> 近時學其（曾案：黃庭堅）詩者，或未得其妙處，每有所作，必使聲韻拗捩，詞語艱澁，曰「江西格」也。此何為哉？呂

---

[53] 〔宋〕陳師道：《後山詩話》云：「揚子雲之文，好奇而卒不能奇也，故思苦而詞艱。善為文者，因事以出奇，江河之行，順下而已。至其觸山赴谷，風摶物激，然後盡天下之變。子雲惟好奇，故不能奇也。」《宋詩話全編》（二），頁 1022。

[54] 《總目》，卷一百九十五、集部四十八、詩文評類一，頁 5（冊）－228。

居仁作〈江西詩社宗派圖〉，以山谷為祖，宜其規行矩步，必踵其跡。

就此說來，館臣對蘇、黃詩歌，乃採批判性地欣賞。相近於此，還有下列〈提要〉足以為證——

(1)〈藏海詩話提要〉[55]云：

然及見元祐舊人，學問有所授受，所云「詩以用意為主，而附之以華麗，寧對不工，不可使氣弱。」足以救西崑穠豔之失。又云「凡看詩須是一篇立意，乃有歸宿處。」又云：「學詩當以杜為體，以蘇、黃為用。杜之妙處藏於內，蘇、黃之妙處發於外。」又云：「絕句如小家事，句中著大家事不得。若山谷〈蟹詩〉用『虎爭』及『支解』字，此家事大，不當入詩中。」又云：「七言律詩極難做，蓋易得俗，所以山谷別為一體。」皆深有所見。所論有形之病、無形之病，尤抉摘入微。

吳可受元祐舊人學問之影響，論調頗能拯救西崑體語言過於華麗、文意過於晦澀的弊病，且其主張學詩於杜甫、蘇東坡、黃庭堅，頗有深見。但其對黃庭堅〈蟹詩〉[56]絕句過於張揚而失蘊藉，亦能有

---

[55] 《總目》，卷一百九十五、集部四十八、詩文評類一，頁 5（冊）－226-227。

[56] 〈秋冬之間，鄂渚絕市無蟹，今日偶得數枚，吐沫相濡，乃可憫笑，戲成小詩三首〉之一：「怒目橫行與虎爭，寒沙奔火禍胎成。雖為天上三辰次，未

所批評[57]，故頗得館臣讚許，終謂《藏海詩話》在宋代未受重視，今更當使之表出。

(2)〈風月堂詩話提要〉[58]云：

> 其論黃庭堅用崑體工夫，而造老杜渾成之地，尤為窺見深際，後來論黃詩者皆所未及。

館臣針對《風月堂詩話》的一段文獻，檢括為上述斷語，該《詩話》原為[59]：

> 李義山〈擬老杜詩〉云；「歲月行如此，江湖坐眇然。」直是老杜語也。其他句「蒼梧應露下，白閣自雲深。」、「天意憐幽草，人間重晚情。」之類，置杜集中亦無愧矣，然未似老杜沉涵汪洋，筆力有餘也。義山亦自覺，故別立門戶成一家，後人挹其餘波，號「西崑體」，句律太嚴，無自然態度，黃魯直深悟此理，乃獨用崑體工夫，而造老杜渾成之

免人間五鼎烹」又之三：「解縛華堂一座傾，忍堪支解見薑橙。東歸卻為鱸魚膾，莫把知言許季鷹。」〔宋〕黃庭堅：《山谷集》，《景印文淵閣四庫全書》，卷十一，頁 1113（冊）－89。

[57] 〔宋〕吳可：《藏海詩話》云：「子蒼云：『絕句如小家事，句中著大家事不得。若山谷詩〈蟹詩〉用與『虎爭』及『支解』字，此家事大不當入詩中。如虎爭詩語亦怒張，乏風流醞藉之氣。』《宋詩話全編》（六），頁 5544。

[58] 《總目》，卷一百九十五、集部四十八、詩文評類一，頁 5（冊）－227。

[59] 〔宋〕朱弁：《風月堂詩話》，《宋詩話全編》（三），頁 2956。

地。今之詩人少有及此者，禪家所謂更高一著也。

李義山唯〈河清與趙氏昆季讌集得擬杜工〉[60]詩，得老杜精神，〈念遠〉、〈晚晴〉二詩，雖為近似，但仍未造「沉涵汪洋」之境。朱弁雖未對「沉涵汪洋」「渾沉」再做說明，但從上下語脈看來，過於講究句律，而失自然態度，總為未造「沉涵汪洋」的重要原因。《風月堂詩話》卷上第二則即曰：「詩人勝語，咸得於自然，非資博古」次而徵引鍾嶸〈詩品序〉對用事的看法，並云：「大抵句無虛辭，必假故實；語無空字，必究所從。拘攣補綴，而露斧鑿痕迹者，不可與論自然之妙也。」[61]補綴、斧鑿與追求嚴律，都礙自然，而老杜的境界是自然呈顯，非經刻意而為。此段文獻，雖推黃庭堅之詩，但朱弁亦言：「（東坡）晚年過海，則雖魯直亦若瞠乎其後矣。」可見用崑體而造渾成境的作法，仍失步於東坡之自然[62]。

(3)〈優古堂詩話提要〉[63]云：

---

[60] 〔唐〕李商隱：〈河清與趙氏昆季讌集得擬杜工部〉：「勝槩殊江右，佳名逼渭川。虹收青嶂雨，鳥沒夕陽天。客鬢行如此，滄波坐渺然。此中真得地，漂蕩釣魚船。」《李義山詩集》，《景印文淵閣四庫全書》，卷下，頁1082（冊）－57。與朱弁引文，略有出入。

[61] 《風月堂詩話》，《宋詩話全編》（三），頁2943。

[62] 《風月堂詩話》：「東坡答云：『此賦（曾案：晁伯宇〈閔吾廬賦〉）甚奇麗，信是家多異材耶。凡文至足之餘，自溢為奇怪。今晁傷奇太早，可作魯直微意諭之，而勿傷其邁往之氣。」矜奇求怪乃傷自然，故東坡以自然為尚。《宋詩話全編》（三），頁2950。

[63] 《總目》，卷一百九十五、集部四十八、詩文評類一，頁5（冊）－223。

> 夫奪胎換骨，翻案出奇，作者非必盡無所本，實則無心闇合，亦多有之。必一句一字求其源出某某，未免於求劍刻舟。……然互相參考，可以觀古今人運意之異同與遣詞之巧拙，使讀者因端生悟，觸類引申，要亦不為無益也。

黃庭堅詩的詩學，既受館臣之批評，故對持江西詩學論斷文學表現者，亦有微詞。

總之，館臣認為「不詭於正」的宗法譜系，約可簡言為：第一、儒家的言志、無邪思想，當為主要標準。第二、〈風〉、〈騷〉、〈古詩〉、蘇、李、曹、劉、阮、陶、鮑、謝、李、杜、韓、蘇、黃，皆有可師法之處。第三、宋代之蘇、黃雖有可學之處，但亦有可調適之處[64]。

2.兩宋之際以降

〈滄浪詩話提要〉[65]云：

> 大旨取盛唐為宗，主於妙悟，故以「如空中音，如象中色，如鏡中花，如水中月，如羚羊挂角，無迹可尋」為詩家之極

[64] 在現當代的中國文學批評史著作中，約以朱東潤先生最早重視《總目》的批評史意義，他曾引述紀昀批評江西派的資料，其內容與此處之意見相同，見氏著：《中國文學批評史大綱》（上海：上海古籍出版社，2005.4），頁326。另外，日本學者野村鮎子也曾從別集類得出「提要也傾向於厭惡江西派（豫章）末流那種晦澀又生硬的詩風」的結語，見氏著：〈論《四庫提要》如何評論南宋文學〉，收入沈松勤主編《第四屆宋代文學國際研討會論文集》（杭州：浙江大學出版社，2006.10），頁319-333。

[65] 《總目》，卷一百九十五、集部四十八、詩文評類一，頁5（冊）－236。

> 則。明胡應麟比之達摩西來，獨闢禪宗。而馮班作《嚴氏糾謬》一卷，至詆為囈語。要其時，宋代之詩，競涉論宗；又四靈之派方盛，世皆以晚唐相高，故為此一家之言，以救一時之弊。後人輾轉承流，漸至於浮光掠影，初非羽之所及知，譽者太過，毀者亦太過也。

館臣指出《滄浪詩話》詩學極則在於「妙悟」，而其精蘊來自於盛唐之詩。次而指出明、清學者的評論，或以「達摩西來，獨闢禪宗」頌之[66]，或以囈語毀之[67]。然館臣認為嚴羽之作在於對治時代詩病，即宋詩流於宗派之爭，且四靈派盛行，推崇晚唐之詩。換言之，館臣肯定滄浪對四靈詩的批判，但以妙悟為詩之極則者，則有所保留。館臣對於四靈詩的批評，另可見於〈對床夜語提要〉[68]：

> 然當南宋季年詩道凌夷之日，獨能排習尚之乖。如曰：「四

---

[66] 〔明〕胡應麟：《少室山房集》，〈讀昌黎毛穎傳〉：「韓序、記、書、啟，如達摩西來，獨啟禪宗。」乃指韓文而言，應非館臣所據，《景印文淵閣四庫全書》，卷一百五，頁 1290（冊）－760。惟〈題庚溪詩話後〉謂宋朝南渡以後，「嚴羽卿以譚藝雄古」，卷一百六，頁 1290（冊）－769；又胡應麟：《少室山房筆叢正集》，《景印文淵閣四庫全書》，卷十一：「嚴羽卿非真能詩，其論詩即李、杜莫能如。」皆對嚴羽多持肯定態度。此外，胡應麟：《詩藪》，〈雜篇〉，卷五：「南渡人才，遠非前宋之比，乃談詩獨冠古今。嚴羽卿崛起燼餘，滌除榛棘，如西來一葦，大暢玄風。」見《明詩話全編》（五），此內容更近館臣所述，頁 5707。

[67] 〔清〕馮班：《鈍吟雜錄》，《景印文淵閣四庫全書》，〈嚴氏糾謬〉，頁 886（冊）－552-558。

[68] 《總目》，卷一百九十五、集部四十八、詩文評類一，頁 5（冊）－241。

靈倡唐詩者也，就而求其工者趙紫芝也。然具眼猶以為未盡者，蓋惜其立志未高，而止於姚、賈也。學者闖其閫奧，闢而廣之，猶懼其失；乃尖纖淺易，萬喙一聲，牢不可破，曰此四靈體也。其植根固，其流波漫，日就衰壞，不復振起，宗之者反所以累之也。」又曰：「今之以詩鳴者，不曰四靈，則曰晚唐。文章與時高下，晚唐為何時耶？」其所見實在江湖諸人上，故沿波討源，頗能探索漢、魏、六朝、唐人舊法，於詩學多所發明云。

館臣認為范晞文能排拒習尚的乖謬，而其所謂的乖謬，乃指以晚唐姚合、賈島為學習範型的四靈派。四靈之作流於「尖纖淺易」，故非佳作。至於范晞文能破時尚之乖外，更能探索前人舊法，多所發明精蘊，故受館臣讚賞，此亦復見館臣的批評取向。又館臣謂范晞文「所見時在江湖諸人之上」，亦謂江湖派之詩學主張，不受館臣肯定。

關於江湖派，館臣在《總目》「集部·總集類」〈極玄集提要〉、〈唐詩品彙提要〉[69]曾謂：

（姚）合為詩，刻意苦吟，工于點綴小景，搜求新意。而刻畫太甚，流于纖仄者，亦復不少。宋末江湖詩派，皆從是導

---

[69] 〈極玄（曾案：《四庫》避諱而作「元」）集提要〉與〈唐詩品彙提要〉分見《總目》，卷一百八十六、集部三十九、總集類一，頁 5（冊）－11；卷一百八十九、集部四十二、總集類四，頁 5（冊）－65。

源者也。

江西一派與四靈一派，併合而為江湖派。猥雜細碎，如出一轍，詩以大弊。

館臣認為江湖派晚於四靈派，唯兩者風格相近，同法晚唐姚合(70)；唯江湖派亦併江西詩法。故既謂范晞文「所見在江湖諸人上」可推知館臣不喜江湖派之態度。另在〈娛書堂詩話提要〉(71)亦明晰可見：

其論詩源出江西，而兼涉於江湖宗派。故所稱述……大抵皆凡近之語，評品殊為未當，蓋爾時風氣類然。

趙與虤既出於江西與江湖之派，所見與當時風氣相類，故多有未當之評。

---

(70) 此種看法，在嚴羽《滄浪詩話》中已可見：「至東坡、山谷，始自出己意以為詩，唐人之風變矣。山谷用工尤為深刻，其後法席盛行，海內稱為江西宗。近世趙紫芝、翁靈舒輩，獨喜賈島、姚合之詩，稍稍復就清苦之風；江湖詩人多效其體，一時自謂之唐宗。」《宋詩話全編》（九），頁8720。

(71) 《娛書堂詩話》的書前〈提要〉，則與《總目》〈提要〉有所不同，書前〈提要〉云：「觀其所論，大抵以神韻脫灑為宗。其引楊萬里〈千巖摘稿序〉及姜堯章〈白石詩稿自序〉，頗以江西宗派為未善，其宗旨可知。殆當宋元之交，詩派將變之時，學者方厭棄黃、陳餘唾，而欲矯以清新。故其議論如此，雖未必盡合詩家正諦，而一時風會升降之故，要即可於此覘之。」《景印文淵閣四庫全書》，頁1481（冊）－461。

〈荊溪林下偶談提要〉[72]云：

> 書中推重葉適，不一而足……所記葉適作〈徐道暉墓志〉、〈王木叔詩序〉、〈劉潛夫詩卷跋〉，皆有不取晚唐之說。蓋其暮年自悔之論，獨詳錄之，其識高於當時諸人遠矣。

吳子良的《荊溪林下偶談》約有二十多則論及葉適，推重之語頗夥。館臣特別因吳子良詳錄葉適晚年自悔之論，評其「見識高於當時諸人遠矣」。《荊溪林下偶談》卷四「四靈詩」條[73]云：

> 水心之門，趙師秀紫芝、徐照道暉、璣致中、翁卷靈舒，工為唐律，專以賈島、姚合、劉得仁為法，其徒尊為四靈，翁然傚之，有八俊之目。水心廣納後輩，頗加稱獎，其詳見〈徐道暉墓誌〉，而末乃云：「尚以年不及乎開元、元和之

---

[72] 《總目》，卷一百九十五、集部四十八、詩文評類一，頁 5（冊）－238。

[73] 吳子良所引文獻，或與原出處有不同者，如〈徐道暉墓誌銘〉：「惜其不尚以年，不及臻乎開元、元和之盛。而君既死，同為唐詩者，徐璣字文淵、翁卷字靈舒、趙師秀字紫芝。」〈王木叔詩序〉：「木叔不喜唐詩，謂其格卑而氣弱，近歲唐詩方盛行，聞者皆以為疑。夫爭妍鬭巧，極外物之變態，唐人所長也；反求於內，不足以定其志之所止，唐人所短也。木叔之評，其可忽諸？」〈題劉潛夫南嶽詩稾〉：「昔謝顯謂：『陶冶塵思，模寫物態，曾不如顏、謝、徐、庾流連光景之詩。』此論既行，而詩因以廢矣。悲夫！潛夫能以謝公所薄者自鑒，而進於古人不已，參〈雅〉〈頌〉，軼〈風〉〈騷〉可也，何必四靈哉？」分見〔宋〕葉適：《葉適集》（臺北：河洛圖書出版社，1974.5），頁 322、221、611。

盛，而君既死」蓋雖不沒其所長，而亦終不滿也。後為〈王木叔詩序〉謂：「木叔不喜唐詩，聞者皆以為疑。夫爭妍鬬巧，極外物之意態，唐人所長也；及要其終，不足以定其志之所守，唐人所短也。木叔之評，其可忽諸？」又〈跋劉潛夫詩卷〉謂：「謝顯道稱不如流連光景之詩，此論既行，而詩因以廢矣。潛夫能以謝公所薄者自鑒，而進於古人不已，參〈雅〉〈頌〉，軼〈風〉〈騷〉可也，何必四靈哉？」此跋既出，為唐律者頗怨，而後人不知，反以為水心崇尚晚唐者，誤也。水心稱當時詩人可以獨步者，李季章、趙蹈中耳。近時學者歆豔四靈，剽竊模倣，愈陋愈下，可歎也哉！

吳子良對葉適詩學的詮說，受到館臣的重視與激賞，此乃兩者對四靈派的評價一致。在《總目》〈雲泉詩提要〉[74]中，館臣建構了宋代詩歌史：

宋承五代之後，其詩數變。一變而西崑，再變而元祐，三變而江西。江西一派由北宋以逮南宋，其行最久。久而生弊，於是永嘉一派，以晚唐體矯之，而四靈出焉。然四靈名為晚唐，其所宗實止姚合一家，所謂武功體者是也。其法以新切為宗，而寫景細瑣，邊幅太狹，遂為宋末江湖之濫觴。葉適以鄉曲之故，初力推之，久而亦覺其偏，始稍異論焉。

[74] 《總目》，卷一百六十五、集部十八、別集類十八，頁4（冊）－329-330。

館臣認為四靈詩乃為矯正江西派而來，其雖求「新切」，但亦流於細瑣狹礙，就連曾經讚揚四靈詩的葉適，後來也做了修正。總之，館臣認為南宋以降的文風不外江西與修正江西（四靈派、江湖派）兩大格局，修正江西者又流於尖細狹隘，故僅以江西、四靈、江湖主張為梗概的批評著作，則有偏頗之病。同時，南宋的文學流派似乎更失去值得法則的對象了。

三、調適承受的階段（元朝）——金石經義與詩文法度

《總目》收錄元朝著錄書僅有四部，分別為：陳繹曾《文說》、王構《修辭鑑衡》、潘昂霄《金石例》、倪士毅《作義要訣》。

王構為元朝前期批評家，《修辭鑑衡》多採「宋人詩話，及文集、說部為之」[75]故仍在宋人藩籬之內。潘昂霄《金石例》取古代碑銘鐘鼎之文，詳細考察起源與特色，並成就括例，以做為後人學習金石文章之用。至於潘氏作書動機，楊本〈序〉[76]云：

> 先生世居中州，以文學鳴。國初，士之為文者，猶襲纖巧，其氣萎薾不振，先生患其久而難變也，乃述是書，以授學者，使其知古之為文如此。

---

[75] 《總目》，卷一百九十六、集部四十九、詩文評類二，頁 5（冊）—244。

[76] 〔元〕潘昂霄：《金石例》，《景印文淵閣四庫全書》，頁 1482（冊）—290。

楊本認為潘昂霄為了提振元朝纖巧的衰弱文風，於是借古人之文以振聾發聵，〈金石例提要〉77亦云：

> 書述敘古制，頗為典核。雖所載括例，但舉韓愈之文，未免舉一而廢百，然明以來金石之文，往往不考古法，漫無程式，得是書以為依據，亦可謂尚有典型。

館臣評價該書時，雖然優劣並陳，但也呼應楊本〈序〉，展現潘氏欲以韓文拯救時弊的用心。

陳繹曾《文說》為「因延祐復行科舉，為程試之式而作」，又「時五經皆以宋儒傳為主」，所以其宗旨為「折衷於朱子」78。倪士毅《作義要訣》也為設科取士的經義考試而發79，倪氏〈作義要訣自序〉云80：

---

77 《總目》，卷一百九十六、集部四十九、詩文評類二，頁5（冊）－245。

78 《總目》，卷一百九十六、集部四十九、詩文評類二，頁5（冊）－245。

79 〈作義要訣提要〉云：「是編皆當時經義之體例。自宋神宗熙寧四年，始以經義試士。元太宗從耶律楚材之請，以三科選舉，經義亦居其一。至仁宗皇慶二年，酌議科舉條制，乃定蒙古、色目人第一場經問五條，漢人、南人第一場經疑二問，限三百字以上，不拘格律，元統以後，蒙古、色目人亦增經義一道。」《總目》，卷一百九十六、集部四十九、詩文評類二，頁5（冊）－245。這段文獻亦可看出館臣為經義範本、科舉寫作指南等書（如經部書類的〔元〕王充耘《書義矜式》、〔明〕未知撰者《經義模範》、〔清〕方苞奉敕《欽定四書文》）彰顯時代背景的用心。

80 倪士義〈自序〉雖未明言著書時間，但從〈自序〉可以推知《作義要訣》應作於元代以經義試士之後。

按宋初因唐制，取士試詩賦。至神宗朝王安石為相，熙寧四年辛亥議更科舉法，罷詩賦，以經義論策試士，各占治《詩》、《書》、《易》、《周禮》、《禮記》一經，此經義之始也。宋之盛時，如張公才叔「自靖」義，正今日作經義者所當以為標準。

倪氏認為申述經義的文章，應以張才叔論《尚書・商書・微子篇》父師若曰「自靖，人自獻于先王」[81]為標準，並順此闡述經義文章的作法。

《總目》收錄元朝存目書有：楊載《詩法家數》、范德機《木天禁語》、《詩學禁臠》、陳繹曾《文筌附詩小譜》、徐駿《詩文軌範》、陳秀民《東坡文談錄》、《東坡詩話》、不著撰人名氏《南溪詩話》[82]等書。在五位知名氏的作者中，王繹曾的《文說》已見著錄書，存目又載《文筌》，但〈提要〉謂《文筌》「體例繁碎，大抵妄生分別，強立名目，殊無精理」[83]；徐駿[84]與陳秀民未

---

[81] 《尚書》該段「父師」是否為箕子，尚有爭議，張才叔以為是箕子而申論之，唯此無關本文要旨，闕而不論。請參見屈萬里：《尚書集釋》（臺北：聯經出版事業公司，1983），頁 105-106。

[82] 〈答策秘訣提要〉云：「舊本首題建安劉錦文叔簡輯」，又謂該書末有至正己丑年之〈跋〉語：「不知作於何人，相傳以為貢士曾堅子白之作」而館臣推論為南宋人之書，故此處未列入討論。《總目》，卷一百九十七、集部五十、詩文評類存目，頁 5（冊）－260。

[83] 《總目》，卷一百九十七、集部五十、詩文評類存目，頁 5（冊）－262。

[84] 《總目》，卷二十三、經部二十三、禮類存目一，收錄《五服集證》一書，其作者亦為常熟人徐駿。唯館臣認為成書時間為「正統戊午」（即英宗正統

有他書見錄，而《總目》謂《詩文軌範》「語率皆習見」[85]，謂《東坡文談錄》「大抵諸書所習見」、「為例亦復不存」[86]，謂《東坡詩話》「殊無體例」、「持論淺漏」[87]。王、徐、陳三人在《總目》其他〈提要〉裏，也未見其他文學表現，故本文暫不討論。唯楊載與范梈（字德機）二人，聲名大噪當時，頗值得觀察。

大體說來，上述作者都歷經仁宗延祐元年（1314）恢復科舉考試的階段[88]，而這也標誌一個文治時代的來臨。以今日承平之世，力追往日盛唐氣勢的時代氣氛，在在為「宗唐抑宋」的詩學主張，提供豐厚的發展基礎[89]。因此，此時出現詩法之書，並以唐詩為準

三年、1438），故作者為明人。至於本書之徐駿，《元史》無傳，故難證知與《五服集證》是否同一作者。本文以文學思想為研究範圍，〈五服集證提要〉亦無涉文學，故暫以《總目》之說為據。頁 1（冊）－484。

[85] 《總目》，卷一百九十七、集部五十、詩文評類存目，頁 5（冊）－262。

[86] 《總目》，卷一百九十七、集部五十、詩文評類存目，頁 5（冊）－262。

[87] 《總目》，卷一百九十七、集部五十、詩文評類存目，頁 5（冊）－262-263。

[88] 〔明〕宋濂：《元史》（北京：中華書局，1997.12），卷八十一、志第三十一、〈選舉一〉，云；「元初，太宗始得中原，輒用耶律楚材言，以科舉選士。世祖既定天下，王鶚獻計，許衡立法，事未果行。至仁宗延祐間，始斟酌舊制而行之取士。」又就皇慶二年（1313）年十一月〈詔書〉所載：次年八月舉行鄉試，再隔年舉行廷試。故延祐二年春三月即行廷試。頁 2016-2602。

[89] 〔元〕楊翮：〈秦淮棹歌序〉：「今天下承平日久，學士大夫頌詠休明，而陶寫情性者，皆足以追襲盛唐之風。由皇慶、延祐，迄于天歷，奎章之間，鸞臺鳳閣之者英碩彥，倡于朝廷而風於四方之詩，蓋駸駸乎大歷貞元之盛矣。」見氏著：《佩玉齋類稾》，《景印文淵閣四庫全書》，頁 1220（冊）－110。至於元代「宗唐抑宋」的過程，請參見王運熙、顧易生主編：《中國

則，亦為時運所趨。《總目》指陳《木天禁語》「引唐人一詩以實之」[90]、《詩學禁臠》「每格選唐詩一篇為式」[91]皆是如此。[92]

可是《總目》又謂《詩法家數》「論多庸膚，例尤猥雜」、《木天禁語》「體例叢脞冗雜」、《詩學禁臠》「淺陋尤甚」，故應為「坊賈依託」、「庸妄書賈，剽竊《學范》為之耳」、「必非真本」[93]館臣從著作內容淺陋，以及《木天禁語》的資料已見於趙撝謙《學范》等理由，臆測《木天禁語》乃為「知庸妄書賈，剽取《學范》為之耳」而非范德機所作[94]，《詩法家數》亦非元代作手

文學批評通史》（上海：上海古籍出版社，1996.12），頁1041-1047。

[90] 《總目》，卷一百九十七、集部五十、詩文評類存目，頁5（冊）－261。

[91] 《總目》，卷一百九十七、集部五十、詩文評類存目，頁5（冊）－261-262。

[92] 〈詩法家數提要〉雖未指該書有尊唐之意，然據《詩法家數·總論》云：「詩體，《三百篇》流為《楚詞》，為樂府，為〈古詩十九首〉，為蘇、李五言，為建安、黃初，此詩之祖也；《文選》劉琨、阮籍、潘、陸、左、郭、鮑、謝諸詩，淵明全集，此詩之宗；老杜全集，詩之大成也」則可知尊唐之意。見吳文治主編：《遼金元詩話全編》（四）（南京：鳳凰出版社，2006.12），頁2008。

[93] 《總目》，卷一百九十七、集部五十、詩文評類存目，頁5（冊）－261-262。

[94] 張健先生指出：明末以前對《詩法家數》、《木天禁語》多有佳評，可是自明末許學夷開始，出現不同的認知與評價。許學夷認為《木天禁語》、《詩學禁臠》為偽作，《總目》並將《詩法家數》視為偽書。但是《詩法家數》、《木天禁語》在《學范》之前已經存在，又《木天禁語》已被趙氏認為范德機所作，且「刊刻這些詩法的恰恰不是為了射利的坊賈，而是一些主流文人」故館臣判斷「實不足據」。上述論點，張先生雖有論辯，但〈提要〉所云「庸妄書賈，剽竊《學范》為之耳」應指商賈從《學范》中析出，而《總目》，卷一百三十一、子部四十一、雜家類存目八，〈學范提要〉

楊載所著。因為館臣沒有更為積極的證據，足以證明《木天禁語》等書為偽書，於是他們的判讀，容有獨斷的可能性，可是，我們也難以證明館臣推測，絕非事實[95]。迫於現實，不妨擱置考證的議題，轉從〈楊仲弘集提要〉[96]考察館臣對楊、范的評價：

> 元代詩人，世推虞、楊、范、揭，史稱其「文章一以氣為主，而於詩尤有法度。自其詩出，一洗宋季之陋」云云。蓋宋代詩派凡數變：西崑傷於雕琢，一變而為元祐之朴雅；元祐傷於平易，一變而為江西之生新；南渡以後，江西宗派盛極而衰，江湖諸人欲變之而力不勝，於是仄徑旁行，相率而為瑣屑寒陋，宋詩於是掃地矣。載生於詩道弊壞之後，窮極而變，乃復其始，風規雅贍，雍雍有元祐之遺音。史之所稱，固非溢美，故清思不及范梈，秀韻不及揭傒斯，權奇飛

云：「撝謙頗以小學名，而此書（曾案：《學范》）所述，至為弇陋。」頁3（冊）－794。故〈木天禁語提要〉或指趙撝謙不察該書為偽書而予鈔存，後來商賈為射利而刊行。若證明《木天禁語》等書在《學范》之前已經存在，實也無益釐清該書真偽的問題；又館臣認為趙撝謙的《學范》為「弇陋」之書，所以做出上述判斷，但未言趙氏為「射利之人」。至於趙撝謙的學識如何？是否如張氏所說「有一定的鑒別力」？還是如館臣所見，尚待考索。張說見氏著：《元代詩法校考》（北京：北京大學出版社，2001.9），頁7-10。

[95] 劉明今先生曾自《詩法家數》的轉引狀況，證明有些說法是上承他人的，後人也有相似說法，故不應獨以淺陋視之。當然，劉氏也無法肯定館臣之說有誤。本文暫不考證館臣之是非。見氏著：《遼金元文學史案》（上海：上海古籍出版社，2004.11），頁121-127。

[96] 《總目》，卷一百六十七、集部二十、別集類二十，頁4（冊）－399-400。

動尤不及虞集，而四家並稱，終無怍色，蓋以此也。

在這段文獻中，館臣應該根據《元史·楊載傳》：「其文章一以氣為主，博而敏，直而不肆，自成一家言。而於詩尤有法度，嘗語學者曰：『詩當取材於漢、魏，而音節則以唐為宗。』自其詩出，一洗宋季之陋。」[97]鋪衍而成。比較兩段文獻，都涉及了——楊載詩有「法度」，且其「法度」頗有廓清宋詩弊陋的功效。至於「法度」的由來，《元史》以為取自對漢詩、魏詩、唐詩的領悟與學習；至於廓清宋詩之弊，《元史》僅以「宋季」之時間性語詞加以含攝，〈提要〉則另有一番勾勒。簡言之，館臣認為虞、楊、范、揭乃針對江西宗派與江湖派而發。

當然，兩段文獻皆已略及「法度」內涵，唯〈提要〉謂楊載「（詩）風規雅贍，雍雍有元祐之遺音」，似可做為「法度」的實踐結果。雖然，詩歌創作與詩歌評論並非相同之事，但兩者皆需凝視、抉擇審美要素。因此，以創作成效類推詩學思想，應具合理性。館臣對於宋代詩學，向有「尊元祐」的態度，而「元祐」詩的內質，又以儒門「溫柔敦厚」與「興觀群怨」為主，相較於江西宗派的「翻案出奇」、江湖派的「刻意苦吟」[98]，就顯得「朴雅」許

---

[97] 〔明〕宋濂：《元史》，卷一百九十、列傳第七十七、儒學二、〈楊載傳〉，頁 4341。

[98] 分見〈優古堂詩話提要〉、〈極玄集提要〉語。唯〈極玄集提要〉本就姚合詩而言，但〈提要〉亦云：「宋末江湖詩派，皆從是導源者也。」分見《總目》，卷一百九十五，集部四十八，詩文評類一，頁 5（冊）－222；卷一百八十六、集部三十九、總集類一，頁 5（冊）－11。

多。

至於范德機的著作，《總目》著錄書有《范德機詩七卷》、存目書有《范文白詩集六卷》。兩書〈提要〉都未見有關文學思想的評述，唯傅若金《傅與礪詩文集》〈提要〉云：「其詩法授於同郡范梈、虞集、宋褧。」[99]此說實可做為范梈（字德機）傳述詩法的證明。

從批評著作的文獻角度來說，館臣既認為《詩法家數》、《木天禁語》、《詩學禁臠》三部為偽書，當然也就未能給予楊載等人正面評價。同時，我們也不易依循這幾份〈提要〉，重建館臣心中的批評史圖像。可是，當我們轉向〈楊仲弘集提要〉觀察時，楊載的詩法見解，在當時應已發生重大影響。況且，館臣認為書中見解淺陋，所以絕非楊載等人所作，此亦足反證館臣對他們的重視程度。

總之，從〈提要〉中，我們可以得知：第一、《作義要訣》一類研究程式文章的書籍，即應科舉考試需求而產生。第二、元朝前期作家王構，乃從「宋人詩話及文集、說部」結成「去取頗為精核」的《修辭鑒衡》，可是稍後的潘昂霄取法韓愈，楊載從漢、魏、唐詩中掌握詩法，略有由宋代影響轉入唐代影響的變化。第三、在館臣所建構的批評史圖像中，元朝著作常表現出受唐宋文學磁吸而調適承受的狀態，所以頗有受融於前朝，喪失主體性的危機。不過，這也只是表層的概括印象而已，因為館臣同時站在實用文體的立場上，肯定潘昂霄《金石例》具有可為後世依據的典型意

[99]　《總目》，卷一百六十七、集部二十、別集類二十，頁4（冊）－412-413。

義（尤其明代以降，作家多不考究金石文章的規矩法度），倪士毅《作義要訣》具有經義文章「先河後海」的開創意義。所以，館臣文學思想的傾向，並非純藝術性的，即若以實用標準評估元朝文學，自可發掘承上啟下的價值。第四、館臣所建構的批評史圖像，因未著錄遼、金作品，故有單薄之虞。[100]

第四節 《總目》「去門戶」的文學思想傾向

一、「尊元祐」不蘊涵「抑熙寧」的機械反應

上文曾舉〈提要〉為例，具體指出館臣以作者的朋黨身分，做為勾勒批評史的重要基礎，為求討論方便，故不避重出累贅，將相關文獻臚列於下：

> 攽在元祐諸人之中，學問最有根柢，其考證論議可取者多。（劉攽《中山詩話》）[101]

---

[100] 相對於《遼金元詩話全編》〈前言〉所說「合計本書共收錄遼、金、元詩話四百一十九家」，《總目》確顯單薄。頁 1。當然，《遼金元詩話全編》的蒐輯標準較為寬鬆，並非盡以完整成書之著作為單位，此處所說只欲彰顯相對狀況。

[101] 《中山詩話》為黨爭中受毀禁之書，其受禁原因請參見蕭慶偉：《北宋新舊黨爭與文學》，頁 77-79。

泰為曾布婦弟……及作此書，亦黨熙寧而抑元祐。……蓋堅執門戶之私，而甘與公議相左。（魏泰《臨漢隱居詩話》）

蓋亦宗元祐之學者，所引述多蘇軾、黃庭堅、陳師道語，其宗旨可想見也。顗議論多有根柢，品題亦具有別裁。（許顗《彥周詩話》）

其學出於黃庭堅。（呂本中《紫微詩話》）

然表臣生當北宋之末，猶及與陳師道遊，與晁說之尤相善，故其論詩，往往得元祐諸人之餘緒，在宋人詩話之中，固與惠洪《冷齋夜話》，在伯仲之間矣。（張表臣《珊瑚鉤詩話》）

蓋夢得出蔡京之門，而其婿章沖，則章惇之孫，本為紹述餘黨，故於公論大明之後，尚陰抑元祐諸人。（葉夢得《石林詩話》）

及見元祐舊人，學問有所授受，所云詩以用意為主，而附之以華麗，寧對不工，不可使氣弱，足以救西崑穠豔之失。（吳可《藏海詩話》）

初，戒以論事切直為高宗所知，其言當以和為表，以備為裏，以戰為不得已，頗中時勢。故淮西之戰，則力劾張浚、趙開；而秦檜欲屈己求和，則又力沮，卒與趙鼎並逐，蓋亦

> 鯁亮之士也。[102]（張戒《歲寒堂詩話》）

> 於元祐諸人，徵引尤多，蓋時代相接，頗能得其緒餘，故所論皆具有矩矱。（陳巖肖《庚溪詩話》）

> 復忤權貴，棄官歸。張浚欲辟之入幕，不肯就，遂終老於家。（黃徹《䂬溪詩話》）

> 聿之詩學出於元祐，於當時佚事尤所究心。……在宋人詩話之中，亦可謂之佳本。（吳聿《觀林詩話》）

此外，在「別集類」〈太倉稊米集提要〉嘗謂《竹坡詩話》作者周紫芝「其學問淵源實出元祐」[103]通過這幾條文獻，應能看見《四庫》館臣在述評作品時，確實多考察作者的朋黨身份[104]。可是對於

---

[102] 余英時先生認為紹興年間黨爭有了法度上的根本改變，「皇帝以最後仲裁者的身份調停於上」的情形消失，改變了靖康以降元祐派逐步回朝的局勢。高宗在紹興八（1138）自李綱於建炎元年（1127）所提出「和、守、戰」的「國是」政策中，選擇了「和」，引起已不在朝的李綱與其他朝野上下的反對，最後皇帝與士大夫（以秦檜為首）議定「國是」，使其成為「長期性的最高政治綱領」，並且使「執政的一黨長期盤踞在權力的中心」。見氏著：《朱熹的歷史世界——宋代士大夫政治文化的研究》，頁 361-387、430-441。據此，館臣對張戒之介紹，仍具黨爭的色彩。

[103] 《總目》，卷一百五十八、集部十一、別集類十一，頁 4（冊）－229。

[104] 此外，大陸學者張伯偉將朱弁《風月堂詩話》列入元祐派，見氏著：《中國古代文學批評方法研究》（北京：中華書局，2006.1），頁 480-481。至於南宋以後的詩文評著作，館臣亦有謂其為某派者（如魏慶之為「宋末江湖一

涉及元祐派之作者，以「學問有根柢」、「論議可取」、「議論具矩矱」等稱之，至於與新黨關係密切者魏泰、葉夢得則有微詞。

此外，對於舊黨的重要人物歐陽修，則似有迴護之情。〈六一詩話提要〉[105]云：

> 其中如「風暖鳥聲碎，日高花影重」一聯，今見杜荀鶴《唐風集》而修乃作周朴詩。魏泰作《臨漢隱居詩話》，詆其謬誤。然考宋吳聿《觀林詩話》曰：「杜荀鶴詩句鄙惡。世所傳《唐風集》首篇『風暖鳥聲碎，日高花影重』者，余甚疑不類荀鶴語。他日觀唐人小說，見此詩乃周朴所作。而歐陽文忠公亦云爾，蓋借此引編，以行於世矣」云云。然則此詩一作周朴，實有根據，修不誤也。惟九僧之名頓遺其八，司馬光《續詩話》乃為補之，是則記憶偶疏耳。

《六一詩話》將杜荀鶴〈春宮怨〉「風暖鳥聲碎，日高花影重」的詩句，誤作周朴所作，而館臣又引吳聿之說，證明歐陽修的誤會，是出於承續前人而然，唐人或有兩說，就此角度來看，導出「修不誤也」的結論。至於九僧之名，忘了八個人的姓名，只是「記憶偶疏」，原不足怪，並未別特別苛責。這種情形，同樣見於〈續詩話提要〉[106]：

派」、趙與虤「其論詩源出江西，而兼涉於江湖宗派」），此處暫無列入。

[105] 《總目》，卷一百九十五、集部四十八、詩文評類一，頁5（冊）－220。

[106] 《總目》，卷一百九十五、集部四十八、詩文評類一，頁5（冊）－221。

> 惟梅堯臣病死一條，與詩無涉，乃載之此書，則不可解。考光別有《涑水記聞》一書，載當時雜事。豈二書並修，偶以欲筆於彼冊者誤筆於此冊歟？

《續詩話》第三則「梅聖俞之卒也」條，內容與詩毫不相關，但是卻入於詩話之中，應是體例上有所瑕疵。可是館臣卻以「偶以欲筆於彼冊者誤筆於此冊歟」做為猜測性地解釋，並帶有維護的意味。此外，館臣更正面評價為「光德行功業冠絕一代，非斤斤於詞草之末者。而品第諸詩，乃極精密。」推崇之志可見。

就此看來，「去門戶之私」的意圖，並非毫無立場傾向之雙遣型態，或是純無判準之空白意識，而是有「尊元祐」的色彩。

在「尊元祐」的思想傾向下，是否蘊涵「抑熙寧」觀念？而尊崇的性質又是如何呢？都應是值得討論的議題。

〈石林詩話提要〉與〈臨漢隱居詩話提要〉分別在文末端述及：

> 然夢得詩文，實南北宋間之巨擘。其所評論，往往深中窾會，終非他家聽聲之見，隨人以為是非者比。略其門戶之私，而取其精核之論，分別觀之，瑕瑜固兩不相掩矣。

> 然如論梅堯臣贈鄰居詩不如徐鉉，則亦未嘗不確。他若引韓愈詩證《國史補》之不誣，引《漢書》證劉禹錫稱衛綰之誤，以至評韋應物、白居易、楊億、劉筠諸詩，考王維詩中顛倒之字，亦頗有可採。略其所短，取其所長，未嘗不足備

考證也。

館臣認為葉、魏二人雖有門戶之私，但葉氏論詩仍有獨立而深切之處、魏氏則在考證上多有可採之處，並非全無價值。此外，《總目》另在葉氏《建康集》〈提要〉[107]云：

> 夢得為蔡京門客，章惇姻家，當過江以後，公論大明，不敢復噓紹述之焰，而所著《詩話》，尚尊熙寧而抑元祐，往往於言外見之。方回《瀛奎律髓》於其〈送嚴壻北使〉一詩，論之頗詳。然夢得本晁氏之甥，猶及見張耒諸人，耳濡目染，終有典型。故文章高雅，猶存北宋之遺風。南渡以後，與陳與義可以肩隨，尤、揚、范、陸諸人皆莫能及，固未可以其紹聖餘黨，遂掩其詞藻也。

館臣肯定葉氏的詞藻表現，也認為其創作經驗足以提供精闢的文學評價意見，故特別強調不可因其紹聖餘黨的身分，掩蓋其表現。另外，〈臨川集提要〉[108]對新黨的領袖王安石云：

> 然此百卷之內，菁華具在。其波瀾法度，實足自傳不朽。朱子《楚詞後語》謂安石「致位宰相，流毒四海，其言與生平行事心術，略無毫髮肖。夫子所以有『於予改是』之歎。」

---

[107] 《總目》，卷一百五十六、集部九、別集類九，頁 4（冊）－189。

[108] 《總目》，卷一百五十三、集部六、別集類六，頁 4（冊）－135-136。

斯誠千古之定評矣。

館臣同樣肯定王安石文集中「菁華具在」「其波瀾法度，實足自傳不朽。」並無一味否定他的文學表現。文中引朱子《楚詞後語》，乃朱子評王安石〈寄蔡氏女〉之作，且謂「公又以女妻蔡卞，此其所予之詞也。然其言平淡簡遠，翛然有出塵之趣。視其平生行事心術，略無毫髮肖似，此夫子所以有『於予改是』之歎也。」並視之為千古定評。夫子的「改是」之歎，出於《論語·公冶長篇》「宰予晝寢」一則，孔子曾就宰予之事，發歎云：「始吾於人也，聽其言而信其行；今吾於人也，聽人言而觀其行，於予改是。」就此看來，館臣同意朱子的見解，謂王安石的人格與文格，實是扞格，然亦不因此抹煞其文學表現。總之，「尊元祐」並非蘊涵「抑熙寧」的機械反應；縱使館臣與熙寧作者意見頗有出入，但其差異應起於理性論辨使然。

二、「尊元祐」中的尊崇性質

《總目》「詩文評類」對元祐派文學的尊抑，乃集中在詩話的討論中，所以館臣應從詩學的角度，來面對新舊黨爭與文學評價的問題。在嚴羽《滄浪詩話》「詩體」中，已見「元祐體」，其以「蘇、黃、陳諸公」為代表。而上文曾經述及，「詩文評類」〈提要〉的「元祐派」概念，實以蘇、黃為代表人物，而館臣對山谷的批評又多於東坡，故其「尊崇」的態度，亦非如嚴羽所見，可將三人平列於一。這樣的看法，和乾隆見解一致。《總目》「集部·總集類」〈御選唐宋詩醇提要〉[109]亦可見：

> 凡唐詩四家，曰李白、曰杜甫、曰白居易、曰韓愈；宋詩二家，曰蘇軾、曰陸游。詩至唐而極其盛，至宋而極其變。盛極或伏其衰，變極或失其正。亦惟兩代之詩，最為總雜。於其中通評甲乙，要當以此六家為大宗。……至於北宋之詩，蘇、黃並鶩；南宋之詩，范、陸齊名。然江西宗派實變化於杜、韓之間，既錄杜、韓，可無庸複見。《石湖集》篇什無多，才力識解，亦均不能出《劍南集》上。……權衡至當，洵千古之定評矣。……然詩三百篇，尼山所定，其論詩一則謂歸於溫柔敦厚，一則謂可以興觀羣怨，原非以品題泉石、摹繪烟霞。洎乎畸士逸人，各標幽賞，乃別為山水清音。實詩之一體，不足以盡詩之全也。宋人惟不解溫柔敦厚之義，故意言並盡，流而為鈍根。士禎又不究興觀羣怨之原，故光景流連，變而為虛響。各明一義，遂各倚一偏。論甘忌辛，是丹非素，其斯之謂歟？

乾隆認為蘇、游為兩宋的代表人物。北宋黃庭堅，其詩學技巧被視為杜、韓求新求險之流，故省去不錄其詩；至於蘇軾，便成為代表北宋的人物。[110]換言之，評估詩歌良窳與詩人地位，當同時兼顧

---

[109] 《總目》，卷一百九十、集部四十三、總集類五，頁5（冊）－99-100。

[110] 然「詩文評類」內對於陸游則無特別論述，此處館臣所見是否與乾隆完全一致，本文暫不處理。

「意」與「言」。這段文獻雖沒對東坡作出個別評價，但〈提要〉末端提點《御選唐宋詩醇》是以孔子「溫柔敦厚」與「興觀群怨」為選定標選，即乾隆選錄之六家作品，蓋「以孔門刪定之旨，品評作者。定此六家，乃共識風雅之正軌。」(111)相對於此，宋人之不解「溫柔敦厚」，其應指宋詩在「意」上，重說理、多議論；在「言」上重新巧，故使言意並盡。

總之，「尊元祐」之「尊崇」格局，乃以蘇軾為代表人物；又其「尊」的標準，不在黨派對立面下激盪出來，而是從儒門文學傳統產生的。

第五節　結語——兼述考證方法的有效限度

《總目》以考證方法寫作〈提要〉，並以考證狀況審核詩文批評著作。關於其例，屢見不鮮：

〈中山詩話提要〉：

> 攽在元祐諸人之中，學問最有根柢，其考證論議，可取者多，究非江湖末派，鉤棘字句、以空談說詩者比也。

〈後山詩話提要〉：

> 解杜甫〈同谷歌〉（曾案：指杜詩〈乾元中寓居同谷縣作歌〉）之

(111)　《總目》，卷一百九十、集部四十三、總集類五，頁5（冊）－100。

黃獨，〈百舌詩〉之讒人；解韋應物詩之新橘三百（曾案：指韋詩〈答鄭騎曹青橘絕句〉）；駁蘇軾戲馬臺詩之玉鉤、白鶴（曾案：指蘇詩〈與舒教授張山人參寥師同遊戲馬臺書西軒壁兼簡顏長道二首〉之一），亦間有考證。流傳既久，固不妨存備一家爾。

〈臨漢隱居詩話提要〉：

略其所短，取其所長，未嘗不足備考證也。

〈藏海詩話提要〉：

其他評論考證，亦多可取。

〈觀林詩話提要〉：

皆足以資考證，在宋人詩話當中，亦可謂之佳本矣。

〈二老堂詩話提要〉[112]：

（周）必大學問博洽，又熟於掌故，故所論多主於考證……非學有本源者，不能作也。

---

[112] 《總目》，卷一百九十五、集部四十八、詩文評類一，頁5（冊）—234。

館臣以批評家是否能運用考證方式，並得到合理嚴正的論斷，做為作品良窳的考核標準之一。甚而，館臣再以考證方法，檢核並論斷著作之優缺點。舉例來說，〈對床夜語提要〉云：

> 論古人某句本某句，而於劉灣〈雲南行〉「妻行求死夫，父行求死子」句，不知本漢〈華容夫人歌〉，亦或不盡得根源。

館臣認為該書在論詩句的源承關係上，未能熟察根源，如「妻行求死夫，父行求死子」句，應出於〈華榮夫人歌〉：「髮紛紛兮寘渠，骨藉藉兮亡居。母求死子兮妻求死夫。裴回兩渠間兮君子獨安居。」[113]可是，館臣的用心，有時卻也造成誤讀或誤導。《對床夜語》[114]云：

> 劉灣〈雲南行〉云：「妻行求死夫，父行求死子。」且喪亂之世，妻倚夫而苟生，父恃子而送死者，今皆先其身而夭，則鰥寡孤獨失其所矣。但辭傷于直，潘安仁〈關中詩〉云：「肝腦塗地，白骨交衢，夫行妻寡，父出子孤。」亦欠包涵之工。

范晞文此條的意見，將劉灣〈雲南行〉與潘安仁〈關中詩〉並舉，

---

[113] 范文瀾：《古謠諺》（北京：中華書局，1984.9），頁 61。

[114] 〔宋〕范晞文：《對床夜語》，卷五，《宋詩話全編》（九），頁 9311。

實非討論詩句相沿承的關係，而是強調詩歌「含蓄」的重要性，故館臣此處則評之太過。

將考證做為建構文學批評史者，通常以輯佚（如從《永樂大典》輯出《藏海詩話》、《環溪詩話》等文獻）、辨偽（如《後山詩話》亦有出於依託，「疑南渡後舊稿散佚，好事者以意補之」）等方法，尋索客觀文獻，並將文獻與文獻、文獻與作者的關係，做出合理勾合，以求完成「考究」「權說」的期待。但在《對床夜語》的例子中，亦可見出——操作策略的客觀合理性，並不能全然保障結論的正確性。

此外，通過考證所建立出的一套判斷法則，是屬於知識層次的活動。但這種力求知識精確的要求，仍是在自我政治社會的語境中形成，故以「公論」取代「門戶之私」，實非純為知識層次的問題。因此，從歷史現象的表層（宋、明各立門戶以說經論學）涉入，對其表層提出批判，就成為建構歷史的重要指向。只是，文學活動本為人類情思的主觀活動，當面對具有情思的文本時，文學批評者（詩文評類中的著作）與其再批評者（《總目》），實不能只憑藉考證方法與特定政教關懷，閱讀具有主觀情思的文學作品，或重新詮釋、評價文學批評著作。換言之，文學批評者與其再批評者的文學性立場，無法被純粹知性所取代。

從《總目》詩文評類中，我們不難看見館臣的文學立場，是採取返回儒家詩學「詩言志」立場。只是，「返回」並非純粹師古的形貌，而是追求精神上的繼承，也唯有如此，才能保住後世文學的「風尚」與「氣運」[115]了。正因如此，「去門戶」的包容意義，方

[115] 在目前的中國文學批評史著作中，已多有學者闡發《總目》主要作者紀昀這

能適切地彰顯出來。

此外，綜上所述，約可得出以下結論：

1.《四庫》館臣從詩文批評形式的角度，歸結出五種批評體類與常例。而這五種體類與常例，乃成於南朝至北宋前期之間。至於形成的原因，在於文學作品的「數量累積」與「質量變異」。只是，館臣雖為過去歷史做了合理的解釋，卻也壓縮了產生新體類的空間。

2.關於宋前的詩文批評著作，館臣的負面評價不多。特別的是，館臣以王士禛的意見，做為詮釋或評價某論著的參考，帶有對治自我時代的色彩。

3.宋朝詩文批評的朋黨爭論，多落於新／舊、洛／蜀、西崑／江西之爭。其中，詩學明顯地分門別戶，則自呂本中作《江西宗派圖》開始；江西與西崑激烈爭鬥，則從方回作「一祖三宗」之說開始。

4.館臣為了避開朋黨爭論，採取兼容並蓄的態度。然而，這種態度並非以空白意識或雙遣方式，造就空白論述。而是經由詩文批評著作（如《歲寒堂詩話》），重新追溯足以法式的文學正典及其精神，並做為評價的基本意識。

5.宋朝文學與文學批評的流派發展約為：西崑——元祐——江西——永嘉四靈——江湖。其中，江西派影響時間最長、效力最

方面的文學思想，本文不予贅述。請參見朱東潤：《中國文學批評史大綱》、蔡鎮楚：《中國文學批評史》（北京：中華書局，2005.8），頁 372；王運熙、顧易生主編：《中國文學批評通史》，頁 466-471。

廣，致使南宋形成江西與對治江西的基本格局。簡言之，江西派講究詩法、詩格，卻造成「聲韻拗捩，詞語艱澀」的流弊。永嘉、江湖則取（晚）唐詩，對抗或修正江西派，但又墮入「猥雜細碎」的地步。

6.館臣最為核心的文學思想，應為儒家詩言志的觀念。至於其面對宋朝文學現象，頗有「尊元祐」的傾向。唯其「尊元祐」不蘊涵「抑熙寧」，故能符合破除門戶私見的文學態度。又「尊元祐」實則「尊蘇」，故其尊崇之意，帶有選擇性、批判性。至於江西、四靈、江湖諸派的文學主張，則較不受館臣青睞。

7.館臣對於元朝講論金石、經義文章的批評著作，多能發掘價值；並從詩文法度的角度評估批評著作之良窳。因此，館臣所建構的元朝批評史圖像，既有承受唐宋文學的一面，也有調適而開新的向度。

第三章　贗古與本色：明朝批評史圖像及其文學思想

第一節　前　言

前兩章都曾經援用〈凡例〉、〈集部總敘〉、〈史部總敘〉等等文獻，展開《總目》性質的討論，證成《總目》有其主觀性與客觀性。其中，主觀性的形成，雜有官方「法戒」當朝的目的。因此，做為館臣歷史理解下的文學批評史圖像，也應有強烈的主觀性。在具體依據「詩文評類」〈提要〉展開館臣文學思想的討論前，不妨先從較寬泛的角度，掌握館臣對明代的基本理解，以俾開展後文。

若「歷史理解」的成果，可為一知識系統，那下文則擬自知識系統的形成過程、知識系統內部（尤其與文學批評史相關的部分）他項圖像，進行考索。首先，在《四庫全書》彙輯過程中，曾有禁燬明季書集的考慮與行動，而《總目》中亦保有相關資料。因此，從禁燬一事的討論，應可見出館臣對明代的基本理解與態度。其次，文學思想的研究不應只限於文學批評活動及批評論述，而應兼及文學創作活動及文學作品，因此，我們以〈明詩綜提要〉為例，簡要分析館臣對於明代文學史的理解，以便與館臣的批評史圖像匯合、對話。此外，「詩文評」即為對特定文學體類（詩與文）的「議論」，而明人「議論」文學的風尚，館臣自有一套理解內容，此亦值得我們關注。

一、清朝禁燬明朝書集的標準

清廷在面對明代，尤其是明末階段時，實帶有某種複雜心情。清代若無明末之衰敗，則無法取得天下；而衰敗時代下的忠心之士，又有訶斥外族之語，那清人應該如何面對這個現實呢？《總目》中〈乾隆四十一年十一月十七日奉上諭〉❶云：

> 前因彙輯《四庫全書》，諭各省督撫遍為採訪，嗣據陸續送到各種遺書，令總裁等悉心校勘，分別「應刊」「應鈔」及「存目」三項，以廣流傳。第其中有明季諸人書集詞意抵觸本朝者，自當在銷燬之列。節經各督撫呈進，並飭館臣詳細檢閱，朕復於進到時親加披覽，覺有不可不為區別甄核者。如錢謙益在明已居大位，又復身事本朝，而金堡、屈大均則又遁跡緇流，均以不能死節，靦顏苟活，乃托名勝國，妄肆狂狺，其人實不足齒，其書豈可復存！自應逐細查明，槩行燬棄，以勵臣節而正人心。若劉宗周、黃道周，立朝守正，風節凜然，其奏議慷慨極言，忠藎溢於簡牘，卒之以身殉國，不愧一代完人。又如熊廷弼受任疆場，材優幹濟，所上

❶ 《總目》，卷首一、〈聖諭〉，頁 1（冊）—7-8。

> 封事，語多剴切，乃為朝議所撓，致使身陷大辟。嘗閱其疏，內有「灑一腔之血於朝廷，付七尺之軀於邊塞」二語，親為批識云：「至此為之動心欲淚，而彼之君若不聞，明欲不亡，得乎？」可見朕大公至正之心矣。……以上諸人所言，若當時能採而用之，敗亡未必若彼其速。是其書為明季喪亂所關，足資考鏡，惟當改易違碍字句，無庸銷燬。近復閱江蘇所進應燬書籍，內有朱東觀編輯崇禎年間諸臣奏疏一卷，其中，多指言明季秕政，漸至瓦解而不可救，亦足取為殷鑒。雖諸疏中多有乖觸字句，彼皆忠於所事，實不足罪。惟當酌改數字，存其原書，使天下後世曉然於明之所以亡，與本朝之所以興，俾我子孫永念祖宗締造之艱難，益思兢兢業業，以祈天而永命，其所裨益，豈不更大？

此段說明《四庫全書》在編纂過程中，原本有一種強烈排斥明季書集中「詞意牴觸本朝者」的選編意識，後來乾隆命令以「殷鑒」的角度，重新分立處置原則。首先，不能為前朝恪盡死節，苟活以後又托名勝國，如錢謙益、金堡、屈大均等人，其書則概行燬棄，究其真正的目的在於「勵臣節而正人心」，勿使清朝臣子混亂節操。其次，臣子立朝時守正行道，亡國時盡忠殉國，如劉宗周絕食以自盡、黃道周不屈以臨刑者流，其書若有違礙清廷，也只須改易字句，不必銷燬。究其原因約有二，其一為該類臣子「忠於所事」，有值得諒宥甚或鼓勵之處；其二可做為後世子孫考鏡明亡清興的歷史材料，並藉此尋求歷史經驗，以便永長國祚。

總之，以效忠國家與否，做為是否燬棄書集的標準，實已壓縮辯論書集內容的空間。而將違礙清朝立場的字句，予以改易後保留，還是有延長我朝權力時間的功利考量。因此，禁燬與否的重要標準，還入「法戒」❷皇朝子孫與臣子的作用上，它充滿知識以外的追求與期待。

二、《總目》的明代文學史圖像與論文風尚

㈠ 館臣所建構的文學史圖像

《總目》有多處論述明代文學發展，茲據具較整全的說法展開

❷ 〈乾隆四十六年十月二十七日內閣奉上諭〉云：「歷代明臣奏疏，向有流傳選刻之本，《四庫全書》內亦經館臣編次進呈，其中危言讜論，關係前代得失者，固可援為法戒。因思勝國去今尤近，三百年中，藎臣傑士風節偉著者，實不乏人。跡其規陳治亂，抗疏批鱗，當亦不亞漢、唐、宋、元諸臣。而奏疏未有專本，使當年繩愆糾繆，忠君愛國之忱，後世無由想見，誠闕典也。即或其人品誼未醇，而其言一事、陳一弊，切中利病，有裨時政者，亦不可以人廢言。至神宗以後諸臣奏疏內有因遼瀋用兵，涉及本朝之處，彼時主闇政昏，太阿倒置，閹人竊柄，權倖滿朝，以致舉錯失當，賞罰不明，其君綴旒於上，竟置國事若罔聞，遂至流寇四起，兵潰餉絕，種種秕政，指不勝數。若楊漣、左光斗、熊廷弼諸人，或折衝疆場、或正己立朝，俱能慷慨建議，剴切敷陳，設明之君，果能採而用之，猶不致敗亡若是之極。其事距今百十餘年，殷鑒不遠，尤當引為炯戒，則諸人奏疏，不可不亟為輯錄也。除《明史》本傳外，所有入《四庫全書》諸人文集，均當廣為蒐採，裒集成編。即有違碍字句，祇須略為節潤，仍將原文錄入，不可刪改。此事關係明季之所以亡，與我朝之所以興，敬怠之分，天人之際，不可不深思遠慮，觸目警心。」《總目》，卷首一、〈聖諭〉，頁 1（冊）－14-15。此與上引〈聖諭〉類通，且更直指「法戒」的現實意義。當然，這樣的想法，也落實於乾隆四十年開始討論前朝殉節諸臣事蹟，並編成《欽定勝朝殉節諸臣錄》一書等具體行動。

討論。〈明詩綜提要〉❸云：

明之詩派，始終三變。洪武開國之初，人心渾朴，一洗元季之綺靡。作者各抒所長，無門戶異同之見。永樂以迄宏（曾按：清人避諱，故將「弘」作「宏」）治，沿三楊臺閣之體，務以舂容和雅，歌詠太平，其弊也冗沓膚廓，萬喙一音，形模徒具，興象不存。是以正德、嘉靖、隆慶之間，李夢陽、何景明等崛起於前，李攀龍、王世貞等奮發於後，以復古之說，遞相唱和，導天下無讀唐以後書。天下響應，文體一新。七子之名，遂竟奪長沙之壇坫。漸久而摹擬剽竊，百弊俱生，厭故趨新，別開蹊徑。萬壓（曾按：清人避諱，故將「曆」作「壓」）以後，公安倡纖詭之音，竟陵標幽冷之趣，么弦側調，嘈囋爭鳴。佻巧蕩乎人心，哀思關乎國運，而明社亦於是乎屋矣。大抵二百七十年中，主盟者遞相盛衰，偏袒者互相左右，諸家選本，亦遂皆堅持畛域，各尊所聞。至錢謙益《列朝詩集》出，以記醜言偽之才，濟以黨同伐異之見，逞其恩怨，顛倒是非，黑白混淆，無復公論。

此將明代文學描繪成三變：第一期為正德以前，又可細別為洪武開國之初、永樂至弘治三楊臺閣體（亦包括後文所指的「長沙」茶陵派）等二階段。第二期為正德、嘉靖、隆慶年間，此為明代最重大的變革階段。此期出現的前後七子，乃針對「萬喙一音」、「興象不存」

❸　《總目》，卷一百九十、集部四十三、總集類五，頁5（冊）－105-106。

的臺閣疲弊而起。該社群分別以李、何與李、王做為前後時期的代表人物，其中「無讀唐以後書」的復古主張，更是具有排他色彩的思想。第三期為萬曆以後，主要代表社群為公安派與竟陵派。❹

其中，有幾個值得注意的文學現象：第一、文學新變以後，久積時日，終生病態，並招來變革。七子代臺閣、公安竟陵替七子，皆是如此，其亦烙下盛衰遞嬗的痕跡。只是，在歷史變遷的過程中，盛衰遞嬗是一種必然的、動態的結果，它不代表先後文學社群間，具有前優後，或後勝前的關係。同時，館臣也提出歷史因果的推論：晚明詩風因「佻巧蕩乎人心，哀思關乎國運」故「而明社亦於是乎屋矣」——明代的滅亡竟與晚明詩風的佻巧、哀思有關。此種既簡單又機械的歷史推論，雖有值得批評的地方，但它亦意謂著館臣對於明代文學發展印象，是一種價值日漸低落的印象。第二、明初洪武時期，明代詩學「無門戶異同之見」，而後起的七子派、公安派、竟陵派，館臣雖無正面陳其各派有門戶之見，但〈提要〉

---

❹ 邵毅平先生曾據《總目》的史部與子部〈提要〉，指出《總目》將明代文學作三分或二分。其中的三分法，尤其強調了明代文學的轉變期。而〈明詩綜提要〉即為三分法。見氏著：〈評《四庫全書總目》的晚明文風〉，《復旦學報》，1990 年第 3 期。此外，館臣理解制義時文的發展，也用此類架構，〈欽定四書文提要〉：「明二百餘年，自洪、永以迄化、治，風氣初開，文多簡樸。逮於正、嘉，號為極盛。隆、萬以機法為貴，漸趨佻巧。至於啟、禎，警闢奇傑之氣日勝，而駁雜不醇、猖狂自恣者，亦遂錯出於其間。於是啟橫議之風，長傾詖之習。文體盭而士習彌壞，士習壞而國運亦隨之矣。」唯此處將晚明多分出一期，其應延續方苞的看法；又方苞對啟、禎時期尚有佳評，館臣則不然。見《總目》，卷一百九十、集部四十三、總集類五，頁5（冊）－102。至於方苞意見，請參見《欽定四書文》，《景印文淵閣四庫全書》冊 1451，〈凡例〉，此非本文焦點，暫不贅述。

最後卻總結地說：「大抵二百七十年中，主盟者遞相盛衰，偏袒者互相左右，諸家選本，亦遂皆堅持畛域，各尊所聞。」實指明代的門戶之見頗為嚴重❺，而黨同伐異的極致作品，推於錢謙益的《列朝詩集》。

因此，我們可以補充前述緒論所言，《總目》對於歷史文獻的述評，有著自己一套主觀標準；此外，館臣對於明代文學發展、文學主張的印象，存有退化的、充滿門戶之見的印象。

㈡ 館臣所掌握的論文風尚

本文所謂的論文，即是議論文學的意思，當議論文學的內容裒集為專書時候，就成為「詩文評」之類的典籍。

上文曾引〈凡例〉第十五條說明館臣認為宋至明，論文活動帶有門戶黨派之見。以下將觀察對象縮至集部範圍。〈集部總敘〉❻云：

> 大抵門戶搆爭之見，莫甚於講學，而論文次之。講學者聚黨分朋，往往禍延宗社；操觚之士，筆舌相攻，則未有亂及國事者。蓋講學者必辨是非，辨是非必及時政，其事與權勢相連，故其患大。文人詞翰，所爭者名譽而已，與朝廷無預，故其患小也。然如艾南英以排斥王、李之故，至以嚴嵩為寀相，而以殺楊繼盛為稍過當，豈其捫心清夜，果自謂然？亦

---

❺ 當然，從明代開國（西元 1368 年）至清兵入關、將京城從瀋陽遷到北京（西元 1644 年），計約二百七十六年。若扣除洪武、建文（西元 1368--1402）間三十四年，則館臣所謂「二百七十年」的說法，實不甚精確。

❻ 《總目》，卷一百四十八，頁 4（冊）－1。

朋黨既分，勢不兩立，故決裂名教而不辭耳。至錢謙益《列朝詩集》更顛倒賢姦，彝良泯絕，其貽害人心風俗者，又豈尠哉！今掃除畛域，一準至公，明以來諸派之中，各取其所長，而不回護其所短。蓋有世道之防焉，不僅為文體計也。

本段文獻說明：門戶之見往往表現於講學與論文的活動中❼。若進一步比較兩者造成國事混亂的程度，則講學之禍熾於論文之害。可是，也不能小覷論文的重要性。因為，論文內容一旦激烈化，亦會傷蠹教化。館臣亦舉艾南英為例，強調：不可為了達到排拒王、李的目的，就連嚴嵩構害、屈死楊繼盛的惡行，都予以寬釋了❽。此外，館臣更指出由明入清的錢謙益，為一繼承明代門戶之見的論者，而其顛倒賢奸的程度，又更盛於明人。因此，館臣期待掃除門戶界限與偏見，公平地將明代各派重新計量長短，以求有利論文，並且慎防世道隳敗。

---

❼ 館臣更進一步認為：講學與論文的性質不同，若以「講學」的層次來「論文」，則無法獲得深入而允切的見解。如〈餘冬詩話提要〉云：「夫以講學之見論文，已不能得文外之致；至以講學之見論詩，益去之千里矣。」即是證明。見《總目》，卷一百九十七、集部五十、詩文評類存目，頁 5（冊）—264。此外，值得附帶一提的是：館臣既認為「言外之致」是文學作品的重要質素，所以，我們不可因館臣具有強烈的現實意識，就片面地輕忽他們潛在的藝術意識。

❽ 王世貞曾經替楊繼盛妻代草上書申冤，並為楊氏殮屍，請參見〔清〕張廷玉等：《明史》（北京：中華書局，1997.11），卷二百九、列傳第九十七〈楊繼盛列傳〉，頁 5537-5542；卷二百八十七、列傳一百七十五〈王世貞傳〉，頁 7379-7380。另艾南英詆王世貞事，可參見張舜徽：《四庫提要敘講疏》（昆明：雲南人民出版社，2005.12），頁 136。

再參照〈詩文評類敘〉所云：「宋、明兩代，均好為議論，所撰尤繁。雖宋人務求深解，多穿鑿之詞；明人喜作高談，多虛憍之論。」❾可知館臣視明人評論多為高談、虛憍。綜上所述，我們可以得到結論：館臣認為明代的文學創作、文學評論等活動，都深染門戶黨派之見；隨著時間推移，其狀愈趨激烈，而傷害國運世道甚鉅。故《總目》既要跨出門戶藩籬，追求公平議論，更要尋求「殷鑒」、「法戒」的效果，以祈永常國命。

第二節　《總目》著錄書中的批評史圖像及其文學思想

《總目》「詩文評類」收列明朝著錄書，共有六種：王行《墓銘舉例四卷》、李東陽《懷麓堂詩話》、安磐《頤山詩話》、楊慎《詩話補遺》、王世懋《藝圃擷餘》、胡震亨《唐音癸籤》。至於存目書，則多達四十種❿，佔《總目》存目書（八十五種）總量的四成七。⓫為求論述方便，以下分著錄書與存目書加以討論。

---

❾ 《總目》，卷一百九十五、集部四十八、詩文評類一，頁5（冊）－512。

❿ 《豔雪齋詩評二卷詞曲評一卷》、《明人文斷》兩書作者不詳，但在《總目》排序中，夾於〔明〕費經虞《雅倫》與〔清〕《四六金針》之間，應是明清之際的作品。且《豔雪齋詩評》有崇禎己巳〈自序〉，故計入明代著作。

⓫ 關於歷朝著作收錄統計狀況，請參見本書【附錄二】：《總目》「詩文評」歷朝著作數量統計、比例圖。

一、復古派的批評史圖像——摹擬贗古

在這六部書的〈提要〉中，尤能反映出文學思想內容者，多集中於下列文字：

〈懷麓堂詩話提要〉⓬：

> 李、何未出以前，東陽實以臺閣耆宿主持文柄。其論詩，主於法度音調，而極論剽竊摹擬之非，當時奉以為宗。至何、李既出，始變其體。然贗古之病，適中其所詆訶，故後人多抑彼而伸此⓭。此編所論，多得古人之意。雖詩家三昧，不盡於是，要亦深知甘苦之言矣。

〈藝圃擷餘提要〉⓮：

> 是編雜論詩格，大旨宗其兄世貞之說，而成書在《藝苑卮言》之後，已稍覺摹古之流弊。故雖盛推何、李，而一則曰：「我朝越宋繼唐，正以豪傑數輩得使事三昧。第恐數十年後，必有厭而掃除者，則其濫觴末弩為之也。」一則曰：

⓬ 《總目》，卷一百九十六、集部四十九、詩文評類二，頁 5（冊）－246。

⓭ 郭紹虞認為此處所言的「後人」，即為錢謙益等人。郭氏亦指出錢謙益在〈題懷麓堂詩鈔〉中開顯李東陽具有對治明代文學的三種弊病（弱病、狂病、鬼病）的效能，故《總目》有「抑彼申此」之說。見氏著：《中國詩的神韻、格調及性靈說》（臺北：華正書局，1981.8），頁 34。

⓮ 《總目》，卷一百九十六、集部四十九、詩文評類二，頁 5（冊）－247-248。

「李于鱗七律，俊傑響亮，余兄推轂之。海內為詩者，爭事剽竊，紛紛刻鶩，至使人厭。」一則曰：「嘗謂作詩，初命一題，神情不屬，便有一種供給應付之語。畏難怯思，即以充數。能破此一關，沈思忽至，種種真相見矣。」一則曰：「徐昌穀、高子業皆巧於用短。徐能以高韻勝，高能以深情勝。更千百年，李、何尚有興廢，二君必無絕響。」皆能不為黨同伐異之言。其論鄭繼之，亦平允，未可與七子夸談同類而觀也。

這兩段文獻同時討論了何、李的文學價值。何景明與李夢陽的文學表現，較《總目》稍早編成的《明史》⓯已多處載錄，如：

〈文苑傳序〉：

弘正之間，李東陽出入宋、元，溯流唐代，擅聲館閣。而李夢陽、何景明倡言復古，文自西京，詩自中唐而下，一切吐棄，操觚談藝之士翕然宗之，明之詩文於斯一變。

〈何景明傳〉：

（何景明）與夢陽竝有國士風。兩人為詩文，初相得甚歡，

⓯ 分見〔清〕張廷玉等：《明史》，卷二百八十五、列傳第一百七十三、文苑一、〈序〉，頁 7307；卷二百八十五、列傳第一百七十三、文苑二〈何景明傳〉，頁 7350。

名成之後互相詆諆。夢陽主摹倣，景明則主剏造，各樹堅壘，不相下。兩人交游，亦遂分左右袒。說者謂景明之才本遜夢陽，而其詩秀逸穩稱，視夢陽反為過之。然天下語詩文，必竝稱何李。

從文獻看來，何、李是明代文學轉向的重要作家，其改變了李東陽主盟下的館閣體風尚。何、李重要的主張在於「倡言復古，文自西京，詩自中唐而下，一切吐棄」⑯但在復古的大纛下，二人還是有所區別：夢陽主模倣，景明主創造。事實上，這樣的理解，還是流於疏略。其疏略的理由在於：割裂七子與李東陽的關係，與簡化七子之間的差異性。

---

⑯ 這個看法，可上溯於錢謙益、袁宏道。〔清〕錢謙益：《列朝詩集小傳》（臺北：世界書局，1961.2）〈丙集　李副使夢陽〉云：「李獻吉負雄鷙之才，僩然謂漢後無文，唐後無詩，以復古自任。」頁 311。又袁宏道〈敘小修詩〉云：「蓋詩文至近代而卑極，文則必欲準於秦、漢，詩則必欲準於盛唐。剿襲模擬，影響步趨，見人有一語不相肖者，則共指為野狐外道。」皆為類似《明史》的說法，見吳文治主編：《明詩話全編》（六）（南京：鳳凰出版社，2006.1），頁 6782。又，過去以「文必秦漢，詩必盛唐」做為七子文學主張的說法，已遭到多位學者修正，他們認為其為一種過度簡化的說法。當然，縱或王九思、康海有「文必先秦兩漢，詩必漢魏盛唐」之說，但其亦反對一味摹擬，且強調應自成一家，而學習對象也不拘於秦漢與盛唐。相關研究，請參見陳國球：《唐詩的傳承——明代復古詩論研究》（臺北：臺灣學生書局，1990.9），第四章〈五言古詩與「唐古」〉；廖可斌：《復古派與明代文學思潮》（臺北：文津出版社，1994.2），頁 211-218；黃卓越：《明中後期文學思想研究》，〈第一章　明中期文章復古運動與「文必秦漢」說〉（北京：北京大學出版社，2006.7），頁 48；段宗社：〈「詩必盛唐」臆說〉，《新疆大學學報（社會科學版）》，第 31 卷 1 期，2003.3。

㈠ 七子與前沿者

〈懷麓堂集提要〉⑰出現普遍存在於《總目》中的明代文學（思想）史之圖像：

> 自李夢陽、何景明崛起，宏（曾案：應作「弘」）、正之間，倡復古學，於是文必秦、漢，詩必盛唐。其才學足以籠罩一世，天下亦響然從之。茶陵之光焰幾燼。逮北地、信陽之派，轉相摹擬，流弊漸深，論者乃稍稍復理東陽之傳，以相撐拄。蓋明洪、永以後，文以平正典雅為宗，其究漸流於庸膚。庸膚之極，不得不變而求新。正、嘉以後，文以沉博偉麗為宗，其究漸流於虛憍。虛憍之極，不得不返而務實。二百餘年，兩派互相勝負，蓋皆理勢之必然。平心而論，何、李如齊桓、晉文，功烈震天下，而霸氣終存。東陽如衰周弱魯，力不足禦強橫，而典章文物尚有先王之遺風。殫後來雄偉奇傑之才，終不能擠而廢之，亦有由矣。

這段文獻有幾個值得注意的地方：第一、李、何七子派的文學主張是「復古學」的，「古」具體指稱為「秦、漢」與「盛唐」。第二、茶陵與李、何這兩文學社群，共支配明代兩百多年的文學發展，互相起伏。第三、茶陵風格「平正典雅」，七子風格「沉博偉麗」，而末流各因「庸膚」、「虛憍」，故有互相救治的契機。第

---

⑰ 《總目》，卷一百七十、集部二十三、別集類二十三，頁 4（冊）－512-513。

四、雖謂兩派可互相救治，但整體說來，茶陵終是「尚有先王之遺風」，其地位應該高於七子。綜合地說，館臣認為茶陵與七子的思想是異質的，而茶陵略高於七子。其次，七子因力主「文必秦漢，詩必盛唐」，故學者將心力外放於「古」，而其流弊（或者說是「特色」）就在「摹擬」上。

事實上，在明代弘治末期，七子復古風氣形大盛之前，復古意識已逐步展開，大陸學者黃卓越先生研究指出：⓲

> 明中期的文章復古運動實存在著兩個有所分別的輪次。第一個輪次是相對於時文而言，要求推行散體古文的使用，即復古文之古，並且根據明初以來（實際上是更久）的慣例或傳統，依然以唐宋文為「古文」的主導範例。……復古的第二個輪次是由一般意義上的古文詞概念的分化而進入到對特定意義的秦漢文的關注與推闡，而其所引起的一個必然結果，便是崇奉的文類得以替換，即由過去對唐宋文範例的信奉而改轍為對更為陌生的秦漢文的瞻往，因此也是復遠古之古。

復古的第一輪次，乃針對時人學習宋、元文學卻產生弊病而起；並取唐宋文做為「古文」的核心概念，以古文為時文。主要代表人物有：吳寬、李東陽等人。復古的第二個輪次，則將「古文」的時間性與指導性，指向秦、漢，主要代表人物約為王鏊、林俊、錢福等

⓲ 黃卓越：《明中後期文學思想研究》，頁 10。

人。如此看來[19]，在李東陽主持下的茶陵派或臺閣派晚期，已具有復古思想的質素。何、李雖從時風裂出，具有對抗的姿態與思想，但是他們與前行復古者，亦有內在的連續脈絡。《明史》[20]強調的是破裂與對抗現象，而《總目》亦承續之。因此，無論〈提要〉的「始變」或《明史》的「一變」，恐過度切割兩者的關係[21]。

上述《總目》的觀點，也顯見於〈懷麓堂詩話提要〉。該〈提要〉對於李東陽的評論，我們可從兩點觀察：一是重視法度音調，另一是則反摹擬。

1.法度音調

《懷麓堂詩話》雖無「法度音調」一詞，但有「法度」「音

[19] 《明中後期文學思想研究》，頁 1-23。黃卓越先生亦認為不能將王鏊、林俊等人，明確判為前七子的先驅，但錢福〈陸賈新語序〉已謂當時有識者，且能「搜秦漢之佚書而梓之」，以救文章「細而弱」之病。

[20] 《明史》，卷二百八十五、列傳第一百七十三、文苑二、〈李夢陽傳〉：「孟陽才思雄鷙，卓然以復古自命。弘治時，宰相李東陽主文柄，天下翕然宗之，夢陽獨譏其萎弱。倡言文必秦漢，詩必盛唐，非是者弗道。與何景明、徐禎卿、邊貢、朱應登、顧璘、陳沂、鄭善夫、康海、王九思等號十才子；又與景明、禎卿、貢、海、九思、王廷相號七才子，皆卑視一世，而夢陽尤甚。吳人黃省曾、越人周祚，千里致書，願為弟子。迨嘉靖朝，李攀龍、王世貞出，復奉以為宗。天下推李、何、王、李為四大家，無不爭效其體。華州王惟禎以七言律自杜甫以，後善用頓挫倒插之法，惟夢陽一人。而後有譏夢陽詩文者，則謂其模擬剽竊。」見〔清〕張廷玉等：《明史》，頁 7348。

[21] 對於前七子自茶陵派裂出的過程與條件，廖可斌先生曾深入分析，請參見氏著：《復古派與明代文學思潮》，〈第六章　復古運動第一次高潮興起的歷史條件及發展過程〉，頁 149-183

調」分論者。其論「法度」者，如[22]：

> 律詩起承轉合，不為無法，但不可泥。泥於法而為之，則撐拄對待，四方八角，無圓活生動之意。然必待法度既定，從容閑習之餘，或溢而為波，或變而為奇，乃有自然之妙，是不可以強致也。若併而廢之，亦奚以律為哉？

律詩之所以稱「律」，在於起承轉合的結構間，存有「法度」；而詩人對於法度應該學習，但不可以拘泥。換言之，「法度」具有語言性相上的規律意義[23]。文學乃積字成句、積句成篇，因此法度顯露在字詞修飾、句義遞連上。當然，法度亦彰顯在聲調上。《懷麓堂詩話》中關於「聲調」、「音調」者[24]：

> 古、律詩各有音節，然皆限於字數，求之不難。惟樂府長短句，初無定數，最難調疊。然亦有自然之聲。古所謂「聲依永」者，謂有長短之節，非徒永也。故隨其長短，皆可以播之律呂，而其太長太短之無節者，則不足以為樂。今泥古詩之成聲，平仄長短，句句字字，摹倣而不敢失，非惟格調有

---

[22] 《懷麓堂詩話》，《明詩話全編》（二），頁 1629。

[23] 《懷麓堂詩話》：「唐人不言詩法，詩法多出宋，而宋人於詩無所得。所謂法者，不過一字一句，對偶雕琢之工。而天真興致，則未可與道。其高者失之捕風捉影，而卑者坐于粘皮帶骨。」其謂宋人詩法，重字句雕琢之工，可見詩法具有語言性相之義。《明詩話全編》（二），頁 1625。

[24] 分見《明詩話全編》（二），頁 1624、1638。

限，亦無以發人之情性。若往復諷詠，久而自有所得。得於心而發之乎聲，則雖千變萬化，如珠之走盤，自不越乎法度之外矣，如李太白〈遠別離〉、杜子美〈桃竹杖〉，皆極其操縱，曷嘗按古人聲調，而和順委曲乃如此。固初學所未到，然學而未至乎是，亦未可與言詩也。

五七言古詩仄韻者，上句末字類用平聲，惟杜子美多用仄。如〈玉華宮〉、〈哀江頭〉諸作，槩亦可見。其音調起伏頓挫，獨為矯捷，似別出一格。回視純用平字者，便覺萎弱無生氣。自後則韓退之、蘇子瞻有之，故亦健於諸作。此雖細故末節，蓋舉世歷代而不之覺也。偶一啟鑰，為知音者道之。若用此太多，過於生硬，則又矯枉之失，不可不戒也。

第一段文獻的「聲調」兼指詩的「平仄」與「可以播之律呂之（音）節」，第二段文獻的「音調」則指詩的「平仄」，故或可將「聲調」與「音調」合併視之。「格」的形貌正從聲調、音調中產生，而產生的內在規則，即為「法度」。一旦文成法立之後，學者又該如何學習呢？若「平仄長短，句句字字，摹倣而不敢失」、「用此（曾按：杜子美別出之格）太多，過於生硬」則「非惟格調有限，亦無以發人之情性。」、「又矯枉之失」。換言之，詩歌的體格音調及其內在規則，雖然顯揚於文字之間，但格調的真精神尚落於「發人之情性」上。當然，人之情性轉書於文字，便成詩意㉕。

㉕ 《懷麓堂詩話》：「詩貴意。意貴遠不貴近，貴淡不貴濃。濃而近者易識，

就此看來，「法度聲調」或可學習，但卻不可拘泥，因為人之情性與詩之意，實非純粹摹擬可得。李東陽雖主音調法度，但仍重「發人之情性」，反對「摹擬不敢失」，故受館臣特別稱揚，且藉此傳達對於七子的批評。㉖

事實上，「法度聲調」的重要性，李孟陽亦是肯定㉗：

> 夫詩有七難：格古、調逸、氣舒、句渾、音圓、思沖、情以發之，七者備而後詩昌也。

無論李夢陽所說的「格」「調」內容是否與李東陽一致㉘，但做為討論詩歌的論題來看，兩者具有相似關係。我們或可將李東陽的說

淡而遠者難知。」《明詩話全編》（二），頁1623。

㉖ 當然，《總目》總評《懷麓堂詩話》云：「雖詩家三昧，不盡於是，要亦深知甘苦之言矣。」我們就此可以推知：館臣肯定李東陽的主張，應是集中在反摹擬一議題上。

㉗ 〔明〕李夢陽：《空同集》，《景印文淵閣四庫全書》，卷四十八，〈潛虬山人記〉，頁1262（冊）－446。

㉘ 〈潛虬山人記〉中「七難」的文學概念，是否與李東陽具有連續性，學者各有不同的看法。劉明今先生就認為李孟陽「格古、調逸」所重在「古」「逸」，故與李東陽所復之古自有不同；又李孟陽的格調為「以情為本」的格調說。可是，黃卓越先生則強調從李東陽到李夢陽等七子，「確立了以聲（律）、情、色（比興）、格（調）等命題為核心的新的詩學體系」「『情』是被作為一樞紐概念來處理的，即通過此而將……形式論系統與外部世界意義聯繫起來。」事實上，強調兩者相聯繫者，亦不反對其間尚有差異。王運熙、顧易生主編：《中國文學批評通史》（上海：上海古籍出版社，1996.12），頁 151；黃卓越著：《明永樂至嘉靖初詩文觀研究》（北京：北京師範大學出版社，2001.12），頁 142-143。

法，做一簡要歸結：作者把自我生發的情感，透過思致、語言法度（格、調、氣、句、音）等力量，加以凝定成詩，方能有所成就。就此看來，李東陽與李孟陽仍具有思想上的連續性。因此，《總目》對東陽與七子的關係，似乎簡略視之。

2.反摹擬

至於「反摹擬」，從上引《懷麓堂詩話》的文獻，皆見李東陽確有反對一味摹擬的想法。可是，李夢陽等人難道就不反對摹擬嗎？在回答這個問題前，我們不妨先上溯更為根源的問題：七子的摹擬主張既與學古有關，那為何要學古呢？李夢陽〈答周子書〉[29]云：

> 僕少壯時，振翮雲路，嘗周旋鵷鷺之末，謂學不的古，苦心無益。又謂文必有法式，然後中諧音度，如方圓之於規矩。古人用之，非自作之，實天生之也。今人法式古人，非法式古人也，實物之自則也。當是時篤行之士，翕然臻向，弘治之間古學遂興。

學古在於發現古人的文章法度，而古人的文章法度，有益於今人諧合文章。古人之所以有法度，乃是天生，並非刻意好奇使然。如此說來，學習古人的真正目的，是尋求天生自然的文章法則而已；今人通過古人作品尋繹法則，故有師法古人的痕跡。因此，拘泥古人

---

[29]　〔明〕李夢陽：《空同集》，《景印文淵閣四庫全書》，卷六十二，頁 1262（冊）－569。

法度、黏滯古人陳跡者，皆非真正學古。學古尚需以「積久而用，成變化叵測矣」㉚為最高目標。所以，「摹擬」確實出於學古，但「法式古人」僅一學習方法，並非終極目的。即今人不必為了法式古人，而一味地去法式古人；應為領略天生自然的內在法則，而去法式古人，故孟陽有「今人之法式古人，非法式古人」之說。這樣說來，李夢陽的學古說，實不能以「摹擬」兩字涵蓋之。

再進一步說，創作詩文須仰賴格調法度，但「情以發之」亦是關鍵。作者倘若無法表達情感，格調法度等語言性相，亦隨之失去倚傍㉛：

> 夫詩者，人之鑒者也。夫人動之志，必著之言。言斯永，永斯聲，聲斯律。律和而應，聲永而節，言弗暌志，發之以章，而後詩生焉。故詩者，非徒言者也。是故端言者未必端心，健言者未必健氣，平言者未必平調，冲言者未必冲思，隱言者未必隱情。諦情探調，研思察氣，以是觀心，無廋人矣。故曰：詩者，人之鑒者也。……是故，後世於詩焉疑，詩者亦人自疑，雕刻翫弄焉畢矣。於是情迷調失，思傷氣離，違心而言，聲異律乖，而詩亡矣。

雖然這段文獻主要討論詩作與作者、讀者之間的關係，即詩作是否

㉚ 〔明〕李夢陽：《空同集》，《景印文淵閣四庫全書》，卷六十二，〈答周子書〉，頁 1262（冊）－570。

㉛ 〔明〕李夢陽：《空同集》，《景印文淵閣四庫全書》，卷五十一，〈林公詩序〉，頁 1262（冊）－469。

為作者情志的鑒鏡？但我們仍可看見李夢陽重視「情以發之」的文學觀點。詩的發生乃從心志之動開始，然後顯著於語言，語言變化而成永言，永言形成五聲，五聲組織而成律呂。在心志（情、思）與語言（調、氣）相即不離，且語言能逐步發展為章采的前提下，讀者自然可從章采之文，反逆作者之心。就此說來，作者若能適當地運用聲律格調，那作者人生體驗下的情感世界㉜，就能與詩文的語意世界，兩相通貫。順此而下，就算格調法度可以摹擬，但人世遭遇各自不同，這樣的主觀遭遇，又豈能單憑摹擬完成？

至於何景明，他在學古方法上，又較李夢陽為寬鬆，這在何景明與李夢陽的論辯中，明顯可見㉝：

> 追昔為詩，空同子刻意古範，鑄形宿鏌，而獨守尺寸。僕則欲富于材積，領會神情，臨景構結，不倣形迹。詩曰：「惟其有之，是以似之。」以有求似，僕之愚也。……僕觀堯、舜、周、孔、子思、孟氏之書，皆不相沿襲，而相發明，是故德日新而道廣，此實聖聖傳授之心也。後世俗儒，專守訓

㉜ 〔明〕李夢陽：《空同集》，〈梅月先生詩序〉：「情者，動乎遇者也。……遇者，物也；動者，情也。情動則會心，會則契神，契則音所謂隨寓而發者也。天下無不根之萌，君子無不根之情。憂樂潛之中，而後感觸應之外。故遇者因乎情，詩者形乎遇。」（《景印文淵閣四庫全書》，臺北：臺灣商務印書館，1986.3），卷五十一，頁 1262（冊）－470-471。人生遇物，而憂樂之情便自然應對生發，最後形諸於詩作，故詩作的語意世界與詩人的情感世界，確是相通的。

㉝ 〔明〕何景明：《大復集》，《景印文淵閣四庫全書》，卷三十二，〈與李空同論詩書〉，頁 1267（冊）－290。

> 詁，執其一說，終身弗解，相傳之意背矣。今為詩不推類極變，開其未發，泯其擬議之迹，以成神聖之功，徒叙其已陳，修飾成文，稍離舊本，便自杌隉。如小兒倚物能行，獨趨顛仆。雖由此即曹、劉，即阮、陸，即李、杜，且何以益於道化也？佛有筏喻，言舍筏則達岸矣，達岸則舍筏矣。

何景明自認他與李夢陽的差別處在於：「不倣形迹」與「獨守尺寸」的不同。「不倣形迹」的積極意義乃是透過學古而累積材料，並且領會前作的神情，等到創作時機來臨時，便自我織結形構，以達「自創一堂室，開一戶牖，成一家之言，以傳不朽。」[34]的地步。因此學古者應該推擴形類，開發形類的新向度，泯除既訂的範圍，而成就神靈聖達的功績。何景明最後甚用佛教義理取譬，以明前作法度皆為工具、手段，最終的目的還是在開創一家之言。

如上述所論，若以「摹擬」與「反模擬」的對列關係，詮釋李東陽與七子的差別，實在過度簡略。此外，何景明自覺與李夢陽不同，那麼將何、李並稱，且以「摹擬」總稱，亦嫌粗糙。從另方面來說，李東陽與七子應有思想上的連續關係，並非單純斷裂的、對反的；七子理論也有著重情感發抒的部分，並非只是「摹擬」。

(二) 七子與後續者

《總目》共摘錄王世懋《藝圃擷餘》五則見解，並有「未可與七子夸談同類而觀」的評價，可見其揚世懋而貶七子的態度。至於

---

[34] 〔明〕何景明：《大復集》，《景印文淵閣四庫全書》，卷三十二，頁1267（冊）－291。

這五則文獻，前四則涉及學古之病，最後一則為評論鄭善夫（字繼之）㉟，以下據前四則展開討論。

第一則討論「故事」是否應該入詩：㊱

> 今人作詩，必入故事，有持清虛之說者，謂盛唐詩即景造意，何嘗有此？是則然矣，然亦一家言，未盡古今之變也。古詩，兩漢以來，曹子建出而始為宏肆，多生情態，此一變也。自此作者多入史語，然不能入經語。謝靈運出而《易》辭、《莊》語，無所不為用矣。剪裁之妙，千古為宗，又一變也。中間何、庾加工，沈、宋增麗，而變態未極。七言猶以閑雅為致，杜子美出而百家稗官，都作雅音，馬浡牛溲，咸成鬱致，於是詩之變極矣。子美之後，而欲令人毀靚妝、張空拳，以當市肆萬人之觀，必不能也。其援引不得不日加而繁。然病不在故事，顧所以用之何如耳？善使故事者，勿為故事所使。如禪家云：「轉《法華》，勿為《法華》轉」使事之妙，在有而若無，實而若虛，可意悟不可言傳，可力

㉟　《藝圃擷餘》：「閩人家能佔畢，而不甚工詩。國初林鴻、高廷禮、唐泰輩皆稱能詩，號閩南十才子。然出楊、徐下遠甚，無論季廸。其後氣骨崚崚，差堪旗鼓中原者，僅一鄭善夫耳。其詩雖多摹杜，猶是邊、徐、薛、王之亞。林尚書貞恒修《福志》，志善夫云：『時非天寶，地靡拾遺，殆無病而呻吟』云……閩人三百年來，僅得一善夫，詩即瑕，當為掩。善夫雖無奇節，不至作文人無行，殆非實錄也。」此則雖涉及詩評，但非涉模擬優劣的問題，主要尚在史書書寫與個人整體功過的討論上，故本文不予討論。見《明詩話全編》（五），頁4834。

㊱　見《明詩話全編》（五），頁4825。

> 學得，不可倉卒得也。宋人使事最多，而最不善使，故詩道衰。我朝越宋繼唐，正以有豪傑數輩，得使事三昧耳。第恐二十年後，必有厭（曾按：據文淵閣四庫全書本改「獻」作「厭」）而掃除者，則其濫觴末弩為之也。

七子有學古的主張及態度，這確是無庸爭辯的，但是上引文獻則未必專從學古摹擬之弊而發。王世懋認為時人反對使用故事者，多以「盛唐詩即景造意」做為最高價值標準，來反對使用故事。但從詩歌發展史看來，詩至杜甫已「百家稗官，都作雅音」且使事並不妨礙杜詩的沉鬱之致；至於宋詩之弊在於「不善使事」，而不在於「使事」，換言之，詩歌用事而產生缺陷的問題，是人病而非法病。故王世懋最後數句所說，乃指明代「越宋繼唐」的文學路線，若被簡化為區異唐詩「即景造意」與宋詩「使事」不同而已，則有終遭掃除之虞。若此乃針對摹擬之弊而發，那王世懋所隱含可學老杜使事的意見，又要如何安頓呢？

《總目》第二則引文，就可說是通向七子摹古的問題了。《藝圃擷餘》云：[37]

> 李于鱗七言律，俊潔響亮，余兄極推轂之。海內為詩者，爭事剽竊，紛紛刻鶩，至使人厭。余謂學于鱗，不如學老杜；學老杜，尚不如學盛唐。何者？老杜結構，自為一家言；盛唐散漫無宗，人各自以意象聲響得之。正如韓、柳之文，何

---

[37] 見《明詩話全編》（五），頁 4829。

> 有不從《左》《史》來者？彼學而成，為韓為柳。吾卻又從韓、柳學，便落一塵矣。輕薄子遽笑韓、柳非古，與夫一字一語，必步趨二家者，皆非也。

細究〈提要〉所引王世懋語，乃針對時人學習李攀龍的七律而言，若是，這便是「摹今」而非「摹古」的問題。不過，王世懋接著指出攀龍七律乃學老杜，故有：與其學攀龍，不若學老杜的說法。值得注意的是，世懋又隨說隨掃，謂：若要學老杜，不若學盛唐。因為盛唐「散漫無宗，人各自以意象聲響得之」換言之，亦不須專主一家學之。至此，已帶出王世懋的重要詩學思想——變逗性、批判性的格調論。

所謂變逗性的格調論，乃指格調會隨著時間而改變，但非一時盡變，即世代之間的格調，彼此不相隔閡。《藝圃擷餘》㊳：

> 唐律由初而盛，由盛而中，由中而晚，時代聲調，故自必不可同。然亦有初而逗盛，盛而逗中，中而逗晚者。何則？逗者，變之漸也。非逗，故無繇變。如四（曾按：據文淵閣四庫全書本補）《詩》之有變風、變雅，便是〈離騷〉遠祖。子美七言律之有拗體，其猶變風、變雅乎？……學者固當嚴於格調，然必謂盛唐人無一語落中，中唐人無一語入盛，則亦固哉其言詩矣。

㊳ 見《明詩話全編》（五），頁4827。

學者欲學古，應嚴守格調，如「即為建安，不可墮落六朝一語」㊴，此為基本前提。「建安」、「六朝」，各有格調。格調之間，王世懋又以「逗」稱之，並予以連通。逗，逐漸轉變的意思。換言之，格調會著隨時代推移，逐漸演化，產生變易。但格調質性不會在片刻間驟變，甚至產生異質化。詩史上，變風、變雅能夠渥潤〈離騷〉，甚至杜甫的七律拗體，即意謂各個世代的格調，雖各有內涵，但彼此之間，又有常、變兼備，同、異並存的複合關係。

所謂批判性的格調論，乃就學習、運用格調時，應採取批判方式來繼承而言。其中，批判的基礎在於情感質素的作用。《藝圃擷餘》㊵又說：

> 今世五尺之童，纔拈聲律，便能薄棄晚唐。自傳初、盛，有稱大歷而下，色便赧然。然使誦其詩，果為初邪？盛邪？中邪？晚邪？大都取法，固當上宗，論詩亦莫輕道。詩必自運，而後可以辨體；詩必成家，而後可以言格。晚唐詩人，如溫庭鈞之才、許渾之致，見豈五尺之童下，直風會使然

㊴ 《藝圃擷餘》：「作古詩先須辨體。無論兩漢難至，苦心摹倣，時隔一塵。即為建安，不可墮落六朝一語；為三謝，縱極排麗，不可雜入唐音。小詩欲作王、韋，長篇欲作老杜，便應全用其體。第不可羊質虎皮，虎頭蛇尾。詞曲家非當家本色，雖麗語博學無用，況此道乎？」正文所引文獻，「聲調」「拗體」「格調」迭出，實皆屬語言性相的層次，故此處藉本則申說之。唯「辨體」是作詩前的基本功夫，其目的在於回歸各體當行本色的內在要求，但各體間的關係卻非密閉不通，故又有逗變之說。見《明詩話全編》（五），頁 4826。

㊵ 見《明詩話全編》（五），頁 4830。

耳。覽者悲其衰運可也。故予謂今之作者，但須真才實學，本性求情，且莫理論格調。

王世懋認為若要講論格調，須先能「自運」、「成家」。「自運」、「成家」所強調的是：作者應站在追求自我獨特性的立場，掌握詩歌的價值與特質。因此，文中「必……而後」句式，不僅點出學習的先後次序，更分疏價值的上下層級。換言之，分辨詩體、理解格調，雖都是從語言性相上追求普遍規律與法度，但學詩者只是空論或墨守格調，縱然他能運用普遍法度去支撐作品形式，並加以表現，其成就仍舊不高。反之，若先樹立「真才實學」「本性求情」的主體內容，方能使客觀的規律法度有所依趨。當然「實學」之「學」，仍牽涉客觀面學習對象的問題，但我們仍不妨將「實」與「真」兩字視為互文，並得出結語：當作者具有真切實在的才學，並由性情發出忱悃懇切的感受，方能產生優秀的作品。至此，講究格調不能保障作品之佳妙，倒是「本性求情」，才可能破塵而出。這與《總目》徵引的第一則文獻，頗有可通之處。《藝圃擷餘》[41]：

嘗謂作詩者，初命一題，神情不屬，便有一種供給應付之語。畏難怯思，即以充役，故每不得佳。余戲謂河下輿隸，須驅遣另換正身。能破此一關，沉思忽至，種種真相見矣。

---

[41] 見《明詩話全編》（五），頁4833-4834。

王世懋運用譬喻手法，具體說明：寫詩的時候，作者若不能聚會神情、出乎沉思，而隨便應付，就如同河上船夫，供人差使驅役罷了。「神情」、「沉思」應屬作者創作時的心靈活動。這與重視「真才實學」「本性求情」，乃為同調。

〈藝圃擷餘提要〉所徵引的第四則文獻，其全文原作㊷：

> 詩有必不能廢者，雖眾體未備，而獨擅一家之長。如孟浩然洮洮易盡，止以五言雋永，千載並稱王、孟。我明其徐昌穀、高子業乎？兩君詩大不同，而皆巧於用短。徐能以高韻勝，有蟬蛻軒舉之風；高能以深情勝，有秋閨愁婦之態。更千百年，李、何尚有廢興，二君必無絕響。所謂成一家言，斷在君采、稚欽之上，庭實而下，益無論矣。

此段盛贊徐禎卿（字昌穀）、高叔嗣（字子業），謂兩人詩各以「高韻」「情深」為勝。其更進一步與李夢陽、何景明、薛蕙（字君采）、王廷陳（字稚欽）、邊貢（字庭實）等人相較量，有「更千百年，李、何尚有廢興，二君必無絕響。」的判斷，實非將法度格調做為優先考量者。這一說法，受到專主王、孟詩，講究神韻的王士禛㊸肯定。

㊷ 見《明詩話全編》（五），頁 4832。

㊸ 此說與「本性求情」說，都被王漁洋稱為「真高識迥論」，見氏著：《池北偶談》（北京：中華書局，2006.2），卷十二，〈王奉常論詩語〉，頁 273-274。大陸學者王英志先生因王世懋「主性情」「重神韻」，故判其為清代神韻、性靈說的「過度環節」，不屬於復古格調派。見氏著：〈王世懋不屬復

因此，透過上述《藝圃擷餘》內容的討論，我們可以視王世懋為格調派的修正者㊹，《總目》亦如是看待。但《總目》更強調王世懋對治七子「摹古之流弊」的立場，並以此做為詮評《藝圃擷餘》的切入角度，最後給予肯定。就此看來，館臣對七子負面評價態度，就在肯定《藝圃擷餘》的同時，毫不保留地流露出來。此外，第一則「詩入故事」的討論，雖然涉及詩歌創作與運用古代材料的問題，亦及「盛唐」詩特質的商榷，但非純自「摹古之流弊」而發。第二、三則涉及創作主體的討論，頗有救治「摹古之流弊」的意味，唯對照上文曾舉李夢陽「情以發之」、何景明「自創一堂室」的說法，自然可知王世懋重視「真才實學」「本性求情」「神情」「沉思」等思想，實非孤明先發。第四則為王世懋評價多位復古派文士的記錄，其中他以「高韻」「深情」做為評價標準，與拘限於格調標準者，確有明顯不同。透過王世懋的看法，我們應能發現復古派中的文士們，彼此間尚有不同的詩學主張，但《總目》卻將他們一體化。總之，館臣在強化《藝圃擷餘》反摹古的價值時，也同步簡化王世懋在細部理路上，與其他復古派思想的複雜關係。

古格調派——《藝圃擷餘》論析〉，《江蘇社會科學》，2003 年 5 期。王氏之說，乃欲修正郭紹虞先生對王世懋的定位——格調派的轉變者，唯王說仍建立在「師心」「師古」的對立格局上，尚有斟酌之處；又王文曾將高子業誤為高季迪，在舉證上略有錯解。這些問題無關本文大旨，暫不深論。

㊹ 請參見廖可斌：《復古派與明代文學思潮》，頁 475-476；王運熙、顧易生主編：《中國文學批評通史》，頁 299-305。

二、復古派圖像以外的參照系

《總目》所收的另外四部著錄書為：《墓銘舉例》、《頤山詩話》、《詩話補遺》、《唐音癸籤》。當然，這四篇〈提要〉的寫作動機與內容，並非為了成為復古派圖像的參照系而作，只是本文試著從內容未涉復古派的〈提要〉中，促使其與前述有關復古派的〈提要〉對話，以增廣觀察向度。

㈠ 取法韓文的《墓銘舉例》

〈墓銘舉例提要〉㊺云：

> 由齊梁以至隋唐諸家文集，傳者頗多，然詞皆駢偶，不為典要。惟韓愈始以史法作之，後之文士，率祖其體，故是編所述以愈為始焉。

該書為著錄書中，唯一評論文章的著作。王行將韓愈以史法作墓銘一事，視為重要的文學轉變與典範，故取韓愈以下十五家為代表。〈提要〉雖未直接評價此書，但從其認該書所選之文，有自「詞皆駢偶」的流風中特出，則隱然有肯定之意。前文已述館臣將「文必秦漢、詩必盛唐」做為七子派復古論的基本主張，若以此為準，這主張取法唐宋墓銘的王行，應與七子復古派頗有區別。另外，王行

㊺ 《總目》，卷一百九十六、集部四十九、詩文評類二，頁 5（冊）－245-246。

的詩學主張還可見於〈唐律詩選序〉[46]，其云：

> 選詩者，非知詩者也。孔子之刪詩，取其既足以感發懲創，又足以被夫絃歌者，非以工拙計也。蓋工非詩之所必取，而拙非詩之所必棄。工而矜莊，是未免夫刻畫；拙而渾朴，是不失其自然也。苟棄其拙而取其工，則是遺自然而尚刻畫，豈足與言溫柔敦厚之教也哉！……降及李唐，所謂律詩者出，詩之體遂大變。謂之律詩者，以一定之律律夫詩也。以一定之律律之，自然蓋幾希已。……今之學者，能先於其有律者，求之進進不已，則所謂如淵海、如元氣者，可以漸而入，至與之俱化，則自然之地，綽乎其有餘裕矣。溫柔敦厚之教，豈外是哉？

王行認為孔子刪詩，乃取足以感發志意、懲戒凶惡，且能被諸管絃的詩歌，而不以刻畫工拙做為捨取的標準。雖說如此，計較工拙，卻也是進入自然之地的過程。以律詩為例，其體乃大變古詩的制度法則，而學者莫不循著規矩準繩而求進，但終期臻於自然之地。所謂自然之地，即以溫柔敦厚的詩教為精蘊。若此，入於規矩法度而臻至自然之地，其重心便不偏於摹擬法度。就此說來，王行的詩歌復古與七子復古自是不同，應會受到館臣的肯定。

---

[46] 〔明〕王行：《半軒集》，《景印文淵閣四庫全書》，卷六，頁 1231（冊）—357。

㈡ 宗主嚴羽的《頤山詩話》

其次，館臣認為安磐的《頤山詩話》，是「以嚴羽為宗」，且安磐能詩，故「論古人多中窾會，蓋深知其甘苦，而後可定其是非」㊼，足見館臣整體上具有肯定之意。㊽關於「以嚴羽為宗」的判讀，在《頤山詩話》可取得驗證㊾：

> 詩如參禪，有彼岸、有苦海，有外道、有上乘。迷者不能登彼岸，沉者不能出苦海，魔者不能離外道，凡者不能超上乘。雖不離乎聲律，而實有出於聲律之外，嚴滄浪所謂一味妙悟者蓋為是也。

> 陸士衡之詩，鍾嶸謂「為太康之英，安仁、景陽為輔」與陳思、謝客並稱。嚴羽謂「士衡獨在諸公之下」二者孰是？試參之，蓋士衡綺練精絕，學富而辭贍，才逸而體華。嶸之論亦是。若以風骨氣格言之，是誠在曹、劉、二張、左、阮之下也。

「詩如參禪」是指論詩還是學（讀、作）詩？抑或兩者兼之？在安

㊼ 《總目》，卷一百九十六、集部四十九、詩文評類二，頁5（冊）－247。

㊽ 館臣的肯定之意，在〔清〕永瑢、紀昀等撰：《四庫全書簡明目錄》（臺北：世界書局，1975.11），卷二十，《頤山詩話》條下：「明安磐撰。其論詩以嚴羽為宗，持論往往中理。惟載及俳諧，未免涉於小說，然不害其宏旨也。」最為清晰。頁883。

㊾ 見《明詩話全編》（三），頁2119、2120。

磐的說法裏，並無明顯指陳。嚴羽《滄浪詩話》〈詩辨〉先說「論詩如論禪」㊿，即藉判別宗乘教義高下，喻說詩道亦有高下之分。高下既已區辨，學者經「熟參」「熟讀」以後，自可「悟入」詩法，而「真是非」也就「自有不能隱者」。至於「第一義」的詩道，展現在「漢魏晉與盛唐」詩裏，而「第一義」詩的特點在於「不假悟」與「透徹悟」。漢魏之詩因直寫胸臆，斲削無施，故為天成之第一義[51]；至於盛唐詩人具有一種微妙的心靈感應，他們可以把握事物的特殊美感，透過詩歌表現出來[52]，即為透徹之悟。安磐或在這層意義上，指出聲律之法是成就詩篇的基本要素，但若要證得第一義之果，則需仰賴神妙之解悟[53]。

倘若安磐詩論以嚴羽為宗，而嚴羽又推崇「盛唐」詩，那館臣

㊿ 〔宋〕嚴羽著、郭紹虞校釋：《滄浪詩話校釋》（北京：人民文學出版社，2006.6），頁 11-12。

[51] 〔明〕胡應麟：《詩藪》，卷二：「漢人直寫胸臆，斲削無施，嚴氏所云，庶幾實錄。」見《明詩話全編》（五），頁 5557。唯胡氏進一步修正嚴羽「透徹之悟」的例子，其云：「曹、劉以至李、杜，透徹之悟也」然此與本文大旨無關，故僅取其詮釋「不假悟」的部分。

[52] 此取用黃景進先生的說法，請參見氏著：《滄浪詩話．導讀》（臺北：金楓出版社，1999.4），頁 32。又黃先生亦謂「『妙悟』是就創作而言，『悟入』是就學習而言」實值得參考，見氏著：《嚴羽及其詩論之研究》（臺北：文史哲出版社，1986.2），頁 169-170

[53] 龔鵬程先生認為「悟，指轉識成智，轉俗成真」悟即具工夫、歷程之義。就《滄浪詩話》〈詩辨〉中所謂的「第一義」、「非第一義（小乘禪、聲聞辟支果）」等，都是從證果面立說；「不假悟」「透徹悟」等，就是從工夫進路面立說。二者密切關聯。若此說來，詩歌的創作與學習，都需經過一套工夫歷程，方能入於道，顯出第一義。參見氏著：《詩史本色與妙悟》（臺北：臺灣學生書局，1986.4）頁 226-227。

怎不謂安磐也可能流於摹古之弊？此或與安磐強調在聲律格調之上，另置一「妙悟」概念了[54]。至於上引《頤山詩話》第二段文獻，乃根據《滄浪詩話》〈詩評〉：「黃初之後，惟阮籍詠懷之作，極為高古，有建安風骨。晉人舍陶淵明、阮籍嗣宗外，惟左太沖高出一時，陸士衡獨在諸公之下。」[55]所述。安磐或以「高古」「風骨」鑄詞為「風格氣格」一語，解說嚴羽之意。總體言之，與七子所取式對象與風格，盡是不同。

(三) 內容淵通的《詩話補遺》與採擷大備的《唐音癸籤》

館臣對於楊慎《詩話補遺》的評述，主要集中在考證是非上[56]，包括杜詩版本、地名位置、語詞出處、詩句引用等問題。至於主要內容僅以「然其賅博淵通，究在明人諸家之上，去瑕存瑜，可採者固不少也。」帶過。我們若兼讀〈升庵集提要〉，應可得到補

---

[54] 《頤山詩話》：「近世詩人，見古人佳句，輒欲擬作，自謂得意，甚者筆之於書，以誇乎人。然而何嘗得其彷彿，乾鼠為璞，蹄涔自濡，殊可笑也。」可知安磐反對語言形貌的片面摹擬。見《明詩話全編》（三），頁 2123。

[55] 〔宋〕嚴羽著、郭紹虞校釋：《滄浪詩話校釋》，頁 155。

[56] 〈詩話補遺提要〉：「中如稱宋本《杜甫集》〈麗人行〉中有『足下何所有，紅蕖羅襪穿鐙銀』二句之類，已為前人之所糾。至於稱渤海、北海之地，今哈密、扶餘、中國之滄州、景州。名渤海者，蓋僑稱以張休盛云云。不知哈密在西，扶餘在東，絕不相及。滄、景一帶，地皆瀕海，故又有瀛州、瀛海諸名。謂曰僑置，殊非事實。又香雲、香雨并出王嘉《拾遺記》，而引李賀、元稹之詩。又以盧象『雲氣杳流水』句，誤為香字。如斯之類，亦引據疏舛。」《總目》，卷一百九十六、集部四十九、詩文評類二，頁 5（冊）－247。

證(57)：

> 慎以博洽貫一時，其詩含吐六朝，於明代獨立門戶，文雖不及詩，然猶存古法，賢於何、李諸家窒塞艱澁，不可句讀者。蓋多見古書薰蒸，沉浸吐屬，自無鄙語，譬諸世祿之家，天然無寒儉之氣矣。

在這段文獻中，明說楊慎作詩別出門戶，賢於何、李，可見館臣存有尊楊而退何、李的基本態度。館臣的推尊，殆與楊慎曾抨擊何、李剽襲之病有關。楊慎在〈胡唐論詩〉(58)中，摘錄胡厚與唐元薦的兩篇信函，並稱「以二子之論為的，故著之」。唐元薦所論為：

> 至李、何二子一出，變而學杜，壯乎偉矣。然正變雲擾而剽襲雷同，比興漸微而風騷稍遠。

唐氏針對何、李及其追隨者而發，謂他們學古（杜），雖得氣勢，但同時也消散了《詩》〈騷〉的精神。總之，我們若說館臣肯定楊慎的理由之一，乃在其異於（甚或批評）七子，應屬合理推論。

《總目》詩文評類的最後一部明代著錄書，是胡震亨的《唐音癸籤》，其〈提要〉末端云：

---

(57) 《總目》，卷一百七十二、集部二十五、別集類二十五，頁 4（冊）－539-540。

(58) 〔明〕楊慎：《升菴集》（《景印文淵閣四庫全書》，臺北：臺灣商務印書館，1986.3），卷五十四，頁 1270（冊）－472-473。

> 獨詩話採擷大備，為《全唐詩》所未收。雖多錄明人議論，未可盡為定評，而三百年之源流正變，犁然可按，實於談藝有裨。特錄存之，庶不沒其蒐輯之勤焉。

此段肯定《唐音癸籤》輯錄多家論詩之功，頗助談藝之用。不過，亦指出許多明人議論，並非定評，可見館臣對於明人議論，尚採保留態度。此外，《唐音癸籤》卷三十二「集錄三」特將詩話資料，加以董理，並予評騭。在明代諸詩話，胡震亨盛推胡應麟《詩藪》，有「吾嘗謂近代談詩集大成者，無如胡元瑞。」之評[59]。胡應麟在館臣看來，實屬七子之流[60]，其力作《詩藪》，亦屬存目書。因此，館臣之所以肯定《唐音癸籤》，應出於文獻保存的立

---

[59] 《唐音癸籤》：「詩話在集部，與文史同類，用以標成法、摧往篇、備瑣聞，一切資長吟功，此焉在，不可無錄。第作者篇目泛濫，多襍糅小說家言中，難以區揀。今但據唐宋各志，及焦氏《國朝經籍志》所載詩話一目諸書，稍加評隲列後，遺者俟博識補焉。」《明詩話全編》（七），頁 7089。又讚胡應麟語，見頁 7095-7096。

[60] 〈少室山房類稿提要〉：「應麟藉王世貞以得名，與李維楨、屠隆、魏允中、趙用賢稱末五子，所作《詩藪》類皆附合世貞《藝苑卮言》，後之詆七子者，遂并應麟而斥之。考七子之派，肇自正德，而衰於萬曆之季，橫踞海內百有餘年。其中一二主盟者，雖為天下所攻擊，體無完膚，而其集終不可磨滅。……末俗承流，空疏不學，不能如王、李剽竊秦、漢，乃從而剽竊王、李，黃金白雪，萬口一音，一時依附門墻，假借聲價，亦得號為名士，時移事易，轉瞬為覆瓿之用，固其所矣。應麟雖仰承餘派，沿襲頹波，而記誦淹通，實在隆、萬諸家上，故所作蕪雜之內，尚具菁華。錄此一家，亦足以為讀書者勸也。」《總目》，卷一百七十二、集部二十五、別集類二十五，頁 4（冊）—562。又此〈提要〉較為特別之處，在於其稍能肯定七子。

場，而非賞識其文學議論。

第三節　《總目》存目書中的批評史圖像及其文學思想

《總目》「詩文評類」明代存目書的數量，居各朝之冠。事實上，著錄書與存目書的取捨，自有一套原則。置入存目書的原因，許多學者做過研究，一般說來，偽作妄造或內容平庸，是造成列入存目書的主因[61]。若從知識內容來看，偽作妄造的書籍，實可通過客觀方式來檢視，以證明偽妄。這類圖書，《總目》以「考證亦疎」（〈歸田詩話提要〉）[62]、「采摭不及其（曾案：指胡仔《苕溪漁隱叢話》）博」、「但抄撮舊文」（〈菊坡叢話提要〉）[63]、「引據古人，

---

[61] 1992 年 10 月大陸學者季羨林先生等人，建議編集《四庫全書存目叢書》，1997 年 10 月叢書完成出版工作，而期間也引發存目書是否值得全數出版的爭議。《北京大學學報（哲學社會科學版）》，1997 年 5 期，就曾收錄數篇文章，將出版過程與爭議，做一說明。此外，其中如——季羨林、任繼愈、劉俊文：〈四庫存目與《四庫全書存目叢書》〉，杜澤遜：〈《四庫存目》書探討〉，黃永年：〈修《四庫全書》時用什麼標準把書抑為存目書〉等文，皆探討存目書的選擇標準。杜澤遜指出入存目書的九項原因是：限制規模；貴遠賤近；揚漢抑宋；壓抑民族思想；護封建倫理道德；避免重複；尊官書而抑私撰；原本殘缺或漫漶過甚，無法校寫；著作水平膚劣或偽妄之書。季羨林等人所認為原因有：一是有悖亂之言、二是非聖無法、三是著作時代切近者、四是尋常、瑣屑之作。

[62] 《總目》，卷一百九十七、集部五十、詩文評類存目，頁 5（冊）－263。

[63] 《總目》，卷一百九十七、集部五十、詩文評類存目，頁 5（冊）－264。

亦頗疎舛」（〈渚山堂詩話提要〉）64等語，做出說明。至於書籍內容是否平庸，則須由另一套知識做為參照系統，這就牽涉到許多主觀意識。主觀意識乃綜合各式經驗，凝鑄成型，《總目》〈凡例〉第十九則「聖朝編錄遺文，以闡聖學明王道者為主，不以百氏雜學為重也。」第十四則「闢其異說，黜彼空言，庶讀者知致遠經方，務求為有用之學。」故參照知識的基本內涵為「聖學」、「王道」，見黜對象為「異說」、「空言」65，終極目標是「致遠經方」。

在初步掌握書籍列入存目書的原因，以及原因背後的知識脈絡，我們則可自存目書籍所意謂的普遍意義，得到〈提要〉直述文字以外的相關訊息。

一、復古派作家的身影

若以《明史》前後七才子的名單為據，可以發現他們的詩文評類著作，都只被列在存目書而已66，即王世貞《全唐詩說、詩

64 《總目》，卷一百九十七、集部五十、詩文評類存目，頁5（冊）－265。

65 另外，〈凡列〉第三則云：「其（曾案：古籍）上者，悉登編錄，罔致遺珠。其次者，亦長短兼臚，見瑕瑜之不掩。其有言非立訓，義或違經，則附載其名，兼匡厥繆。至於尋常著述，未越羣流，雖咎譽之咸無，究流傳之已久，準諸家著錄之例，亦併存其目，以備考核。等差有辨，旌別兼施，自有典籍以來，無如斯之博且精矣。」就此看來，前兩類應為著錄書，後兩類則為存目書。言以「經」為主則，無論「經」作「經學」義或「常理」義，都足見其樹立標準之意。《總目》、卷首三、〈凡列〉，頁1（冊）－34。

66 前後七子之記錄，見《明史》，卷二百八十六、列傳第一百七十四、文苑二、〈李夢陽傳〉：「（李夢陽）與何景明、徐禎卿、邊貢、朱應登、顧璘、陳沂、鄭善夫、康海、王九思等，號十才子。又與景明、禎卿、貢海、九思、王廷相號七才子，皆卑視一世。」《明史》，卷二百八十七，列傳第

評》、謝榛《詩家直說》、李攀龍《詩文原始》等三部。

這三部書，依提要所述，約可分為兩類。第一類為偽妄之作：〈全唐詩說、詩評提要〉云[67]：

（曹溶）割剝世貞《藝苑卮言》……初無此二名也。

〈詩文原始提要〉云[68]：

疑亦曹溶掇拾割裂之書，為題攀龍名也。

按館臣所說，這兩部書都是曹溶割剝而來，故屬偽妄之作。唯《全唐詩說、詩評》尚為王世貞所作，《詩文原始》則疑偽托李攀龍之名，故兩書又不盡相同。就《總目》體例來看，《詩文原始》可能因偽托關係，館臣便未多述；可是對於《全唐詩說、詩評》實可論

一百七十五、文苑三、〈李夢陽傳〉：「攀龍之始官刑曹也，與濮州李先芳、臨清謝榛、孝豐吳維岳輩倡詩社。王世貞初釋褐，先芳引入社，遂與攀龍定交。明年，先芳出為外吏。又二年，宗臣、梁有譽入是為五子。未幾，徐中行、吳國倫亦至，乃改稱七子。諸人多少年，才高氣銳，互相標榜，視當世無人，七才子之名播天下。擯先芳、維岳不與，已而榛亦被擯，攀龍遂為之魁。」〔清〕張廷玉：《明史》，頁 7348、7377-7378。陳國球先生曾指出，一般所認定的前後七子名單，或在當時有不同的說法，或難以涵蓋復古的大貌。此說值得參考，唯本文以釐清館臣文學思想為主，故暫以清人見解為據。請參見陳國球：《唐詩的傳承——明代復古詩論研究》，頁 6-20。

[67] 《總目》，卷一百九十七、集部五十、詩文評類存目，頁 5（冊）－266。

[68] 《總目》，卷一百九十七、集部五十、詩文評類存目，頁 5（冊）－267。

之。就詩文評類存目書——《容齋四六叢談》為例，〈提要〉開端依妄偽書的寫法，作者姓名概以「舊本題宋洪邁撰」載之，此與《全唐詩說、詩評》、《詩文原始》題曰「舊本題明某某某撰」相同。其次，館臣云：「亦於《容齋五筆》中掇其論四六之言，別為一卷，疑與《容齋詩話》為一手所輯。所論較王銍《四六話》、謝伋《四六麈談》特為精核。蓋邁初習詞科，晚更內制，於駢偶之文，用力獨深，故不同於勦說也。」[69]足見經他人掇拾的著作，館臣尚有表達正面評價的例子，那《全唐詩說、詩評》等書為何連評語都付之闕如呢？或許館臣在未予言說的底層，透露出不贊同王世貞的態度。

至於謝榛的《詩家直說》，館臣所述評的文字篇幅，顯然較王、李之書多廣。〈提要〉[70]云：

> 今觀其書，大旨主於超悟。每以作無米粥為言，猶嚴羽才不關學、趣不關理之說也。又以練字為主，亦方回句眼之說也。如謂杜牧〈開元寺水閣〉詩「深秋簾幙千家雨，落日樓

---

[69] 〈容齋詩話提要〉云：「今核其文，蓋於邁《容齋五筆》之內，各掇其論詩之語，裒為一編。猶於《玉壺清話》之中，別鈔為《玉壺詩話》耳」復徵〈玉壺詩話提要〉：「此本為《學海類編》所載，僅寥寥數頁。以《玉壺清話》校之，蓋書賈摘錄其有涉於詩者，裒為一卷，詭立此名，曹溶不及辨也。」分見《總目》，卷一百九十七、集部五十、詩文評類存目，頁 5（冊）－256-257。準此，《容齋四六叢談》與《全唐詩說、詩評》的性質近似。

[70] 《總目》，卷一百九十七、集部五十、詩文評類存目，頁 5（冊）－266-267。

> 臺一笛風」句不工，改為「深秋簾幙千家月，靜夜樓臺一笛風」。不知前四句為「六朝文物草連空，天澹雲閒今古同。鳥去鳥來山色裏，人歌人哭水聲中。」末二句為「惆悵無因見范蠡，參差煙樹五湖東。」皆登高晚眺之景。如改雨為月，改落日為靜夜，則「鳥去鳥來山色裏」，非夜中之景，「參差煙樹五湖東」，亦非月下所能見。而就句改句，不顧全詩，古來有是詩法乎？王士禎論詩絕句：「何因點竄『澄江練』，笑殺談詩謝茂秦。」固非好輕詆矣。至所謂「詩以一句為主，落於某韻，意隨字生，豈必先立意云何？」其語似高實謬，尤足誤人。是但為流連山水、摹寫風月、閒適小詩言耳，不知發乎情，止乎禮義、感天地而動鬼神，固以言志為本也。

這段文獻述評《詩家直說》兩個重點，其一為超悟的詩學主張，其次為練字、意隨字生的詩法。館臣對於謝榛的超悟之說，僅與嚴羽詩學相對舉，輕輕帶過，不見特別評價。[71]舉例來說，《詩家直說》中認為「詩有四格，曰興、曰趣、曰意、曰理……悟者得之，庸心以求，或失之已。」「學詩者當如臨字之法……久而入悟，不

[71] 關於「悟」，大陸學者李慶立統計《謝榛集》裏的用法與次數，謂有超悟六處；妙悟、頓悟各三處；六祖之悟、透悟、了悟、省悟、解悟、自悟等各一處。且認為超悟「乃超前拔俗，卓然入聖之意。即強調『悟』這一思維方式的超越性。」見氏著：〈從詩和禪聯姻的流變解讀謝榛的禪悟說〉，《蘇州大學學報（哲學社會科學報）》，1997 年第 1 期。

假臨也」「體無定體，名無定名，莫不擬斯二者，悟者得之」[72]無論風格、字法、體式的掌握，皆賴悟得。尤其將「悟得」與「庸心以求」對列，凸顯「悟入」的必要性。這在謝榛〈周子才見過談詩〉：「詩家超悟方入禪，畫蛇添足何爭先。半夜冰霜苦自取，三春花鳥愁相牽。神遊浩渺下無地，氣轉混茫中有天。杜陵老子昨夢見，笑來更拍狂夫肩」[73]亦可見之。其謂詩人面對半夜冰霜、三春花鳥，及對景所興之愁苦，皆無干於學、理之累積，唯俟作者神氣轉化以後，則可造不可湊泊之境。縱然如此，謝榛也非只是玩弄光影而已，他返回嚴羽式的詩學格局：「夫詩有別材，非關書也；詩有別趣，非關理也。然非多讀書，多窮理，則不能極其至。」順著學與理的問題，再展開詩法層次的討論。

首先，館臣討論練字的問題。謝榛曾將杜牧〈題宣州開元寺水閣〉詩中的「千家雨」改成「千家月」、「落日樓臺」改為「靜夜樓臺」，一首七律被更動三字，乃出於原詩「韻短調促」，經改練文字以後，則可得「抑揚之妙」[74]。如此看來，謝榛的字法，是以聲律做為主要考量；但館臣著眼於詩意，認為謝榛所改，失去前後

[72] 《詩家直說》，分見《明詩話全編》（三），頁 3143-3144、3145、3147。

[73] 《詩家直說》，《明詩話全編》（三），頁 3207。

[74] 《詩家直說》云：「杜牧之《開元寺水閣》詩云：『……』此上三句落腳字，皆自吞其聲，韻短調促，而無抑揚之妙。……」《明詩話全編》（三），頁 3165。又謝榛認為「詩法妙在平仄四聲，而有清濁抑揚之分」其曾以「東」「董」「棟」「篤」四字為例，指出「『東』字平平直起，氣舒且長，其聲揚也；『董』字上轉，氣咽促然易盡，其聲抑也；『棟』字去而悠遠，氣振愈高，其聲揚也；『篤』字下入而疾，氣收斬然，其聲抑也。」故聲律向為謝榛所重，參見《詩家直說》，頁 3164。

詩意的呼應效果，其進而同意王漁洋對於謝榛的批評[75]。仔細說來，館臣所見與謝榛所論，基礎不一：一者論詩意，一者談聲律。姑不細究，館臣不同意謝榛的詩法，則曉然可見。

其次，謝榛以「天然」「渾然」做為詩的極境[76]，故有「意隨字生」、「意隨筆生」的談法。翻索《詩家直說》，此類觀念頗多，茲舉二則為例[77]：

> 詩有辭前意、辭後意。唐人兼之，婉而有味，渾而無跡。宋人必先命意，涉於理路，殊無思致。及讀《世說》：「文生於情，情生於文。」王武子先得之矣。

> 宋人謂作詩貴先立意。李白斗酒百篇，豈先立許多意思而後措詞哉？蓋意隨筆生，不假布置。

「意」在詩歌創作活動裏，出現於兩個階段：一為形諸語言文字（辭）前的作者心意，即「辭前意」；一為落實於語言文字（辭）後

---

[75] 見王漁洋詩：〈戲仿元遺山論詩絕句三十二首〉，見氏著：《精華錄》，《景印文淵閣四庫全書》，卷五，頁 1315（冊）－96。又謝榛點竄詩句之事，另可見王世貞：《弇州四部稿》：「謝山人謂玄暉『澄江淨如練』，『澄』『淨』二字意重，欲改為『秋江淨如練』余不敢以為然，蓋江澄乃淨耳。」《景印文淵閣四庫全書》，卷一百四十六，頁 1289（冊）－374。

[76] 此處的相關論述，請參見李慶立：〈天然與渾然行瀣融會是詩歌追求的極境——謝榛美學思想再探〉，《聊城師範學院學報（哲學社會科學報）》，1999 年 6 期。

[77] 《詩家直說》，《明詩話全編》（三），頁 3130-3131。

的作品寓意，即「辭後意」[78]。「意」能否「不假布置」地、天然地、渾然地出現在詩中，則是謝榛所關心的問題。謝榛認為：在創作過程中，「作詩有相因之法，出於偶然。因所見而是得句，轉其思而為文。先作而後命題，乃筆下之權衡也。」[79]此種偶然得句的創作方法，亦是唐詩精神所在。相對於偶然所得的作法，便是講議論、重說理、先懸束意旨再琢句入詩的作法，此亦成就了宋詩質性。因此，欣賞唐詩的謝榛[80]，應重「意隨筆生」的詩法。事實上，「意隨筆生」的詩法，並非要人走向神祕寫作的幽境，使人無所止泊地隨任心意流發[81]。

在第一則文獻的末端，謝榛以《世說》的典故，借「文、情」說「辭、意」。《世說·文學第四》[82]：

> 孫子荊除婦服，作詩以示王武子。王曰：「未知文生於情，情生於文。覽之悽然，增伉儷之重。」

孫楚喪妻悼念之作，讓王武子體認到「文生於情，情生於文」的道

---

[78] 在《詩家直說》中，關於「辭前意」與「辭後意」的討論，以卷四載客與四溟子的對問，最為清晰，請另參見，此不贅述。《明詩話全編》（三），頁3130-3131。

[79] 《詩家直說》，《明詩話全編》（三），頁3201。

[80] 謝榛有「作詩當以盛唐為法」之說，見《明詩話全編》（三），頁3124。

[81] 謝榛雖有近似神祕的說法，如「詩有天機，待時而發，觸物而成，雖幽尋苦索，不易得也。」見《明詩話全編》（三），頁 3124。若援謝榛論詩法內容，與此則文獻併觀，則知謝榛非神秘論者。

[82] 李天華：《世說新語新校》（長沙：岳麓書社，2004.11），頁132。

理。孫楚之情實為傷痛之情，並非閒適之情。而謝榛引用《世說》之文，隱含有「情」與「意」互用的想法。但是，館臣批評謝榛「但為流連山水、摹寫風月、閒適小詩言耳」顯然是將「意」的由來，純視為詩人受外物（山水、風月）刺激，片斷地、機械地產生而已，故作品之情亦為閒適之情罷了。換言之，詩人喪失深刻的情志感受，作品也只能模山範水，吐露閒適而已。館臣如此引申，實有不盡公平之處。因為：「意隨字生」的主張，是否必然涵蘊不重詩人的真性情？又流連山水之作，是否只見詩人片段心意，難得深切情感？

關於第一個問題，上述孫楚之悼亡，即非閒適之情。又謝榛曾論時人學習杜詩的狀況：「今之學子美者，處富有而言窮愁，遇承平而言干戈，不老曰老，無病曰病，此摹擬太甚，殊非性情之真。」[83]由此可知，謝榛反對沒有自我生命感受的書寫方式。因此，作者落筆前的心意，並非無真切感受者；落於文字中的心意，更需流貫真性情。因此，強調「意隨字生」將不致削弱真性情的講究與期待。

至於第二個問題，《詩家直說》有云[84]：

> 作詩本乎情景，孤不自成，兩不相背。凡登高致思，則神交古人，窮乎遐邇，繫乎憂樂，此相因偶然，著形於絕跡，振響於無聲也。夫情景有異同，模寫有難易，詩有二要，莫切

---

[83] 《明詩話全編》（三），頁 3145。

[84] 《明詩話全編》（三），頁 3145。

於斯者……景乃詩之媒，情乃詩之胚，合而為詩，數言而統萬形，元氣渾成，其浩無涯矣。

寫詩兼本情、景，缺一不可。若以登高致思為例，登高所見為景，思古所生憂樂則為情，兩者應該相合渾成。情既是詩之胚，所以真性情是作詩時的要件，況且憂樂之情，實非一閒適所能籠罩。

《總目》對詩之「流連山水，摹寫風月」的批評，也出現在攻擊清代神韻派裏。館臣認為王漁洋是嚴羽詩學的傳人[85]，王氏「主於神韻，故所標舉多流連山水、點染風景之詞，蓋其宗旨如是也。」[86]館臣的詩學主張，根於「詩言志」的文學傳統，故〈詩家直說提要〉有：「（謝榛）不知發乎情，止乎禮義，感天地而動鬼神，固以言志為本也」之評。此外，〈御選唐宋詩醇提要〉更有針對神韻派者，其云[87]：

---

[85] 〈御選唐宋詩醇提要〉云：「蓋明詩摹擬之弊，極於太倉、歷城；纖佻之弊極於公安、竟陵。物窮則變，故國初多以宋詩為宗，宋詩又弊，士禎乃持嚴羽餘論，倡神韻之說以救之。」又〈唐賢三昧集提要〉云：「詩自太倉、歷下以雄渾博麗為主，其失也膚。公安、竟陵以清新幽渺為宗，其失也詭。學者兩途並窮，不得不折而入宋，其弊也滯而不靈，直而好盡，語錄、史論，皆可成篇。於是士禎等重申嚴羽之說，獨主神韻以矯之。蓋亦救弊補偏，各明一義。」分見《總目》卷一百九十、集部四十三、總集類五，頁 5（冊）－100、5（冊）－104。

[86] 見〈漁洋詩話提要〉，《總目》卷一百九十六、集部四十九、詩文評類二，頁 5（冊）－249。

[87] 《總目》卷一百九十、集部四十三、總集類五，頁 5（冊）－100。

然詩三百篇，尼山所定，其論詩一則謂歸於溫柔敦厚，一則謂可以興觀羣怨，原非以品題泉石、摹繪烟霞。洎乎畸士逸人，各標幽賞，乃別為山水清音。實詩之一體，不足以盡詩之全也。宋人惟不解溫柔敦厚之義，故意言並盡，流而為鈍根。士禎又不究興觀羣怨之原，故光景流連，變而為虛響。各明一義，遂各倚一偏。論甘忌辛，是丹非素，其斯之謂歟？

館臣認為：王漁洋論詩既重「流連山水、點染風景」，故輕忽「興觀群怨」的詩學特質[88]。如此，館臣以儒家聖學的「詩言志」，做為評騭文學思想的主要標準，則清晰可見。

《總目》存目書中，館臣亦有明指受七子影響之著作，共計七部[89]。下文逐錄〈提要〉內容、作者、書名：

宗旨不出七子門庭（徐泰《詩談》）

然據其全書，則皆拾七子之緒餘，實於漢、魏、盛唐，了無所解。（劉世偉《過庭詩話》）

---

[88] 近似的批評，可參見〈冷邸小言提要〉：「大旨以嚴羽為宗，尊陶、謝而祧蘇、李，左王、孟而右杜、韓。司空圖所謂『不著一字、盡得風流』者，亦詩家之一派，不可廢也。然以為極則，則狹矣。」見《總目》，卷一百九十七、集部五十、詩文評類存目，頁 5（冊）－269。

[89] 相關文獻依序分見《總目》，卷一百九十七、集部五十、詩文評類存目，頁 5（冊）－267、269、269-270、270、274。

其論詩大旨，則惟以為王世貞為宗（朱孟震《玉笥詩談》）

是編輯明人論詩之語為一編……大致以王世貞為圭臬。蓋萬曆中葉，七子之餘燄猶未盡熸，故子文據《藝苑卮言》一書，遽欲衡量千古也。（周子文《藝藪談宗》）

《明史・文苑傳》：「……大抵奉世貞《卮言》為律令，而敷衍其說。謂詩家之有世貞，集大成之尼父也。其貢諛如此」云云。（胡應麟《詩藪》）

大致於古宗滄浪，於近人宗弇州也。（費經虞《雅論》）

瑣語類……大致以王世貞為圭臬，不出當時習氣也。（不著撰人《鹽雪齋詩評、詞曲評》）

整體說來，在四十部存目書中，前後七子所作或與前後七子相關者，共有十部，佔全數的四分之一，足證館臣認為明代七子餘盛，實有憑據[90]。這七部書〈提要〉，全無一句推崇之語，館臣的態度實不言而喻。

---

[90] 館臣亦指出七子對清代有所影響，參見〈詩辨坻提要〉，《總目》，卷一百九十七、集部五十、詩文評類存目，頁 5（冊）－275-276。

二、不同、反對復古派的作家身影

館臣對於前後七子的文學思想，多有指摘；但對於不同或反對七子主張者，也不會毫無察識地，直接予以肯定。以下〈提要〉[91]之文，即可為證：

> 品藻古今，頗出別解。然其述理學則推象山、慈湖，論文體則推六朝、《文選》，至論唐文，伸柳州而抑昌黎，謂韓非柳匹，尤不免立異太過矣。（王文祿《文脈》）

> 蓋以講學為詩家正脈，始於《文章正宗》，白沙、定山諸集又加甚焉。至廷秀等，而風雅掃地矣。此所謂言之有故，執之成理，而斷斷不可行於天下者也。故其人雖風裁嶽嶽，而論詩不可訓焉。（葉廷秀《詩譚》）

> 懋仁及與袁宏道、鍾惺、譚元春游，故其論詩，大旨以公安、竟陵為宗。自序謂考證多而評騭少。今觀其書，如元王烈婦、明鐵鉉女諸條，亦稍能辨析，而舛漏之處甚多。（陳懋仁《藕居士詩話》）

> 此書大旨主於排斥世貞。然世貞摹擬之弊雖可議者多，而元儀評論古人，又往往大言無當，所見實粗。其任意雌黃，亦

---

[91] 分見《總目》，卷一百九十七、集部五十、詩文評類存目，頁 5（冊）—266、271、272、273。

皆不為定論也。(茅元儀《藝活甲編》)

雜取明人論詩之語，綴合成編，無所發明考證。大旨排王、李而主鍾、譚。殆當萬歷、天啟之閒《詩歸》盛行之後歟？(不著撰人名氏《綠天耕舍燕鈔書》)

王文祿《文脉》確曾批評李夢陽，他反對夢陽「漢無騷、唐無賦、宋無詩」[92]的說法；且唐文則推崇柳宗元[93]，認為韓文乃受後世英

---

[92] 李夢陽〈潛虯山人記〉：「山人商宋梁時，猶學宋人詩。會李子客梁，謂之曰：『宋無詩。』山人於是遂棄宋而學唐已。問唐所無，曰：『唐無賦哉。』問漢，曰：『無騷哉。』山人於是則又究心賦騷於唐漢之上。」見《空同集》，《景印文淵閣四庫全書》，卷四十八，頁 1262（冊）－446。王文祿云：「李空同曰：『漢無騷。』予曰：『司馬相如〈長門〉、楊子雲〈反騷〉、賈誼〈鵩鳥〉、班昭〈自悼〉，豈曰無騷？』曰：『唐無賦』予曰：「李太白〈大獵〉、〈明堂〉、楊炯〈渾天儀〉、李庾〈兩都〉、杜甫〈三大禮〉、李華〈含元殿〉、柳宗元〈閔生〉、盧肇〈海潮〉、孫樵〈出蜀〉，豈曰無賦？」曰：『宋無詩』予曰：『梅聖俞、王介甫、陳後山、朱晦庵、謝皋羽，擇而誦之，豈曰無詩？空同詩賦可觀，文亦句短而氣局，太質而少華，知復古矣。體裁則否，無大題，且見未透。』」當然，空同的有、無，並非從實存層次而論，其論宋無詩乃因「非色弗神，宋人遺茲矣，故曰無詩」實是自價值層次加以區判的，故王文祿的批評，未為適切，《明詩話全編》（九），頁 8983。

[93] 《文脉》：「韓昌黎有志古學，但性坦率，不究心精，遂非柳匹也。當時能忘勢，且延攬英才，籍、湜輩尊稱之，文名遂盛于唐。後歐陽六一好而尊之，配孟，以己配韓。蘇氏父子在歐門下，及推尊歐，不得不推尊韓，是韓又盛于宋。我明宋濳溪《文原》：『六經外，當讀孟子與韓、歐文』夫惟皆知宗韓，則不復知先秦、兩漢文。」《明詩話全編》（九），頁 8983-8984。

才所推尊，故能名盛一時。這兩點看法，與「文必秦漢、詩必盛唐」是有距離的，但館臣卻評王氏之說為「立異太過」。葉廷秀受業於劉宗周，強調詩歌教化，其於〈詩譚序〉末云：「愚之於《詩譚》也，凡關於忠孝大道理，未始不三致意焉。國家多事，為人臣子者，正宜提出真精神力量，以畢效之。君父請以是集而告之海內君子，其以為譚詩也可，譚道也可，既以為譚天下事也亦可。」[94]表面看來，此說與館臣相彷。但館臣同時認為：論學與論詩，頗為不同，其間重要區別，正在論詩應重視「詩趣」。

〈文章正宗提要〉引顧炎武《日知錄》云：「真希元《文章正宗》所選詩，一掃千古之陋，歸之正旨。然病其以理為宗，不得詩人之趣。」[95]詩人作詩，並非說理議論，尚有趣之追尋。另〈崇古文訣提要〉：「真德秀《文章正宗》，以理為主，如飲食惟取禦饑，菽粟之外，鼎俎烹和，皆在其所棄。如衣服惟取禦寒，布帛之外，黼黻章采，皆在其所捐。持論不為不正，而其說終不能行於天下世所傳誦。」[96]若以日常生活經驗為例，人在基本需求以外，總會追求更高品味，如「和」、「采」等；而追求詩趣，亦屬同質。總之，論學追求理、論詩追求趣，兩者屬性不同，故館臣乃別出於

[94] 《明詩話全編》（九），頁 9144。

[95] 《總目》，卷一百八十七、集部四十、總集類二，頁 5（冊）－33。

[96] 《總目》，卷一百八十七、集部四十、總集類二，頁 5（冊）－32。館臣認為論學與論詩之不同，可另見〈餘冬詩話提要〉：「夫以講學之見論文，已不能得文外之致；至以講學之見論詩，益去之千里矣。則何如不作詩文，更為務本也。」《總目》，卷一百九十七、集部五十、詩文評類存目，頁 5（冊）－264。

理學家蹊逕。至於茅元儀雖力斥王世貞，館臣卻判其為「大言無當」，足見館臣另有自我標準。

《藕居士詩話》、《綠天耕舍燕鈔書》兩部書〈提要〉，則皆涉及公安派、竟陵派。在「詩文評類」中的圖書，未有公安、竟陵派代表人物的著作，因此，我們得借他類〈提要〉做為參照之用。關於公安派，〈袁中郎集提要〉[97]云：

> 蓋明自三楊倡臺閣之體，遞相摹仿，日就庸膚。李夢陽、何景明起而變之，李攀龍、王世貞繼而和之，前後七子遂以仿漢摹唐，轉移一代之風氣。迨其末流，漸成偽體，塗澤字句，鉤棘篇章，萬喙一音，陳因生厭。於是公安三袁又乘其弊而排抵之。三袁者一庶子宗道、一吏部郎中中道、一即宏道也。其詩文變板重為清巧，變粉飾為本色，天下耳目於是一新。又復靡然而從之。然七子猶根於學問，三袁則惟恃聰明。學七子者不過贋古，學三袁者乃至矜其小慧，破律而壞度。名為救七子之弊，而弊又甚焉。觀於是集，亦足見文體遷流之故矣。

文獻前段，館臣將明代文學分成三期：臺閣、李何、公安。三者之間，皆有救治前弊的時代意義。臺閣的文學特質，此處未加申說，但強調士人「遞相摹仿」，最後流於平庸膚廓；李、何的救劑在於「仿漢摹唐」，可是又陷入字句篇章的擬肖。簡言之，臺閣與七子

[97] 《總目》，卷一百七十九、集部三十二、別集類存目六，頁4（冊）－806。

之弊，皆在摹仿，唯一者仿時人、一者仿古人。至於公安派，不取板重的文學風格與粉飾的文學技巧，開出清巧與本色。這在中郎的論著中，皆可取得證明：

> 文章新奇，無定格式，祇要發人所不能發。句法、字法、調法，一一從自己胸中流出，此真新奇也。[98]

> （小修詩文）大都獨抒性靈，不拘格套，非從自己胸臆中流出，不肯下筆。有時情與境會，頃刻千言，如水東注，令人奪魂。其間有佳處，亦有疵處。佳處自不必言，即疵亦多本色獨造語。然予則極喜其疵處；而所謂佳者，尚不能不以粉飾蹈襲為恨，以為未能脫盡近代文人氣習故也。[99]

公安派認為：詩文之所以能夠新奇（新巧），在於法度全由自己胸中流出，而非向外求取規矩，剿襲模擬。仰賴外在格套，詩文則似刻意「傅粉抹墨」[100]，喪失自我的原始樣貌——性靈、本色。館臣指出了公安派的同時，又陳述公安派的缺點：七子之病在贋古，但學古尚且須要透過學問，公安派既全賴自我的聰慧，破壞律度，毫無止限節度，故其弊愈勝。

至於竟陵派，〈嶽歸堂集提要〉[101]云：

---

[98] 〈答李元善〉，《明詩話全編》（六），頁6795。

[99] 〈序小修詩〉，《明詩話全編》（六），頁6782。

[100] 〈敘竹林集〉語，《明詩話全編》（六），頁6788。

[101] 《總目》，卷一百八十、集部三十三、別集類存目七，頁4（冊）－826。

> 隆、萬以後，公安三袁始攻擊王、李詩派，以清巧為工，風氣一變。天門鍾惺更標舉尖新幽冷之詞，與元春相倡和。評點《詩歸》流布天下，相率而趨纖仄。有明一代之詩，遂至是而極弊。論者比之詩妖，非過刻也。元春之才較惺為劣，而詭僻如出一手。日久論定，徒為嗤點之資。觀其遺集，亦足為好行小慧之戒矣。

明詩的「極弊」階段，在於竟陵一派。其弊在於鍾惺、譚元春標舉尖新幽冷的詩風。隨著《詩歸》的流播，則走向纖仄之詩妖一路。〈詩歸提要〉[102]云：

> 大旨以纖詭幽渺為宗，點逗一二新雋字句，矜為玄妙。又力排選詩惜羣之說，於連篇之詩隨意割裂，古來詩法於是盡亡。至於古詩字句，多隨意竄改。

館臣將《詩歸》置於存目書之列，謂其使古來詩法盡亡，如此看來，自與七子派格調說不同。至於《詩歸》，常點逗詩歌字句，並發議論；講究「纖詭幽渺」，追求玄妙詩境。鍾惺〈古詩歸序〉[103]云：

[102] 《總目》，卷一百九十三、集部四十六、別集類存目三，頁 5（冊）－170-171。

[103] 《明詩話全編》（七），頁 7321-7322。

> 今非無學古者，大要取古人之極膚、極狹、極熟便於口手者，以為古人在是。使捷者矯之，必於古人外，自為一人之詩以為異。要其異，又皆同乎古人之險且僻者，不則其俚者也。……內省諸心，不敢先有所謂學古不學古者，而第求古人真詩之所在。真詩者，精神之所為也。察其幽情單緒，孤行靜寄於喧雜之中，而乃以其虛懷定力，獨往冥遊於寥廓之外。

鍾惺指出明代的兩項文學趨向：學古者與不學古者。學古者往往為了方便學習，就以口、手的安適性為度，學習古人詩歌的外表、局部，以及已經熟為人知的部分。不學古者，雖要凸顯自己一人在古人之外，最後還是落入以險僻、俚俗離異主流的窘境，故其既難救學古之弊，甚而還入古人之弊。不學局部形貌，自應領悟真詩的精神。何謂真詩？真詩是由精神所構成。精神為何？即是潛藏在作品之中的幽情單緒、虛懷定力。

何謂幽情單緒？應指深遠而孤單的情感端緒。這種情緒，彷彿是置身在喧囂煩雜之中，卻能保有個人孤靜的情緒。幽單的特點，展現詩人能夠別出大眾，表達內在的個殊情感[104]，而等待讀者、學

---

[104] 黃卓越先生說：「鍾譚『寂寞』一語，可向兩個意義方向展開，一是與庶眾、大眾相對的單一個體的靈魂境地，這點猶為譚序所強調，以之為『真有性靈』所在者，又稱之為『孤懷』、『孤詣』。二是指一種清淨、甚至是空曠、無欲的心理壯態，這在鍾惺評譚元春『本自孤迥』一節中有清楚的表達。」而此處的「單」「幽」亦具有此二層意。於是，本文嘗試將此講究內在的、單一的文學論述，視為相對於向外在學習的、追求普遍法則的七子派。見氏著：《明中後期文學思想研究》，頁254。

者去鑒察體貼。此主張便要避免學習前人、尋繹普遍法則，卻流於膚淺、褊狹、熟濫的缺失。

至於虛懷定力，乃指一種可以獨冥悠遊於寂寥清靜的胸懷與力量。鍾惺既強調詩人的虛靈胸懷，也重視虛靈當中的渾厚定力，此乃針對公安師心流弊而發。鍾惺〈陪郎草序〉云：「夫詩，以靜好柔厚者為教者也，今以為氣不豪，語不俊，不可以為詩……豪則喧，俊則薄。喧不如靜，薄不如厚。」[105]就此看出，鍾惺以「靜」「厚」做為詩歌評價中的重要標準。不喜「喧」，故強調詩宜取幽靜；不喜「薄」，故強調性靈渾厚。性靈渾厚，所以能夠救治虛靈之詩，「厚出於靈，而靈者不能即厚……然必保此靈心，方可讀書養氣以求其厚。」[106]將性靈用於詩作，是件可貴的事，但詩亦須講究「厚」，「厚」不能自性靈直接流出，需賴讀書、養氣，予以濡化。至此，可謂以靈心學古，而所學者非高古格調，而是古人靈心。學習古人之靈心，則能使詩厚，但厚詩又必然出自作者性靈。

以上的詮釋，是將「孤行靜寄於喧雜之中」、「獨往冥遊於寥廓之外」做為「幽情單緒」「虛懷定力」進一步申說的內容，俱指學者可以察覺到的作者精神。當然，若將「孤行靜寄於喧雜之中」、「獨往冥遊於寥廓之外」繫於學者亦無不可，即因學者深發作者的「幽情單緒」「虛懷定力」後，讀者自能「孤行靜寄於喧雜之中」、「獨往冥遊於寥廓之外」，待此等反饋於性靈之中，「厚」便能汩汩不絕了，其亦可轉換成文學創作時重要基礎與動力。

---

[105] 《明詩話全編》（七），頁 7568-7569。

[106] 〈與高孩之觀察〉，《明詩話全編》（七），頁 7575-7576。

「幽情單緒」「虛懷定力」的論述，是一個讀者鑒賞作品精神的方法，也是發掘古人精神的方法。當學者能以此讀詩，詩方能轉「真」。此外，當古人將其「幽情單緒」「虛懷定力」佈落於文字之間，亦可成就一種所謂「孤深幽峭」的詩歌風格。唯《詩歸》所評，也不專指這一種風格而已[107]，因此，我們可以說：鍾惺綜合七子與公安的得失，獨闢一徑，但是「幽情單緒」「虛懷定力」，被館臣以「纖詭幽渺」涵蓋之。館臣並認《詩歸》表現新（儁）、異（玄妙）的文學主張[108]，是造成明詩極弊的原因，且更引以錢謙益「詩妖」的說法，強化詩弊的狀況。[109]綜上所述，館臣將竟陵派的

---

[107] 劉明今先生云：「《古詩歸》中選了大量的穠豔婉麗的情歌、民歌，《唐詩歸》共三十六卷，杜甫一人為六卷，孟郊與李賀合一卷，賈島才十四首，且無一句評語，顯然不為所重。」王運熙、顧易生主編：《中國文學批評通史》，頁 524。

[108] 關於《詩歸》新異的標準問題，可參見毛洪文、鄢傳恕：〈評《詩歸》〉，《荊州師範學院學報（社會科學版）》，2002 年第 4 期；謝國旺：〈《古詩歸》選詩的標準〉，《河南教育學院學報（哲學社會科學版）》，2006 年 6 期；裴世俊：〈竟陵派選本《詩歸》的特色與詩史地位〉，左東嶺主編：《二〇〇五明代文學國際學術研討會論文集》（北京：學苑出版社，2005.12），頁 275－285。至於「幽深孤峭」的詩風研究，請參見劉德重、魏宏遠：〈鍾、譚「幽」「寒」心境與「竟陵體」之形成〉，《上海大學學報（社會科學版）》，2006.5。

[109] 見《列朝詩集小傳》（臺北：世界書局，1963.2）〈丁集中　鍾提學惺〉：「鍾、譚之類，豈亦〈五行志〉所謂詩妖者乎！」，頁 571。又受館臣極為推崇的朱彝尊《明詩綜》，《景印文淵閣四庫全書》，卷七十一，〈譚子詩歸〉，頁 1460（冊）－625，亦又相類記載：「張文寺云：『伯敬入中郎之室，而思別出奇，以其道易天下，多見其不知量也。友夏別出蹊徑，特為雕刻，要其才情不奇，故失之纖；學問不厚，故失之陋；性靈不貴，故失之

詩歌，壓縮成「纖詭幽渺」；將其詩學，簡化成「盡亡詩法」，沒有相應的理解與欣賞。

第四節　結　語

經過上文討論，我們可以發現以下幾個現象：

第一、在《總目》「詩文評類」的著錄書部分，南朝人撰書四部(110)、唐代兩部、宋代三十九部、元代四部、明代六部、清代九部，共計六十四部。存目書部分，唐代四部、宋代十七部、元代八部、明代四十部、清代十六部，共計八十五部。著錄書與存目書區別，除了有文獻真偽的判定外，與館臣的主觀評價亦有密切關係。歷朝文獻數量，以宋代總數（五十六部）最多，其次為明代（四十六部）。可是：宋代的著錄書仍多於存目書兩倍以上，而明代的著錄書卻僅為存目書的六分之一；明代前後七子的著作，全被置於存目書之列。故明代文獻受到某程度貶退。(111)

第二、館臣所建構的批評史圖像，多以七子派為檢討對象。其

鬼；風雅不道，故失之鄙。一言以蔽之，總之不讀書之病也。』」亦將其類同於師心之流。

(110) 嚴格說來僅有三部，因其中包含黃叔琳的《文心雕龍》輯注本。

(111) 《總目》〈詩文評類敘〉云：「宋、明兩代，均好為議論，所撰尤繁。雖宋人務求深解，多穿鑿之詞；明人喜作高談，多虛憍之論。」館臣視明人評論多為高談、虛憍，即從評論內容來斷定良窳。此外，前後七子十四人，《總目》收錄十三人四十四種著作，著錄書十四種（約 31.8%）、存目書三十種（約 68.2%），請參見本書【附錄三】《總目》前後七子著作收錄情形一覽表。

將七子派簡單化、標籤化為師古流派，並屢屢強調流弊——摹擬。於是，館臣經常提點其他著作中，有關反摹擬的部分，似有補證七子派罅隙之意。

第三、七子派既被簡單化為「文必秦漢，詩必盛唐」，並以李、何，王、李做為代表人物，如此一來，實未能梳理社群內部的複雜現象與理論。

第四、在七子派的論述內部，「情以發之」、「自創一堂室」等提法，則非摹擬二字可以收攏。若不重新細究其間複雜性，七子派的歷史圖像難有立體化的呈現。[112]

第五、晚明主要的反復古社群，〈提要〉以公安、竟陵概之，但亦未置予佳詞，且以「極弊」論之。其中，甚而肯定錢謙益對竟陵「詩妖」之說。如此，竟陵嘗試在七子派與公安派中尋找聯繫的論述，則受到輕忽。

---

[112] 雖說如此，《總目》有時也另具他種見解，如〈二家詩選提要〉云：「《二家詩選》二卷，國朝王士禎刪錄明徐禎卿、高叔嗣二人詩也。明自宏治以迄嘉靖，前後七子軌範略同，惟禎卿、叔嗣雖名列七子之中，而泊然於聲華馳逐之外。其人品本高，其詩上規陶、謝，下摹韋、柳，清微婉約，寄託遙深，於七子為別調。越一二百年，李、何為眾口所攻，而二人則物無異議。王世懋之所論，其言竟果驗焉。（語詳蘇門集條下）豈非務外飾者所得淺，具內心者所造深乎？」《二家詩選》乃王士禛選錄徐禎卿、高叔嗣二人作品而成，館臣在述評時，參引王士懋的李、何與徐、高的對比性評價，而有「於七子為別調」之評論。至於構成別調的理由，在於詩學陶、謝、韋、柳，清微婉約，寄託遙深。見《總目》，卷一百九十、集部四十三、總集類五，頁 5（冊）－104-105。唯此說為《總目》少見之看法；又其將作詩，分為出自外飾與內心兩類，用以區別李、何與徐、高，但李、何亦非無「內心」之說，可見館臣所見仍顯粗糙。

第六、若以復古的角度來看，茶陵派與七子派有理論脈絡上的關聯性。若從情感的角度來看，七子與公安派、竟陵派也有理論脈絡上的關聯性。《總目》的談法，以復古做為觀察明代批評史的主要視角，並以模擬做為七子的歷史圖像，此外，開明代門戶。如此一來，七子派成為全程時間的中點，而其與前、後文學社群，充滿對治的緊張性[113]，至於內部批判繼承的部分，就相對隱晦不彰了。

第七、從七子派開始，明朝進入了黨同伐異的文學時代，這正是館臣要全力批判、糾正的文化現象[114]。或因如此，館臣對於公安、竟陵追求抒發個人情感，甚至流於叫囂粗豪的個性化文學主張，反而較少著墨壓抑。當然，館臣認為明朝整體文學發展歷史，是退化的，所以公安、竟陵也不會因提倡性靈之說，而受到主張「言志」的館臣們特別獎掖。

---

[113] 當然，此不意謂文學社群之間，不存在對抗的緊張關係。唯在對抗行動的深層脈絡裏，彼此只有異質性的對列關係？還是尚存同質性的延展關係？這是值得思考的問題。高小康先生就曾簡要地勾勒七子派、唐宋派、公安派、竟陵派之間的依違關係，值得參考。敏澤：《中國文學思想史》（長沙：湖南教育出版社，2004.4），頁 311-324。此外，章培恆先生曾從袁宏道「草昧推何李，聞知與見知，機軸雖不異，爾雅良足師。」（〈答李子髯〉其二）對何、李態度為線索，以「情感」為切入點，考察並推論李夢陽與公安派有繼承關係。參見氏著：〈李夢陽與晚明文學新思潮〉，收入羅宗強編：《古代文學理論研究》（武漢：湖北教育出版社，2002.10），頁 398-414。

[114] 館臣更把黨同伐異的時間點定在李孟陽，〈空同集提要〉云：「……其堅立門戶至於如此……今並錄而存之，俾瑕瑜不掩，且以著風會轉變之由與門戶紛競之始焉。」《總目》，卷一百七十一、集部二十四、別集類二十四，頁 4（冊）－528。

第四章　祖宋與神韻：清朝批評史圖像及其文學思想

第一節　前　言

《總目》清代「詩文評類」著錄書共計九部，分別為：吳景旭《歷代詩話》、黃宗羲《金石要例》、王士禛❶《漁洋詩話》、郎廷槐和劉大勤《師友詩傳錄、續錄》❷、趙執信《聲調譜》、趙執

❶ 王士禛之名，《總目》作「士禎」，其原因：「士禎初名士禛，卒後，以避世宗諱，追改士正。乾隆三十年，高宗與沈德潛論詩，及士正，諭曰：『士正績學工詩，在本朝諸家中，流派較正，宜示褒，為稽古者勸。』因追謚文簡。三十九年，復諭曰：『士正名以避廟諱致改，字與原名不相近，流傳日久，後世幾不復知為何人。今改為士禎，庶與弟兄行派不致淆亂。各館書籍記載，一體照改。』」見趙爾巽等：《清史稿》（北京：中華書局，1998.1），卷二百六十六、列傳五十三、〈王士禎傳〉，頁 9954。本文徵引文獻時，則依文獻原樣表示；非徵引文獻時，則以原名行文。

❷ 郎廷槐、劉大勤皆問詩於王士禛，而《清史稿》，卷一百四十八、志一百二十三、〈藝文四〉、集部、詩文評類載：「《師友詩傳錄》一卷，郎廷極撰；《續錄》一卷，劉大勤撰」實為二書，館臣〈提要〉併錄之。唯《師友詩傳錄》作者應為郎廷槐，非郎廷極。關於這兩本書的版本考證，請參見蔣寅：《清詩話考》（北京：中華書局，2007.1），頁 44-45、281-283。

信《談龍錄》、厲鶚《宋詩紀事》、鄭方坤《全閩詩話》、鄭方坤《五代詩話》。

在這九部書的〈提要〉中，提到王士禛者共有五篇（〈漁洋詩話提要〉、〈師友詩傳錄、續錄〉、〈聲調譜提要〉、〈談龍錄提要〉、〈五代詩話提要〉）足見王士禛在清初文壇的影響力，當然，也可以說是——館臣凸顯、建構清代文學批評史的「王士禛現象」。所謂「王士禛現象」，乃指館臣以王士禛詩學——神韻說做為建構清初批評史的焦點，側重神韻說「內在理路」❸的詮釋與評價，並旁及神韻說「擴散效應」的勾勒與反省。不僅如此，館臣也批判性地繼承王士禛詩學❹，以期建立一個新時代的文學趨向，而成為神韻說「擴

❸ 本文所謂「內在理路」（inner logic），乃借用余英時先生研究清代思想史所提出的看法：「每一個特定的思想傳統本身都有一套問題，需要不斷地解決；這些問題，有的暫時解決了；有的沒有解決；有的當時重要，後來不重要，而且舊問題又演生新問題，如此流傳不已。……你要專從思想史的內在發展著眼，撇開政治、經濟及外面因素不問，也可以講出一套思想史。」換言之，此觀念是相對於歷史解釋的「外緣說」。參見氏著：〈清代思想史的一個新解釋〉，收入氏著：《論戴震與章學誠》（北京：三聯書店，2005.1），頁 325。余先生所說是就研究者（我）面對研究對象（清代思想史），尋找思想史內部發展的脈絡；而本文轉為研究者（館臣）面對研究對象（清代文學批評史）而言，兩者性質略有不同。此外，關於余先生的思想史方法學，參見丘為君：《戴震學的形成》（臺北：聯經事業出版有限公司，2004.7），頁 301-319。

❹ 館臣批判性地繼承王士禛見解，實不限於文學範圍，據楊晉龍先生統計《總目》內容指出：收錄歷朝個人著作的數量，以毛奇齡的六十一種居首，其次為王士禛的三十三種。此外，共有二百五十五部著作〈提要〉提及、引述或討論王士禛的意見。見氏著：〈王士禛在《四庫全書總目》中的地位初探〉，《中國文學研究》第七期，1993.5 頁 2-6。另請參見本書【附錄四】：

散效應」下的一份子。

本章擬就上述著作〈提要〉，闡述《總目》「王士禛現象」的「內在理路」與「擴散效應」。此外，在上述五部著作中，除了《漁洋詩話》為王士禛所作外，其餘四部繼承或批判王士禛詩學，所以本章將王士禛「擴散效應」下的批評家們，又分為連結型與背離型兩類，展開討論。所謂連結型，乃指受擴散效應影響，將自我詩學主張連結於王士禛神韻說（此現象本文統一稱「『擴散－連結』效應」）；所謂背離型，乃指受擴散效應影響，而起身批判王士禛神韻說（此現象本文統一稱「『擴散－背離』效應」）。

《總目》常採取的考證視角，評述著作良窳，所以本章在「王士禛現象」外，擬通過其他〈提要〉，稍加討論考證視角下的遮蔽情形，當然，這不意味因考證視角而有所遮蔽的現象，只出現在事涉「王士禛現象」以外的〈提要〉而已❺。

「王士禛現象」同樣也出現在存目書〈提要〉中，只是存目書共計十五部，數量多於著錄書。此外，《總目》從選錄存目書，到書寫存目書〈提要〉，都表現出較為零散的文學思想內容。這種現象，我們可以透過葛兆光先生對思想史書寫的反省，獲得一些啟示。葛先生說❻：

《總目》王士禛著作收錄情形一覽表。

❺ 關於考證方法自身的有效限度，已在第二章第五節討論，此不贅述。本章僅就操作考證方法後，所得的文學現象而論。

❻ 葛兆光：《中國思想史——導論　思想史的寫法》（上海：復旦大學出版社，2003.6），頁71。

> 思想史常常不願意敘述思想彷彿停滯或顯得平庸的時代。從思想史的敘述形式上說，也許是因為天才思想的缺席，使習慣於過去按照思想家來分配章節的撰述者覺得無從措手，於是使思想史不得不出現「空白」；從思想史的敘述觀念上說，也許是因為進化論的樂觀主義使思想史家相信，這只不過是可以省略的時段，他們的責任是把思想史寫成一個不斷推陳出新的大鍊條；從思想史的寫作心情上說，也許是這個時代的平庸難以激動歷史學家，千人一面的沉悶打消了他們深入探究的欲望。可是，這一方面是由於「由今溯古」的思路，今人預設它是「空白」，往往是因為先已在心中預存一個對思想歷史的價值判斷尺度，另一方面是「因人設崗」的寫法，撰寫者斷定沒有足夠設置到章節的思想家，於是把這些「二三流」的思想一概忽略不計，於是，思想史彷彿有了斷裂，有了空白。

本章以文學批評史的角度，去看待《總目》「詩文評類」的內容，故在學術本質上，與思想史研究有著明顯不同。首先，《總目》「詩文評類」所關注的對象是文學批評的文本，而非哲學思想的文本；其次，《總目》的敘述方法，不是以偉大的思想家所經歷的事件、重大觀念，做為敘述主軸，而是貼著實存的文獻、著作，個別地進行述評。但是，當我們書寫、閱讀思想史或批評史時，都會面臨某段「空白」歷史。誠如葛先生所說的：「可是，如果換一種思想路，也許『空白』恰恰是一種有意思的內容，而『斷裂』恰恰是一種有意義的連續。」那《總目》未收、禁燬所造成的「空白」，也可以是飽含意義的。

如果我們將《總目》當做一個抽象的舞臺，那著錄書可說是「在場」的主角，存目書可說是「在場」的配角，至於未錄書、禁燬書，就成為舞臺上的「缺席」者。「在場」者之所以能在場，必須符合兩個條件：第一、它們是實際存在的著作，這也是「在場」的必要條件。第二、它們必需經過館臣的篩選，不符合價值標準者予以棄去，符合標準者予以保存。即成為「在場」者的充分條件為——須符合價值標準。當然，「在場」的形式，又被區分為「著錄」與「存目」兩種位置，其「在場」位置之所以不同，是因為它們在價值體系內部，又進行了一次價值判斷。所以，借用葛先生的說法，著錄書是「天才」者，著錄書與存目書以外的著作就是可被忽略不計的「二三流」者。事實上，哪怕是二三流，他們會因缺席而積極凸顯「在場」者的重要性，因此，「缺席」卻又同時展現「成就」的力量與意涵。

正因為「在場」與「缺席」具有弔詭而相成的意義，所以，在面對繁多而零散的存目書及其〈提要〉時，就可以運用「缺席」者來逼顯「在場」者的價值與意義。本章在討論存目書時，擬以文學史、文學批評史中的「並稱」（如「錢、王」虞山派與神韻派）、「國朝六家」（「南施北宋」、「南朱北王」、「西泠十子」等）人物關係，做為參照系統，展開「在場」與「缺席」的討論。

第二節 《總目》著錄書中「王士禛現象」與考證視角下的遮蔽現象

館臣凸顯、建構「王士禛現象」，約從「內在理路」與「擴散效應」兩方向展開論述。下文先就「內在理路」進行分析，然後再涉及「擴散效應」，最後補充考證視角下的遮蔽狀況。

一、王士禛現象中詩學「內在理路」與「擴散—連結」效應

下文以王士禛與其繼承者的相關著作為討論核心。

〈漁洋詩話提要〉❼云：

> 是編乃康熙乙酉士禛歸田後所作，應吳陳琰之求者。初止六十條，戊子又續一百六十餘條，裒為一集，付其門人蔣景祁刻之。士禛論詩，主於神韻，故所標舉，多流連山水、點染風景之作，蓋其宗旨如是也。其中多自譽之辭，未免露才揚己。又名為詩話，實兼說部之體，如記其弟（曾案：應作「其兄」）士祜論焦竑字，徐潮論蟹價，汪琬跋其兄弟尺牘，冶源馮氏別業，天竺二僧詬誶，劉體仁倩人代畫，諸事皆與詩渺不相關。雖宋人詩話往往如是，終為曼衍旁文，有乖體例。至如石谿橋壁書絕句，乃晚唐儲嗣宗詩，點易數字，士禛不辨，而盛稱之，亦疎於考證。然其中清詞佳句，採掇頗

❼ 《總目》，卷一百九十六、集部四十九、詩文評類二，頁5（冊）－249。

精，亦足資後學之觸發，故於近人詩話之中，終為翹楚焉。

這段文獻，大約述評數事：第一、《漁洋詩話》應作於士禛七十二歲歸田以後（康熙乙酉、四十四，1705 年），成於康熙戊子、四十七年（1708 年）❽，故為士禛晚年作品。第二、《漁洋詩話》之內容，不脫「神韻」之宗旨，故多標舉「流連山水、點染風景之作」。第三、《漁洋詩話》的缺點有——多有自譽之辭，露才揚己；體兼說部，所述或有與詩歌無關者；有疏於考證之處。至於優點則為——「清詞佳句，採掇頗精」，故可謂近人詩話的翹楚。

綜上所述，《總目》既稱《漁洋詩話》為近人詩話翹楚，頗有高度肯定之意。唯在細節上，館臣尚有貶抑之詞，如《漁洋詩話》體兼說部，故時而曼衍與詩歌無關的論載；又部分考證不夠精辨，如《漁洋詩話》卷上「蜀隆昌縣地名石谿橋，有堊書一絕句『……』不著名氏」❾應點化於儲嗣宗詩歌❿。整體而言，館臣雖

---

❽ 館臣應據《漁洋詩話·原序》所云：「今南中所刻《昭代叢書》，有《漁洋詩話》一卷，乃摘取五言詩、七言詩凡例，非詩話也。康熙乙酉，余既遂歸田，武林吳寶厓陳琰書來，云欲撰本朝詩話，徵余所著。無暇剌取諸書，乃以余平生與兄弟友朋論詩，及一時談諧之語，可記憶者雜書之，得六十條。南郵行急，脫橐即以付之，不復竄改。戊子秋冬間，又增一百六十餘條。」見丁福保：《清詩話》（臺北：西南書局有限公司，1979.11），頁 140。唯蔣寅據《漁洋山人自撰年譜》卷下惠棟所補，和黃叔琳〈漁洋詩話序〉末題署日期，將此書繫於康熙四十九年。蔣說見氏著：《王漁洋事迹徵略》（北京：人民文學出版社，2001.10），頁 553。

❾ 見《漁洋詩話》，《清詩話》，頁 146。另較早成書的《池北偶談》（北京：中華書局，2006.2），卷十五「談藝五」、「石溪亭」條亦載此詩，足見王士禛頗欣賞該絕句，頁 371。

然推揚《漁洋詩話》，但仍不掩簡化神韻說的傾向。

㈠ 闡述神韻說的歷史意義與理論意義

眾所周知，神韻說確是王士禛重要的詩學主張。〈漁洋詩話提要〉將「神韻」做為前理解，檢查《漁洋詩話》所推舉之作，而得出重視「流連山水、點染風景」作品的結論。館臣此類看法，貫串在整部《總目》之間。以下臚列數則，以利討論：

〈精華錄提要〉⓫云：

> 士禎談詩，大抵源出嚴羽，以神韻為宗。其在揚州作〈論詩絕句〉三十首，前二十八首皆品藻古人，末二首為士禎自述。其一曰：「曾聽巴渝里社詞，三閭哀怨此中遺。詩情合在空舲峽，冷雁哀猿和竹枝。」平生大指，具在是矣。惟吳喬竊目為「清秀李于鱗」（見《談龍錄》），汪琬亦戒人勿效其喜用僻事新字（見士禎自作《居易錄》），而趙執信作《談龍錄》排詆尤甚。平心而論，當我朝開國之初，人皆厭明代王、李之膚廓，鍾、譚之纖仄，於是談詩者競尚宋、元。既而宋詩質直，流為有韻之語錄；元詩縟艷，流為對句之小

---

❿ 〈石谿亭絕句〉為：「桃花依舊放山青，曲几焚香對畫屏。記得當年春雨後，燕泥時汙石溪亭。」而儲詩〈小樓〉：「松杉風外亂山青，曲几焚香對石屏。記得去年春雨後，燕泥時污太元經。」兩詩確有近似處。見〔宋〕周弼：《三體唐詩》（《景印文淵閣四庫全書》，臺北：臺灣商務印書館，1986.3），卷二，頁 1358（冊）－20。當然，王士禛僅記絕句，實未必不知儲氏有詩。

⓫ 《總目》，卷一百七十三、集部二十六、別集類二十六，頁 4（冊）－584-585。

詞。於是士禎等以清新俊逸之才，範水模山，批風抹月，倡天下以「不著一字，盡得風流」之說，天下遂翕然應之。然所稱者盛唐，而古體惟宗王、孟，上及於謝脁而止，較以〈十九首〉之驚心動魄，一字千金，則有天工、人巧之分矣。近體多近錢、郎，上及乎李頎而止，律以杜甫之忠厚纏綿，沉鬱頓挫，則有浮聲切響之異矣。故國朝之有士禎，亦如宋有蘇軾、元有虞集、明有高啟。而尊之者必躋諸古人之上，激而反脣，異論遂漸生焉，此傳其說者之過，非士禎之過也。是錄具存，其造詣淺深，可以覆按。一切黨同伐異之見，置之不議可矣。

〈唐賢三昧集提要〉⓬云：

禎少年嘗與其兄士祿撰《神韻集》，見所作《居易錄》中。然其書為人改竄，已非其舊，故晚定此編，皆錄盛唐之作。名曰三昧，取佛經自在義也。詩自太倉、歷下，以雄渾博麗為主，其失也膚；公安、竟陵，以清新幽渺為宗，其失也詭。學者兩途並窮，不得不折而入宋，其弊也滯而不靈，直而好盡，語錄、史論皆可成篇。於是士禎等重申嚴羽之說，獨主神韻以矯之。蓋亦救弊補偏，各明一義。其後風流相尚，光景流連。趙執信等遂復操二馮舊法，起而相爭。所作《談龍錄》，排詆是書，不遺餘力。其論雖非無見，然兩說

⓬　《總目》，卷一百九十、集部四十三、總集類五，頁 5（冊）－104。

> 相濟，其理乃全。殊途同歸，未容偏廢。今仍並錄存之，以除門戶之見。又閻若璩《潛邱箚記》有〈與趙執信書〉，詆此集所錄，如張旭四絕句，本宋蔡襄詩，而誤收。……引据精詳，皆切中其病。然士禎自品詩格，原不精於考證，若璩所云，不必為是集諱，亦不必為是集病也。

〈十種唐詩選提要〉⑬云：

> 編取唐人總集八家，及摘宋姚鉉《唐文粹》所載諸詩，各為刪汰。凡《河嶽英靈集》一卷……附以士禎所選《唐賢三昧集》，共為十種。其去取一以神韻為宗，猶其本法。

館臣認為王士禛神韻主張，全面展現在各式文學活動中，諸如文學創作的《精華錄》，選集的《唐賢三昧集》、《十種唐詩選》，詩評的《漁洋詩話》等等。尤其前兩則〈提要〉，嘗試安頓神韻說的歷史意義與理論意義。

1.神韻說的歷史起因——矯宋詩之弊？

所謂歷史意義，乃是尋求若干歷史事件在時間脈絡裏的因果關係與意義⑭；所謂理論意義，乃指將事件抽離於時間脈絡之外，尋

---

⑬ 《總目》，卷一百九十四、集部四十七、總集類存目四，頁 5（冊）－195。

⑭ 本文的歷史意義，乃就解釋歷史發展的原因而言。借用柯林伍德的提法，歷史家若要重演歷史，他必須從行動者（即歷史當事人）的處境開始，找出行動者的處境動機和意圖，並將兩者連貫起來，即表明行動者意圖是自我處境動機的反應。參見〔美〕雷克斯·馬丁著、王曉紅譯：《歷史解釋：重演和

繹事件與事件之間的內在關係。

從明朝到清初，館臣重建一個四段式的歷史圖像：由明朝七子（云「王、李」或「太倉、歷下」），經公安與竟陵、到清初宗宋元、神韻四個段落。每個段落中的文學社群或主張，被凝縮成個別事件；前後事件在時間流裏，產生簡明而強烈的因果關係。若我們進一步檢視個別歷史段落的內容，亦可在理論層次上，找到彼此間破裂的、救治的連續關係。

前後文學社群或主張為何是破裂的狀態？因為前後的接續不是順承型態，而是歧出型態；至於歧出的界點，正在「救弊補偏」的意圖上。換言之，後起者置身於先行者所構作的文學處境時，他們的行動意圖，不在壯盛前行者的社群、光大前行者的主張，而是採取興起新社群、宣揚新主張的方式，並亟欲取代前者。因此，七子雖以追求雄渾博麗為主，但失之膚廓；公安、竟陵變以清新幽渺，但又流於纖詭；宋元派欲擴大公安、竟陵之境，卻失於直質和縟豔。時入王士禛，則用神韻宗旨，救濟宋元之弊。

《總目》的四段式批評史圖像，其實隱含了許多疏漏。⓯其中，關於王士禛神韻派的興起，清末民初四庫學著名學者胡玉縉先生在《四庫全書總目提要補正》指出：「《然鐙記聞》載士禛云：『吾蓋疾夫世之依附盛唐者，但知學為「九天閶闔、萬國衣冠」⓰

實踐推斷》（北京：文津出版社，2005.5），頁 60-63。

⓯ 關於明代的部分，請參見前章所述，此不贅說。

⓰ 原詩為王維〈和賈舍人早朝大明宮之作〉：「絳幘雞人送曉籌，尚衣方進翠雲裘。九天閶闔開宮殿，萬國衣冠拜冕旒。日色纔臨仙掌動，香煙欲傍袞龍浮。朝罷須裁五色詔，珮聲歸向鳳池頭。」見〔唐〕王維著、〔清〕趙殿成

之語，而自命高華，自矜為壯麗，按之其中，毫無生氣，故有《三昧集》之選，要在剔出盛唐真面目，與世人看，以見盛唐之詩原非空殼子、大帽子話，其中蘊藉風流，包含萬物，自足以兼前後諸公之長』云云，〈提要〉所謂矯折而入宋之弊，亦失其旨。」⑰即神韻說非周折地起於對治宗宋主張，而是從宗唐派的缺失直接開出。

何承璂《然鐙紀聞》所載，原為李鑑湖請益王士禛，謂學詩者當學盛唐或晚唐詩？士禛答以：「『初』『盛』有『初』『盛』之真精神、真面目，『中』『晚』有『中』『晚』真精神、真面目。學者從其性之所近，伐毛洗髓，務得其神，而不襲其貌，則無論『初』『盛』『中』『晚』，皆可名家。不然，學『中』『晚』而止得其尖新，學『初』『盛』而止得其膚廓，則又無論『初』『盛』『中』『晚』，均之無當也。」⑱何承璂因《唐賢三昧集》不及初、中、晚等三唐，而演繹出士禛應欲時人只學盛唐，故士禛發覆胡氏所徵引之文，以回應何承璂之過度詮釋。

《唐賢三昧集》作於康熙二十七年⑲，《十種唐詩選》成於稍

注：《王右丞集箋注》，《景印文淵閣四庫全書》，卷十，頁 1071（冊）—129。

⑰ 楊家駱：《四庫大辭典附四庫提要補正》（臺北：中國辭典館復館籌備處，1967.4），卷五十八，頁 408-409。

⑱ 〔清〕何承璂：《然鐙紀聞》，見丁福保：《清詩話》，頁 103-104。據蔣寅先生考證，《然鐙紀聞》應作於康熙三十二年，見氏著：《王漁洋事迹徵略》，頁 393-394。唯蔣氏於《清詩話考》另作康熙三十一年，疑誤，頁 276。

⑲ 據蔣寅先生考察，學界常藉漁洋自序，謂《唐賢三昧集》刊於康熙二十七年，然該年漁洋居喪，不宜有所述作，故盛符升〈十種唐詩選序〉才有：

後[20]。在《三昧集》刊出以後，對於詩壇產生重大影響。[21]其中，有認為該集乃針對學唐之弊而來，如姜宸英〈唐賢三昧集序〉

「壬申（曾案：康熙三十一年）春，我師漁洋以《唐賢三昧集》垂示」云云，故該書應於康熙三十二年才印成行世。見蔣寅著：〈《唐賢三昧集》與王漁洋詩學之完成〉，收入氏著：《王漁洋與康熙詩壇》（北京：中國社會科學出版社，2001.9），頁 74。

[20] 《十種唐詩選》的成書時間，有不同的說法。惠棟在〈漁洋山人自撰年譜〉「康熙二十六年」下，註補：「是年取唐人殷璠、高仲武諸家之選，各加刪定，而益以韋莊《又玄》、姚鉉《文粹》通為《唐選十集》，屬門人盛珍示、王我建校刊」並置於翌年之《唐賢三昧集》前。見〔清〕惠棟：《漁洋山人精華錄訓纂》（臺北：中華書局，1971.2），〈漁洋山人自撰年譜〉卷下，頁 5。蔣寅《王漁洋事迹徵略》依惠棟註，亦繫於康熙二十六年，見頁 330。然蔣氏在《王漁洋與康熙詩壇》卻認為編於《三昧集》之後。今查王士禛〈答秦留仙宮諭書〉：「《三昧》一集，偶然成書，妄欲令海內作者識取開元、天寶本來面目。又妄謂後世選唐人詩，較唐人自選，終隔一塵，故又嘗取殷璠、高仲武諸家之選，各加刪定，而益以韋莊《又玄》、姚鉉《文粹》，通為《唐選十集》」則似《三昧集》早於《十種唐詩選》，見〔清〕王士禛著、〔清〕張宗柟纂集、戴鴻森校點：《帶經堂詩話》（北京：人民文學出版社，1982.11），卷四，頁 109。又王士禛《十種唐詩選》（臺北：廣文書局，1971.4），前序——徐乾學〈十種唐詩選序〉云：「新城王先生既選唐詩為《唐詩三昧集》，又以唐人選唐詩九種，及姚鉉《文粹》所錄詩，汰其俚淺者，為《十種唐詩選》」盛符升〈序〉：「《唐賢三昧集》……集成，讀者靡不嘆其神簡……迺先生之意以為後人選唐詩，不若求之唐人，則見當代之遺則，復取唐人選唐詩九種……薈萃成編，共為十選。」尤侗〈序〉：「阮亭先生既自著《唐賢三昧集》，復取唐人選唐詩九家……合為《唐詩十選》」又有跋——徐乾學〈十種唐詩選書後〉：「今新城先生定《唐賢三昧集》，又選刻《十種唐詩》」等等，皆足證《三昧集》早於《十種唐詩選》。

[21] 見蔣寅：〈《唐賢三昧集》與王漁洋詩學之完成〉，《王漁洋與康熙詩壇》，頁 74-77。

云[22]：

> 選唐詩三昧者，所以別唐詩於宋、元以後之詩，尤所以別盛唐於三唐之詩也。……然今人之厭苦唐律者，必曰宋詩，且以新城先生嘗為之，此知其跡而不知其所以跡也。先生自序此選，謂別有會於司空表聖、嚴滄浪之旨，錄盛唐詩尤雋永者，自王右丞而下得四十二人。近時能詩家，每極論嚴以禪喻詩之非，而於高廷禮之分四唐，則按以當時作詩者之年月而駁之……故初、盛、中、晚，亦舉其大概耳。而盛唐之詩，實有不同於中、晚者。非獨中、晚而已，自漢、魏及今，有過之者乎？蓋論詩之氣運，則為中天極盛之運，而在作者心思所注，則常有不及。其盛之意，所為不涉理路，不落言詮，言有盡而意無窮，擬之於禪，則正所謂透徹之悟也。不求之此，而但廓落其體，規取浮響慢句，以為氣象，而托之盛唐，此正、嘉來稱詩者之過也，於前人乎何尤？

〈序〉明言《三昧集》所倡，乃以盛唐詩別出於兩類詩歌，其一為宋元以後之詩，另一為三（初、中、晚）唐之詩。至於盛唐詩的特質，則以司空圖、嚴羽詩學為宗旨。〈序〉進一步舉《滄浪詩話》「不涉理路，不落言詮，言有盡而意無窮，擬之於禪，則正所謂透徹之悟也。」藉此對反正德、嘉靖復古派的學彷形肖。因此，以盛

---

[22] 〔清〕姜宸英：《湛園集》，《景印文淵閣四庫全書》，卷一，頁 323（冊）－601。

唐別於宋元詩，或有如館臣所言者，乃欲救治清初宗宋派的弊病，但同時也針對學習唐詩的七子派而發，此與前述胡玉縉的見解，頗為契合。

當然，近於館臣之見，也曾出現在清初，宋犖《漫堂說詩》㉓云：

> 近日王阮亭《十種唐詩選》與《唐賢三昧集》，原本司空表聖、嚴滄浪緒論所謂：「言有盡而意無窮」、「妙在酸鹹之外」者。以此力挽尊宋祧唐之習，良於風雅有裨。至於杜之海涵地負、韓之鰲擲鯨呿，尚有所未逮。

宋犖認為王士禛神韻的內蘊，與姜宸英實無差別，但對神韻救弊的目的，則謂「力挽尊宋祧唐之習」。宋犖學詩，出入七子、三唐與宋㉔，且謂七古「上下千百年定當推少陵為第一」，七絕「太白、龍標絕倫逸羣」外，「少陵別是一體，殊不易學」㉕宋犖學習杜甫，並兼學三唐與宋，自與王士禛路數不同，故謂神韻難能體貼杜詩與韓詩。㉖宋犖之所以將神韻定位為「力挽尊宋祧唐之習」或與

㉓ 〔清〕宋犖：《漫堂說詩》，見《清詩話》，頁 373。

㉔ 據《漫堂說詩》所載，宋犖學習宋詩的時間在康熙十一至十二年之間，即於吳之振《宋詩鈔》稍後。《清詩話》，頁 377。另請參見本章第三節「四、餘論」。

㉕ 《清詩話》，頁 374、375。

㉖ 嚴迪昌先生認為宋犖雖為王士禛的後進，但他在康熙三十一年官調江蘇巡撫以後，曾輯刻《江左十五子詩》，於是形成與王士禛「並驅的格局」。見氏著：《清詩史》（杭州：浙江古籍出版社，2002.12），頁 541。

時風感觸有關。

康熙十年，吳之振完成《宋詩鈔》，宋犖曾於《漫堂說詩》言及此事，並抒己見㉗：

> 明自嘉、隆以後，稱詩家皆諱言宋，至舉以相訾謷，故宋人詩集，庋閣不行。近二十年來，乃專尚宋詩。至余友吳孟舉《宋詩鈔》出，幾於家有其書矣。孟舉〈序〉云：「黜宋者曰腐，此未見宋詩也；今之尊唐者，目未及唐詩之全，守嘉、隆間固陋之本，陳陳相因，千喙一倡，乃所謂腐也。」又曰：「嘉、隆之謂唐，唐之臭腐也。宋人化之，斯神奇矣。」蓋意主捄弊，立論不容不爾。顧邇來學宋者，遺其骨理，而撏扯其皮毛；棄其精深，而描摹其陋劣。是今人之謂宋，又宋之臭腐而已，誰為障狂瀾於既倒耶？

清初宗宋派的流風，據蔣寅先生觀察，應至王士禛編成《唐賢三昧集》以後，才逐漸止息並返回唐音。而宗宋積弊，宋犖明白指為「今人之謂宋，又宋之臭腐」，如同尊唐者一般，盡流於「遺其骨理，而撏扯其皮毛；棄其精深，而描摹其陋劣。」罷了。所以，藉此推說神韻派乃出於尊宋之弊，亦有可能。但是，我們也不能輕忽宋犖以「腐」字，同時形容尊唐與尊宋兩派弊端。因此，《總目》確有將複雜的歷史處境，予以簡化的傾向。

在此值得附帶一說的是：《總目》的看法雖然代表某種官方的

㉗ 《清詩話》，頁 372-373。

集體意見，但也不能忽視館臣之間的差異性。擔任分纂官的翁方綱則與《總目》看法有所不同，其〈漁洋先生精華錄序〉㉘云：

> 先生之詩，自《漁洋》前、後集，以訖《南海》、《雍益》、《蠶尾》諸集，可謂富矣。今約取之，而目曰《精華》，其果先生「精華」所在耶？且先生詩之「精華」，當於何處覓之？在當時，有謂先生祧唐祖宋者，固非矣；其謂專主盛唐者，亦有所未盡也。謂先生師韋、柳者，似矣，顧何以選《三昧集》而不及韋、柳？又謂具體右丞，似矣，然又何以鈔五言詩不及右丞？是皆未足以盡之也。

翁方綱對於漁洋詩歌特質，未做出最後判斷，但認為「祧唐祖宋」、「專主盛唐」二說，都無法盡其意，可知王士禛神韻主張，自有複雜性。㉙郭紹虞先生在《中國文學批評史》曾分析王士禛標

㉘ 〔清〕王士禛著，李毓芙、牟通、李茂肅整理：《漁洋精華錄集釋》（上海：上海古籍出版社，1999.12），下冊，頁 1979。

㉙ 當然，在翁〈序〉中，「祧唐祖宋」、「專主盛唐」應為形容神韻主張內質的語詞，而非形容主張企圖的語詞，唯參照前引宋犖所言，《三昧》《十種》乃為「力挽尊宋祧唐之習」，可知清人有將企圖與內容通用的傾向，即「專主盛唐」者乃具「挽祧唐祖宋之習」的意涵，反之亦然。此外，今存翁方綱分纂〈提要〉，屬詩文評類者，無論是否被《總目》收錄，今尚存《詩說》、《唐詩紀事》、《藝圃擷餘》、《吟窗雜錄》、《木天禁語》、《東坡文談錄》、《東坡詩話錄》、《存餘詩話》、《冰川詩式》、《玉笥詩談》、《恬志堂詩話》、《說詩樂趣附偶詠草續集》、《學稼餘譚》、《劉須溪評》等十種〈提要〉，都無關王漁洋著作。為何館臣將錢謙益的作品列為禁書，卻多又繼承錢謙益的看法，將明代至清初簡單二分為：師古而贗與

舉神韻說的動機，他說：「其一，是由於格調說的影響，早年之標舉神韻，恐即起因於此。其二，是對於宋詩流弊的糾正，則所謂『清利流為空疏，新靈寖以佶屈』，於是『以大音希聲，藥淫哇錮習』（曾案：引號內為王士禛門人王兆晟〈漁洋詩話序〉語），晚年之標舉神韻，則又起因於此。此二種動機不同，於是所謂神韻也者，即使是同一意義，也不能不異其作用。後人只見到他晚年定論，所以一說到神韻，便於盛唐王、孟之詩相聯，而似乎覺得與才調、格律等等全無關係了。」㉚

2.神韻說的理論精神——古澹閒遠

翁方綱所點出的複雜性，在劉大勤《師友詩傳續錄》㉛亦可見一斑：

問：「〈唐賢三昧集序〉『羚羊掛角』云云，即音流絃外之

師心而妄兩類，然後彼此互擊，卻沒引入王漁洋、翁方綱的綜合說法，則待另文處理。參見〔清〕翁方綱等撰、吳格、樂怡標校整理：《四庫全書分纂稿》（上海：上海書店出版社，2006.10），頁1153-1165。

㉚ 郭紹虞：《中國文學批評史》（臺北：藍燈文化事業有限公司，1988.10），頁457。郭紹虞先生細膩的見解，後來亦得黃景進先生、吳宏一先生等學者補證，而此說足以對照《總目》理解「神韻」的單薄程度。黃說見氏著：《王漁洋詩論之研究》（臺北：文史哲出版社，1980.6），頁69-75；吳說見氏著：《清代詩學初探》（臺北：臺灣學生書局，1986.1），頁171-176。當然，郭紹虞的說法，亦有再討論的空間，惟此無關本文要旨，暫不贅述，請參見陳國球：《明代復古派唐詩論研究》（北京：北京大學出版社，2007.1），〈附錄二 言「格調」而不失「神韻」〉。

㉛ 《清詩話》，頁127-128。

旨否？間有議論痛快，或以序事體為詩者，與此相妨否？」答：「嚴儀卿所謂『如鏡中花，如水中月，如水中鹽味，如羚羊挂角，無迹可求。』皆以禪理喻詩。內典所云不即不離，不粘不脫；曹洞宗所云參活句是也。熟看拙選《唐賢三昧集》，自知之矣。至於議論敘事，自別是一體。故僕嘗云，五、七言詩有二體，田園丘壑當學陶、韋，鋪敘感慨，當學杜子美〈北征〉等篇也。」

在王士禛的師生論詩中，劉大勤以《唐賢三昧集》〈序〉「羚羊挂角」32等語，推論該集以「音流弦外之旨」做為選詩標準。接著，

---

32 〔清〕王士禛選、〔清〕黃香石評、〔清〕吳退庵、〔清〕胡甘亭輯註：《唐賢三昧集》（臺北：廣文書局，1968.11），〈原序〉云：「嚴滄浪論詩云：『盛唐諸人，唯在興趣，羚羊挂角，無跡可求。透徹玲瓏，不可湊泊，如空中之音，相中之色，水中之月，鏡中之象，言有盡而意無窮。』司空表聖論詩亦云：『妙在酸鹹之外』康熙戊辰春杪，歸自京師，居宸翰堂。日取開元、天寶諸公篇什讀之，于二家之言，別有會心。錄其尤雋永超詣者，自王右丞而下四十二人，為《唐賢三昧集》，釐為三卷。合《文粹》《英靈》《閒氣》諸選詩，通為《唐詩十選》。不錄李、杜二公者，仿王介甫《百家》例也。張曲江開盛唐之始，韋蘇州殿盛唐之終，皆不錄者，已見《五言選詩》，故不重出也。」可見劉大勤的問題前提為——《唐賢三昧集》以「羚羊挂角」為標準——實有憑據。關於〈序〉謂不收李、杜、張，韋的原則，劉大勤曾產生疑問，《師友詩傳續錄》云：「（曾案：劉大勤）問：『《唐賢三昧集》所以不登李、杜，原〈序〉中亦有說，究未了然。』（曾案：王士禛）答：「王介甫昔《唐百家詩》，不入杜、李、韓三家，以篇目繁多，集又單行故耳。」《清詩話》，頁 130。然張寅彭先生認為士禛所謂據王安石之例，應為搪塞之語，因為王士禛對《唐百家詩選》多有微詞，請參見氏著：〈《唐詩三昧集》與詩、禪的分合關係〉，《文學遺產》，2001年2期。

他更追問一個問題：在「音流弦外之旨」的標準外，那些議論痛快、以序事為體的作品，該如何看待呢？仔細分析劉大勤的問句，應含有兩種不同指陳意思：第一、「間」字所指議論痛快、以序事為體的作品，乃單就《唐賢三昧集》所收的四百多首詩而言；即《唐賢三昧集》收有「羚羊挂角」的作品外，尚兼及議論痛快、以序事為體的作品。若此，劉大勤的疑問就在——〈唐賢三昧集序〉所說的標準與《唐賢三昧集》所收的作品，產生了不一致性（「相妨」）的現象。第二、「間」字所指議論痛快、以序事為體的作品，因出於《唐賢三昧集》的標準，所以不予收錄，但這一樣來，劉大勤的疑問就在——《唐賢三昧集》中所反映的（盛）唐詩現象，豈不與實存（盛）唐詩所反映的現象，有所出入呢？我們暫不細究劉大勤的語意為何？先看看王士禛的答覆。

從王士禛的回答可知：選編《唐賢三昧集》是為了凸顯會心於嚴羽「如鏡中花」之類，以禪理喻詩的精神。至於禪理，即是佛教經論「不即不離」、「不黏不脫」，曹洞宗「參活句」的意思。若能熟讀此《集》，這樣的道理就可不言而諭了。至於議論、敘事，士禛認為乃「別是一體」。就語言脈絡看來，「別是一體」的「是」字，可做為指示代名詞，即為「此」字，那麼「議論、敘事」乃別於《唐賢三昧集》中所收的「此」類作品。循此而下，「別是」作品之詩人——陶、韋、杜，當然也不列入《唐賢三昧集》中。[33]換言之，王士禛所說的是：《唐賢三昧集》所收的作

[33] 陶潛為東晉末季詩人，自不應入「唐賢」。而從王士禛〈唐賢三昧集原序〉可知，不收杜甫詩的理由為模仿王安石《百家詩選》體例；又張九齡與韋應

品，只是唐詩中的某種類型，其不能也不必取代他類作品。

如此說來，王士禛是針對劉大勤第二種問句語意而發的，這樣的答案是否回應劉大勤的疑問，已經難以考究。但我們若說劉大勤的疑惑，可能是落於上述第一種語意，應亦可成立。事實上，《唐賢三昧集》中的王維詩作，尚有〈夷門歌〉〈隴頭吟〉〈老將行〉等等帶有邊塞氣息者。其次，高適的〈燕歌行〉，實有敘事、有議論；〈人日寄杜二拾遺〉一詩，黃香石也曾以「收攝沉頓」說之。[34]那何以王士禛不認為這些作品，已逸出選取標準呢？黃香石〈跋〉頗能深中其理[35]：

> 漁池（曾案：當作「洋」）他日因論畫發明論詩之旨，以為古澹閒遠而中實沉著痛快，此非流俗所能知也。[36]又云沉著痛

物分別為盛唐始、末之人物，故不收錄其作，此實與正文所言不盡相同。事實上，《唐賢三昧集》收錄作者、作品與否，應有一定標準，唯不收錄並非就不重視，如王士禛並不否定杜甫的學習價值與詩史地位，〔清〕王士禛：《居易錄》云：「七言古詩，諸公一調，唯杜甫橫絕古今，同時大匠，無敢抗行。」即是明證，《景印文淵閣四庫全書》，卷二十一，頁 869（冊）—564。此外，王士禛所謂「體」的內涵，有語言形式層次（五言、七言），題材層次（田園丘壑、鋪敘感慨），技巧層次（議論、敘事），頗為複雜，下文再做申述。

[34] 〔清〕王阮亭撰、吳退庵等輯註：《唐賢三昧集箋註》（臺北：廣文出版社，1968.11），下卷，頁 7 左。

[35] 《唐賢三昧集》，〈原序〉後附文，頁 1 左。

[36] 語據〔清〕王士禛著、〔清〕張宗柟纂集、戴鴻森校點：《帶經堂詩話》（北京：人民文學出版社，1982.11），卷三：「宗姪茂（原祁），庚戌進士，今為禮科都給事中，太常煙客先生孫，同年端士兄（揆）長子也。畫品

快，非惟李、杜、昌黎有之，乃陶、謝、王、孟而下，莫不有之㊲。讀此集者，當知此意。

王士禛曾藉論畫闡發「古澹閒遠而中實沉著痛快」的詩學宗旨。依照文意，陶、謝、王、孟的作品，應屬「古澹閒遠」一類，但其間

與其祖太常頡頏，為予雜倣荊、關、董、巨、倪、黃諸大家山水小幅十幀，真元人得意之筆。又自題絕句多工，其二云：『蟹舍漁莊略彴邊，柳絲荷葉鬭清妍。十年零落荒園景，彷彿當時趙大年。』（〈西田圖〉）『橫岡側面出煙鬟，小樹周遮雲往還。尺幅巒容寫荒率，曉來剪取富春山。』（大癡〈富春山嶺〉）一日秋雨中，茂京攜畫見過，因極論畫理，其義皆與詩文相通。大約謂始貴深入，既貴透出，又須沈著痛快。又謂畫家之有董、巨，猶禪家之有南宗。董、巨後嫡派，元惟黃子久、倪元鎮，明惟董思白耳。予問：『倪、董以閒遠為工，與沈著痛快之說何居？』曰；『閒遠中沈著痛快，惟解人知之。』又曰：『仇英非士大夫畫，何以聲價在唐沈之間，徵明之右？』曰：『劉松年、仇英之畫，正如溫、李之詩，彼亦自有沈著痛快處。昔人謂義山善學杜子美，亦此意也。』」頁 86。

㊲ 語據《帶經堂詩話》，卷三：「芝廛先生刻其詩成，自江南寓書，命給事君屬予為序。給事自攜所作雜畫八幀過余，因極論畫理。以為畫家自董、巨以來，謂之南宗，亦如禪教之有南宗云。得其傳者，元人四家，而倪、黃為之冠。非是則旁門魔外而已。又曰：『凡為畫者，始貴能入，繼貴能出，要以沉著痛快為極致。』予難之曰：『吾子於元推雲林，於明推文敏。彼二家者，畫家所謂逸品也，所云沉著痛快者安在？』給事笑曰：『否，否。見以為古澹閑遠，而中實沉著痛快，此非流俗所能知也。』予曰：『子之論畫至矣。雖然，非獨畫也，古今風騷流別之道，故不越此。唐宋以還，自右丞以逮華原、營邱、洪谷、河陽之流，其詩之陶、謝、沈、宋、射洪、李、杜乎！董、巨，其開元之王、孟、高、岑乎！降而倪、黃四家，以逮近世董尚書，其大曆、元和乎！非是則旁出，其詩家之有嫡子正宗乎！入之出之，其詩家之捨筏登岸乎！沉著痛快，非唯李、杜、昌黎有之，乃陶、謝、王、孟而以下莫不有之。子之論，論畫也，而通於詩矣。』」頁 87。

又莫不含「沉著痛快」的質素。合參上述王、劉問答，我們可以說：「羚羊挂角」和「古澹閒遠」相通，「議論敘事」與「沉著痛快」有關。又相對而言，陶、謝、王、孟等人自然田園之作，屬於「羚羊挂角」、「古澹閒遠」之類；李、杜、韓，隸於「議論敘事」、「沉著痛快」之類。黃〈跋〉特別醒豁陶、謝、王、孟作品具有「古澹閒遠而中實沉著痛快」的現象。只是，李、杜、韓的「沉著痛快」，與陶、謝、王、孟的「沉著痛快」，有何異同？兩者又何以產生？這些問題皆不見王士禛正面解釋。王士禛既曾以杜甫做為「鋪敘感慨」的代表詩人，那麼我們能夠推論說：李、杜、韓是一種「鋪敘感慨」的「沉著痛快」，而陶、謝、王、孟是出於「古澹閒遠」的「沉著痛快」。「神韻」作品是特就陶、謝、王、孟之類而言的㊳。

㊳　「神韻」究是何指？自清來即迭見討論，勝義紛出。唯此論題非本文主要焦點，故引述三位學者意見，做為本文理解「神韻」的基本內容。黃景進先生曾細心地察考歷來「神韻」語義，並從《池北偶談》中，摘錄關於王士禛引明代孔天允：「詩以達性，然須清遠為尚……清遠兼之也，總其妙在神韻。」云云，然後順此謂：「神韻二字，予向論詩，首為學人拈出，不知先見在此。」再配合士禛論畫：「予嘗聞荊浩論山水而悟詩家三昧矣！其言曰：『遠人無目，遠水無波，遠山無皴。』又王楙《野客叢書》云：『太史公如郭忠恕畫天外數峰，略有筆墨，意在筆墨之外。』」等等文獻，推出「神韻即指某種無形的精神」見氏著：《王漁洋詩論之研究》，頁 91-119。而吳宏一先生曾就《漁洋詩話》中「律句有神韻天然，不可湊泊者。如高季迪『白下有山皆繞郭，清明無客不思家』……」乙則，推出「所謂神韻，所謂清遠，大概就是指下列的這種作品：字面上平澹無奇，『遇之匪深，即之愈稀』；內容上卻『不著一字，盡得風流』，有惝恍迷離的情趣，『豪華落盡見真淳』『天然去雕飾』之意。」見氏著：《清代詩學初探》，頁 169-

我們通過上述討論，可以得知：士禛自認《唐賢三昧集》是值得熟看而妙入的「神韻」選集，而「『神』相對具體的形而言，『韻』是相對絲竹宮商而言。」「它們不是具體的形體聲色，但又在那形體聲色之中。」㊴，如斯正是「不即不離」「不粘不脫」「活句」㊵。

《唐賢三昧集》共錄四十四位作者、四百十五首詩㊶。張寅彭先生在〈《唐詩三昧集》與詩、禪的分合關係〉一文中，有三點重要發現：第一、以作品收錄數量為據，可將四十四位作者分成四個層次：第一層次為王維（112 首），第二層次為孟浩然（48 首）、岑

172。此外，張毅亦據士禛〈論詩絕句〉：「風懷澄澹推韋柳，佳處多從五字求。解識無聲絃指妙，柳州那得並蘇州。」推出神韻乃一強調「虛」、二主張「空」。見〈《莊子》中的神及其對古代文論的影響〉，收入氏著：《中國文藝思想史論集——張毅自選集》（天津：南開大學出版社，2004.10），頁 11-12。從上述學者所引據的文獻，可以推得「古澹閒遠」即為神韻的表現，故做正文之推論。

㊴ 張毅先生語，見氏著：《中國文藝思想史論集——張毅自選集》，頁 12。

㊵ 張健先生曾對這幾個語詞，做為簡要的考察與詮釋。其謂「『不即不離』、『不粘不脫』，就是作者的描寫對象既不正面直接指向對象，但也不脫離對象。具體到象意關係上說，象既不直接指向意，又不脫離意」；「參活句」，乃「從語言學的角度說就是能指與所指分離，語言符號（能指）和它表示的對象、意義（所指）是通一的，所謂參活句就是要打破這種統一。」見氏著：《清代詩學研究》（北京：北京大學出版社，1999.11），頁 453-457。關於參活句，亦可參見周裕鍇：〈宋代詩學術語的禪學語源（二）〉，《文藝理論研究》，2000 年 04 期。

㊶ 今傳《三昧集》諸本，或收四十二人、或四十三人、或四十四人，而四庫全書本作四十四人，404 題，415 首。本文為研究《總目》之論述，故取四庫全書本。見張寅彭：〈《唐詩三昧集》與詩、禪的分合關係〉。

參（38 首）、李頎（36 首）、王昌齡（33 首）；第三層次為高適（18 首）、裴迪、常建、儲光羲、祖詠、崔顥、劉眘虛、崔國輔、賈至等（10 首上下），第四層為數首至 1、2 首作家。就從數量來看，確以王維為絕對中心。第二、上卷所收錄九的位作家，除列為首位的王維外，其餘皆與王維有直接關係。卷中所收錄的九位作家，孟浩然列居首位，卷內其他作家與孟浩然或王維，皆有往來。卷下所收錄的二十六位作家，除薛據、賈至兩人外，其餘未見與王維有直接或間接關係。故可謂編者採取「一種與王維由『親』而『疏』的分卷編排方式」，或至少編者心中存有「王維中心」的意識。第三、《唐賢三昧集》雖不選李、杜，但卻選了岑參、李頎、王昌齡、高適，作品數量僅次於王、孟，故其重要性應為僅次於王、孟。岑參與李、杜交往密切，又高、岑作品有悲壯之風，故「諸人似可合成一個『亞杜甫』，而足與王、孟存異。」張氏的說法，充滿想像力，也頗符合《唐賢三昧集》的反映現象。

此外，王士禛又強調「辨體」，所辨之「體」，包括字數、體裁、作法、題材、風格等等語言表相[42]。若暫不區別古體、近體，僅從五、七言的字數來看，王士禛曾云：「嚴滄浪以禪喻詩，余深

[42] 王士禛「論五言詩」云：「作古詩，須先辨體。無論兩漢難至，苦心摹倣，時隔一塵。即為建安，不可墮落六朝一語。為三謝，不可雜入唐音。小詩欲作王、韋，長篇欲作老杜，便應全用其體，不可虎頭蛇尾。此王敬美論五言古詩法。予向語同人，譬如衣服，錦則全體皆錦，布則全體皆布，無半錦半布之理，即敬美此意。又嘗論五言，感興宜阮、陳，山水閒適宜王、韋，亂離行役、鋪張敘述宜老杜。未可限以一格，亦與敬美旨同。」〔清〕王士禛撰、勒斯仁點校：《池北偶談》（北京：中華書局，2006.2），頁 273。

契其說，而五言尤為近之。」[43]、「五言著議論不得，用才氣馳騁不得。七言則須波瀾壯闊，頓挫激昂，大開大闔耳。」[44]、「五言絕近於樂府，七言絕近於歌行。五言難於七言，五言最難於渾成故也。要皆有一唱三歎之意乃佳。」[45]可知：五言詩易通於禪，而以渾成為佳，不適議論之用；七言則須講究「波瀾壯闊」、「頓挫激昂」。就此看來，不同字數所組構的語言表相，仍有特定的內在限制。在《唐賢三昧集》中，七言詩（包括一部分雜言詩）有一百一十首[46]，由此顯示：從辨體的角度來說，五言詩才是表達古澹閒遠的語言載體。至此，我們可以說：館臣把神韻的理論精神說成「範水模山」「批風抹月」而已，於是神韻的精神就被窄化為一種「古澹閒遠」的風格而已。但事實上，無論從王士禛所說的「古澹閒遠，而中實沉著痛快」，或《唐賢三昧集》的選編意識，甚至「辨體」觀念，神韻精神並非如館臣所描述一般。

總之，《總目》對於王士禛神韻說的評述，是採歷史意義與理論意義相即的提法，將神韻內容視為救治自明代復古派以來的偏弊。簡言之，更是針對清初宗宋派而發。但是這種看法，可能輕忽神韻說興起的複雜性——其對尊唐之說兼有批判與繼承的雙重性。

---

[43] 《帶經堂詩話》，卷三，頁 83。

[44] 原文為《師友詩傳續錄》，王氏答劉大勤問：「五言古、七言古章法不同，如何？」《清詩話》，頁 127。

[45] 原文為《師友詩傳續錄》，王氏答劉大勤問：「七言絕、五言絕，作法不同，如何？」《清詩話》，頁 128。

[46] 依張寅彭先生所考數據，見氏著：〈《唐詩三昧集》與詩、禪的分合關係〉。

就尊唐的繼承性而言，開顯出王士禛對七子派主張的接納事實[47]；就批判七子派而言，又隱含對錢謙益主張的接受狀況。郭紹虞先生曾指出[48]：

> 漁洋則於前七子中所取乃在邊、徐二家……漁洋推尊邊氏之故，恐怕也在興象飄逸，語尤清圓上面。……（漁洋）他把徐氏《迪功集》，與稍後高叔嗣的《蘇門集》合刻，稱為《二家詩選》……漁洋於詩自是宗主唐音的正統派，不過他是這些正統派中間的修正者而已。怎樣修正呢？我在以前論嚴羽的詩論時已曾說過：漁洋與七子，其論詩主張雖都出於滄浪，然而七子所得是第一義的悟，而漁洋所得是透徹之悟，七子所宗是沉著痛快之神，而漁洋所宗是優游不迫之神，有這些不同，所以漁洋可以出於前後七子，而不囿於七子。

郭氏的說法，凸顯神韻說與七子派的內在聯繫性，並且點明兩者同時繼承嚴羽學說的狀況。事實上，《滄浪詩話》曾在論「詩如論

---

[47] 〔明〕王世貞：《弇州四部稿》，〈讀圓覺經〉中曾云：「嗚呼！余之纍余深矣。不即不離，無縛無脫，此是吾人證第一義。我愛既覺，萬境皆空，不願作佛，何況生天？亦庶幾矣。」《景印文淵閣四庫全書》卷一百十二，頁1280（冊）－765。王世貞所體證之第一義，與王士禛以禪喻詩的禪義相通，此應可證明士禛受七子影響。

[48] 郭紹虞：〈神韻與格調〉，見氏著：《中國詩的神韻、格調及性靈說》（臺北：華正書局，1981.8），頁49。

禪」下謂「漢魏晉與盛唐之詩，則第一義也。」[49]就此說來，「第一義」的悟，亦包括盛唐之詩的特質——透徹之悟也。唯郭氏所分，在於強調七子第一義的悟，是從遍觀熟參上來立說的，故學者的議論才學，應受到重視；而學者在積累過程中，應取法了前人經驗、格調。至於王士禛所說的透徹之悟，則不欲人從議論才學為詩，故開優游不迫、古澹清遠的取向。這樣看來，兩者同源而異體。復以王士禛取法邊貢、徐禎卿來看[50]，以神韻克服因擬形所造成的弊病，應是神韻說的發生意義。

王士禛曾受錢謙益的稱賞，且因感而發「真平生第一知己」[51]之語。於是，當代有許多學者就從繼承角度，研究錢、王的關係[52]，其中，蔣寅先生則據史料考察，做出另種判斷：「王漁洋的確因錢牧齋的一詩一序而聲名愈隆，他為此也畢生感念牧齋的提攜獎掖之恩，他在詩歌觀念上受牧齋影響，一度成為宋詩風的倡導者，但他的審美理想和詩歌趣味終究是與牧齋異趨的，所以詩歌主張並

---

[49] 〔宋〕嚴羽著、郭紹虞校釋：《滄浪詩話校釋》（北京：人民文學出版社，2006.6），頁 11-12。

[50] 《漁洋詩話》云：「余於古人論詩，最喜鍾嶸《詩品》、嚴羽《詩話》、徐禎卿《談藝錄》，而不喜皇甫汸《解頤新語》、謝榛《詩話》。又云：弇州《藝苑卮言》，品騭極當，獨嫌其黨同類，稍乖公允耳。」《清詩話》，頁 146。

[51] 〔清〕王士禛撰、趙伯陶點校：《古夫于亭雜錄》（北京：中華書局，1997.12），卷三，「平生知己」條，頁 66。

[52] 蔣寅曾指出裴世俊、孫煤梅、王琳等學皆是如此，見氏著：〈詩壇盟主代興——王漁洋與錢謙益〉，收入《王漁洋與康熙詩壇》，頁 23。此外，張健即以「對七子、虞山派詩學的繼承與超越」稱呼王士禛。

沒有繼承和發揮牧齋學說，只是在牧齋的誘發下，自己體認了早年詩論中朦朧感覺到的神韻論的旨趣。」[53]無論是繼承還是僅為一度影響，這些館臣都未予著墨，所以神韻說生成過程的複雜度，也同時被簡單化了。

(二) 評價神韻說的內容

1.「山水清音」的「虛響」性

當我們掌握了館臣的基本看法後，〈師友詩傳錄、續錄提要〉[54]評價神韻的內容，也就不難理解了。〈提要〉云：

> 蓋新城詩派，以盛唐為宗，而不甚考究漢、魏、六朝；以神韻為主，而不甚考究體製。故持論出入，往往不免。然其談詩宗旨，具見於斯，較諸家詩話所見，終為親切，固不以一眚掩全璧也。

館臣終究認為神韻說的格局仍嫌狹隘，即：歷朝僅宗法盛唐，各種風格僅倡神韻。前文所引〈精華錄提要〉亦指出：神韻派的作品限於「範水模山，批風抹月」，神韻派的內容可用「不著一字，盡得風流」涵之。

事實上，所有的理論主張，自有取向；所有的文學創作，必有取材。既有所取用，也必有捨棄，那麼，「範水模山，批風抹月」、「不著一字，盡得風流」的概括式說法，為何偏狹呢？〈御

---

[53] 《王漁洋與康熙詩壇》，頁 23。

[54] 《總目》，卷一百九十六、集部四十九、詩文評類二，頁 5（冊）－251。

選唐宋詩醇提要〉[55]云：

> 考國朝諸家選本，惟王士禎書最為學者所傳。其《古詩選》，五言不錄杜甫、白居易、韓愈、蘇軾、陸游，七言不錄白居易，已自為一家之言。至《唐賢三昧集》，非惟白居易、韓愈皆所不載，即李白、杜甫亦一字不登。蓋明詩摹擬之弊極於太倉、歷城；纖佻之弊極於公安、竟陵。物窮則變，故國初多以宋詩為宗。宋詩又弊，士禎乃持嚴羽餘論，倡神韻之說以救之。故其推為極軌者，惟王、孟、韋、柳諸家。然詩三百篇，尼山所定，其論詩一則謂歸於溫柔敦厚，一則謂可以興觀羣怨，原非以品題泉石、摹繪烟霞。洎乎畸士逸人，各標幽賞，乃別為山水清音。實詩之一體，不足以盡詩之全也。宋人惟不解溫柔敦厚之義，故意言並盡，流而為鈍根。士禎又不究興觀羣怨之原，故光景流連，變而為虛響。各明一義，遂各倚一偏。論甘忌辛，是丹非素，其斯之謂歟？

這段文字先說明王士禎神韻說的產生背景，再以《詩經》的「溫柔敦厚」與「興觀群怨」做為詩學標準，檢驗宋詩與神韻說。首先，儒家將詩歌視為發抒主體情性的載體，「詩言志」一詞即簡練地表述該觀念。館臣認為「詩言志」的內涵又含帶「溫柔敦厚」與「興觀群怨」兩大觀念。「志」是從作者主觀面而論的，「溫柔敦

---

[55] 《總目》，卷一百九十、集部四十三、總集類五，頁5（冊）－100。

厚」、「興觀群怨」則從作品表現面而言，但它們都是環繞主體情性而開展出來的觀念。相對這些觀念，側重客觀世界景物的「品題泉石、摹繪烟霞」、「山水清音」等作品，就得被歸於別出的一體了。這種作品雖有可觀之處，但總欠缺「溫柔敦厚」、「興觀群怨」等《詩經》的質地。如此說來，最足以顯發神韻精神的山水清音，終會遭受館臣批評。

館臣回到詩歌發展的歷史脈絡，認為宋詩主說理、重議論，難顯「溫柔敦厚」的《詩經》質地，故淪為「鈍根」。王士禛固然運用神韻救治了宋詩偏蔽，但其走向顯發山水清音的主張，終究無法掩蓋喪失「興觀群怨」的貧乏性，故流於「虛響」。「虛響」一說，正是詩歌虛欠貧乏的具體譬喻，至於所虛欠的內容物就是主體情志。因此，在「詩言志」的法印下，神韻說只是救治宋詩流弊的法門而已，終非無上甚深妙法。

2.「不著一字，盡得風流」的「極則」性

至於神韻說的內容，館臣以「不著一字，盡得風流」涵之。〈詩品提要〉[56]云：

> 其（曾案：司空圖）《一鳴集》中，有與李秀才論詩書，謂：「詩貫六義，諷諭、抑揚、渟蓄、淵雅，皆在其中。惟近而不浮，遠而不盡，然後可言意外之致。」又謂：「梅止於酸，鹽止於鹹，而味在酸鹹之外。」其持論非晚唐所及，故

---

[56] 《總目》，卷一百九十五、集部四十八、詩文評類一，頁 5（冊）－219-220。

> 是書亦深解詩理。凡分二十四品：曰雄渾、曰沖淡、曰纖穠、曰沉著、曰高古、曰典雅、曰洗鍊、曰勁健、曰綺麗、曰自然、曰含蓄、曰豪放、曰精神、曰縝密、曰疎野、曰清奇、曰委曲、曰實境、曰悲慨、曰形容、曰超詣、曰飄逸、曰曠達、曰流動，各以韻語十二句體貌之。所列諸體畢備，不主一格。王士禎但取其「采采流水，蓬蓬遠春」二語，又取其「不著一字，盡得風流」二語，以為詩家之極則，其實非圖意也。

本段與前述〈精華錄提要〉都提及王士禎對司空圖的繼承情形，其或據《香祖筆記》：「表聖論詩有二十四品，予最喜『不著一字，盡得風流』八字。又云：『采采流水，蓬蓬遠春』二語，形容詩境亦絕妙。正與戴容州：『藍田日暖，良玉生烟』八字同旨。」[57]而發，實有理據。

自《香祖筆記》看來，士禎同時運用了司空圖著作中的三種材料，其一是《詩品》中的「含蓄」品，其次是《詩品》中的「纖穠」品，最後是〈與極浦談詩書〉。首先，士禎最喜「含蓄」品中「不著一字，盡得風流」的說法，「亦」覺得形容詩境的絕妙用語為「纖穠」品中的「采采流水，蓬蓬遠春」，因此，「不著一字，盡得風流」應較「采采流水，蓬蓬遠春」更具代表性。〈精華錄提要〉中以「不著一字，盡得風流」做為神韻說的底蘊，足見館臣言

---

[57] 〔清〕王士禛：《香祖筆記》，《景印文淵閣四庫全書》，卷八，頁 870（冊）－479。

簡意賅的功力。其次，司空圖〈與極浦談詩書〉云：「戴容州云：『詩家之景，如藍田日暖，良玉生烟，可望而不可置於眉睫之前也。』象外之象，景外之景，豈容易可談哉？」[58]士禛視為與「不著一字，盡得風流」、「采采流水，蓬蓬遠春」之語「同旨」，換言之，士禛喜好「象外之象，景外之景」的詩歌境界。

一般學者議論司空圖詩學，除了經常引用〈與極浦談詩書〉「象外之象，景外之景」的文獻外，〈與王駕評詩〉中的「思與境偕」[59]、〈與李生論詩書〉中的「知於酸鹹之外」、「韻外之致」[60]的概念，都一再被注意、提及。其中，「知於酸鹹之外」即是辨味，而覺知「酸鹹之外」，亦是追求味外味。因此，能夠體證「象、景、味、韻」之外的「象、景、味、韻」，才是密契詩理的表現與體悟。羅宗強先生曾解釋說：「怎樣才稱得上有味外之味？司空圖認為必須是『近而不浮，遠而不盡』。形象可感，為近，而又於可感的形象中有深厚的含蘊，故不浮。情在言外，故遠，遠則有味；而於遠之外，尚有遠而又遠者在，故不盡，不盡，方有味外之味」事實上，象外之象、景外之景、韻外之韻，亦通於斯，都是

---

[58] 〔唐〕司空圖：《司空表聖文集》，《景印文淵閣四庫全書》，卷三，頁1083（冊）－501。

[59] 《司空表聖文集》，《景印文淵閣四庫全書》，卷一，頁 1083（冊）－489。

[60] 〈與李生論詩書〉：「愚以為辨於味而後可以言詩也。江嶺之南，凡是資於適口者，若醯，非不酸也，止於酸而已。若鹺，非不鹹也，止於鹹而已。華之人以充饑而遽輟者，知其鹹酸之外，醇美有所乏耳。彼江嶺之人，習之而不辨也宜哉……噫！近而不浮，遠而不盡，然後可以言韵外之致耳。」《司空表聖文集》，《景印文淵閣四庫全書》，卷二，頁 1083（冊）－494-495。

在「近而不浮，遠而不盡」❻❶格局下，展現另番「更為飄忽，更為空靈」❻❷的質性。

至於「思與境偕」為何意呢？黃景進先生曾明白指出❻❸：

> 思的基本意義為思慮，在創作理論中，常指感物興情之後的構思活動。感興是一種強烈的心理變化，是對外在事物的較直接的反應，其時間較難持久；而思雖是以感性為基礎，但卻是一種較為持續性的理解活動……思是一種深度的理解活動。……象外之象指的正是象外之境，不過重點在境所包含的更豐富的象——它們是象內延伸出來的象。

黃先生通過劉禹錫〈董氏武陵集序〉「境生於象外」的說法，闡述境與象外的關係，並認為以境所涵之象，應更具豐富樣貌。他進一步綜合司空圖觀點，並簡單表示為如下❻❹：

言、象（表層）	詩內之景、象
境（深層）	象外之象、景外之景
意（深層）	韻外之致、味外之旨

---

❻❶ 羅宗強：《隋唐五代文學思想史》（上海：上海古籍出版社，1986.8），頁410-411。另羅先生曾細膩地指出，劉禹錫〈董氏武陵集序〉有「境生於象外」之說，二者頗有關聯。

❻❷ 《隋唐五代文學思想史》，頁413。

❻❸ 黃景進：《意境論的形成——唐代意境論研究》（臺北：臺灣學生書局，2004.9），頁212-216。

❻❹ 《意境論的形成——唐代意境論研究》，頁216-218。

其進一步解釋說：「由上往下，代表由表層至深層的結構：文字形象是屬於表層結構的成分，境與意則是屬深層結構的成分，故或稱象外，或稱韻外。稱深層之物境為『象外之象、景外之景』，這是受劉禹錫『境生於象外，故精而寡和』的影響，而稱文章內涵的情意為『韻外之致、味外之旨』，則受到皎然『文外之旨』的影響。」黃先生所論，乃據〈與極浦談詩書〉戴容州「詩家之景」與中晚唐的文學思想發展，將言、境、意放在詩之所指與能指的層次，展開討論、詮釋，內容具體而深入。若綜合羅宗強、黃景進二先生所說，則知「思與境偕」具體表現在詩歌中，則呈顯「近而不浮，遠而不盡」的飄忽、空靈之質性。

當然，若據佛典，「境」約有兩義，其一為由識所變現而成的相分，其二為妙勝智慧的對象（即佛理）。在唯識宗裏，「根、識、境三法互相依住。識依根及境生，而不從根境親生。一切現象，相依有故。」㊺故此「境」為識所依緣的對象，具有客體意義，但又非離於主觀感受的絕對客觀物。若此，「思與境偕」的解釋，可同時視為一種過程與一種工夫，即創作構思與外在境象相「偕和」的過程與工夫。在時間流裏，作者的「思」，是從感物到興情的一套理解過程，而當我們以追求「偕和」的工夫介入並運作時，即能產生佳作。換言之，如此的解釋，是將「思與境偕」放在詩人之境的層次。簡單地說，「偕」做為動詞義，具有實踐工夫的內涵。當然，詩人之境亦須通過語言文字具體落實，而那顯露在文

㊺ 熊十力：《佛家名相通釋》（臺北：明文書局股份有限公司，1994.8），卷上，頁36。

字的「境」，便轉入黃景進先生所論——作品中的「深層之境」。至此，「思與境偕」則是類似具有妙勝智慧的對象——佛理，即展現一種高妙的藝術世界，而這層次便屬於「作品之境」，故此一「偕」字，便具有形容義，表現出主、客交涉後的終極圓通。最後，讀詩者既需辨味，亦意謂讀者可以掘發「作品之境」與「作者之境」。[66]

就此說來，《詩品》可以如館臣所說，至少包含二十四種風格類型，並非專主一格，而王士禛僅以「含蓄」一格為極致的看法，就流為偏狹。這樣的批評，郭紹虞先生是贊同的，他認為王士禛的錯誤，在於混淆了兩個不同的問題：「一個是司空圖論詩的態度，一個是他作《詩品》的宗旨。這二者當然有很密切的關係，但是更重要的還宜作更嚴密的分析。就他的論詩主恉而言，重在言外之致。……他論詩品，應當顧到詩的諸種風格，以求完備。」[67]若說《詩品》不專主一格，應該無人否認。但是，「思與境偕」或「象

---

[66] 蕭馳先生認為《二十四詩品》乃從魏晉以來的「感物」傳統中轉出，其「境」是一種「非物感」的提法，因為「《二十四詩品》屢屢呈現的恍兮惚兮的非對象化之境，抽掉了私情、利害心和現成心，無為，無主的『素處』之我，以及似乎有意自『感時』模式中的淡出」。此「境」不僅存於詩人、詩之境，品詩之人同樣能有「不可諍的、不二的『透明體驗』」這種說法極具啟發性，故本文援其內容而論。見氏著：〈玄、禪觀念之交接與《二十四詩品》〉，《中國文哲研究集刊》，第二十四期，2004 年 3 月。

[67] 見〔唐〕司空圖著、郭紹虞集解：《詩品集解》（北京：人民文學出版社，2005.12），〈重印後記〉，頁 193-195。另外，專研《二十四詩品》數十年的祖保泉先生，在其〈讀司空圖《二十四詩品》札記〉一文中，亦持相類看法。見氏著：《中國詩文理論探微》（合肥：安徽人民出版社，2006.6），頁 119-120。

外之象」諸句，僅是經過司空圖從《詩品》中，篩選出來的一種讀詩、作詩的方法或理想型態而已嗎？還是，它們可以在不同層級上，被整合成一套思想呢？

若就前文所述，從讀者、品詩者的角度來說，能懂得「象外之象」諸義，方能「辨味」，方能辨別二十四種詩歌之味，因此，「辨味」活動本身，就已經帶著飄忽、空靈的性質。做為讀者、品詩者的司空圖，就是在這種基礎上，辨別出二十四種風格類型。[68]此外，從作者的角度來看，我們可謂司空圖運用此理，寫作二十四首四言古詩，表現出某種幽微的「言外之致」[69]。因此，「雄渾」、「沖淡」、「纖穠」等等二十四首論詩詩，是司空圖「言外之致」的實踐產品；而二十四格雖有類型差異，但在差異相之上，實有更高層次的同質理想：追求詩人之境、詩歌之境的終極之域——「思與境偕」。

其實，若細繹《總目》之文，館臣倒不認為司空圖在諸書中所說的詩理，與《詩品》的宗旨，分屬不同領域。只是，當我們順著郭紹虞等先生的理解發展下去，就會產生王士禛是偏狹的印象。當

---

[68] 羅宗強先生即云：「《詩品》是他運用象外之象，味外之味的理論，去品味詩的不同品格的理論著作。」羅宗強：《隋唐五代文學思想史》，頁 416。此外，《二十四詩品》是否即代表二十四種風格，迭有討論，關此爭議請參見黃念然：《20 世紀中國古代文學研究史（文論卷）》（上海：東方出版社，2006.1），頁 348-325。陳尚君：〈《二十四詩品》偽書說再證——兼答祖保泉、張少康、王步高三教授之質疑〉，淡江大學主辦「第十屆文學與美學暨第二屆中國文藝思想國際學術研討會」《會前議論文》，2007.6.21-22，頁 250。唯本文克就《總目》理解而論，暫不涉此問題。

[69] 羅宗強：《隋唐五代文學思想史》，頁 425。

然，館臣終究認為王士禛是偏狹的，唯其理由和郭紹虞先生不盡相同，他們認為：《詩品》既有二十四格，王士禛僅分取「不著一字，盡得風流」與「采采流水，蓬蓬遠春」為極則，實失《二十四詩品》的開闊性。

當我們參讀《香祖筆記》時，應該可以同意陳國球先生的看法：「王士禛只是表示自己對《詩品》的選擇和偏好，其實沒有指司空圖是以『含蓄』或『纖穠』為《詩品》唯一宗旨。」⓪因此，館臣在〈詩品提要〉對王士禛的批評，失之太粗。

況且，王士禛的神韻主張，如果只是以範水模山、批風抹月為詩歌的主要題材，以「不著一字，盡得風流」做為詩學的極則，那麼，我們必須面對一個矛盾的現象：就《唐賢三昧集》而言，雖以盛唐「古澹閒遠」為主音，然亦有高適等人「痛快沉著」的複響；況且「古澹閒遠」與「痛快沉著」本有相涵之處。此外，《唐賢三昧集》有著「亞杜甫」傾向，王士禛也曾有「七言古詩，諸公一調，唯杜甫橫絕古今，同時大匠，無敢抗行。」的判斷語，可知神韻主張非盡如所批評的。

此外，〈師友詩傳錄、續錄提要〉所言「以神韻為主，不甚考究體製」。於是，可以追問一個衍的問題：王士禛喜好神韻與盛唐，是出於不甚考究的獨斷性？還是出於考究以後的執著呢？

王士禛弟子林佶在〈《精華錄》後序〉[71]云：「夫以先生之為

[70] 〔唐〕司空圖著、陳國球導讀：《二十四詩品》（臺北：金楓出版社，1999.4），頁 27。

[71] 《漁洋精華錄集釋》，附錄四，頁 1981-1982。

詩，上沿四始六義之遺，而下薄漢、魏、六朝、唐、宋、元、明諸大家之製作，萃其美而匯於成，為當世言詩者之宗匠。」又鄭方坤《國朝名家詩鈔小傳》：「先生既早達，因得棄帖括弗事，而專致力於詩。上溯《三百篇》，下逮漢、魏、六朝、唐、宋、元、明之製，靡不窮其流派，而折衷其指歸。其大要見於〈論詩三十六絕句〉，時先生年甫二十九歲，居然少年也，而詩學已蔚然成一大家。」[72]都認為士禛廣納百川。這或許是做為士禛弟子後學的林佶與鄭方坤，對師長前輩所發的過譽之詞，但我們循其所指，翻察《精華錄》中士禛早年作品，可以發現如〈對酒〉、〈慕容垂歌三解〉、〈白紵詞三首〉、〈擬美人篇〉、〈擬白馬篇〉、〈古寒行〉等等篇什，就是據漢魏樂府古題或擬古題而作的。又《論詩絕句》第一首「巾角彈碁妙五官，搔頭傅粉對邯鄲。風流濁世佳公子，復有才名壓建安。」可見其推崇建安文學；第二首「五字清晨登隴首，羌無故實使人思。定知妙不關文字，已是千秋幼婦詞。」則肯定鍾嶸對古詩「直尋」的闡釋；第二十一首「接跡風人〈明月篇〉，何郎妙悟本從天。王、楊、盧、駱當時體，莫逐刀圭誤後賢。」從何景明對七言古體的討論（〈明月篇序〉）與實踐（〈明月篇〉），觸發自己對於七言古體正變的考慮。[73]早年的王士禛（三十歲以前）是如此，而晚年的《師友詩傳錄、續錄》，也有議論歷朝詩體的記錄，故《總目》所謂「不甚考究漢、魏、六朝」，應是館

---

[72] 《漁洋精華錄集釋》，附錄五「漁洋說詩總評」，頁 1984。

[73] 以上〈論詩絕句〉之細部內容，參見張健：《王士禛論詩絕句三十二首箋證》（臺北：文史哲出版社，1994.4），頁 37-49；174-181。

臣從不同的立場予以評斷的。

總之，館臣認為神韻說發為文學作品，則成為「山水清音」，其流弊為墮入「虛響」；神韻說可以用「不著一字，盡得風流」概括其理，但終究喪詩歌風格的開闊性。至於館臣的理解與批評，是以「詩言志」做為優位標準所導致的，他們並有簡化神韻說的傾向。

(三) 關注不穩定時代的文學表現

王士禛《居易錄》云[74]：

> 予觀唐末詩人，如羅隱之流，多流寓江南，吳、越、荊、蜀諸國，即《全唐詩話》、《唐詩紀事》所錄，不下數十人，因作《五代詩話》，頗自斐然。葉少蘊《避暑錄》云：「唐自懿、僖後，人才日削，至於五代，謂之空國無人可也。然浮圖中，乃有雲門、臨濟、德山、趙州數十輩人，卓然超世，是可與扶持天下，配古名臣。苟得一人，必能成一事，然後知其散而橫潰，又有在此者也。」歐陽公云：「天地閉，賢人隱。」予謂五代非盡乏賢也，特不以為將相守令耳。

王士禛指出唐末五代的詩人，在《全唐詩話》與《唐詩紀事》的載錄中，不下數十人，故認為五代仍有值得討論述說的地方，因作

---

[74] 《居易錄》，《景印文淵閣四庫全書》，卷二十四，頁 869（冊）－613-614。

《五代詩話》。此外，他也針對葉夢得《避暑錄話》、歐陽修《五代史·一行傳序》[75]等五代才人飄零的說法，予以討論。就此說來，相較唐、宋而言，晚唐、五代是個衰弱的、政權不穩定的時代，但王士禛並沒有因此輕忽這個時代的文學表現。

王士禛所作的《五代詩話》，經過宋弼補緝以後，已不全是王士禛的初意；而鄭方坤又重新補正，採菁去蕪，故館臣將編修勵守謙家藏的舊本（王撰、宋補）置於存目書之列，而著錄書則另取錄鄭方坤的本子[76]。

館臣在兩部《五代詩話》的〈提要〉中，都未嘗對王士禛原意提出評述，於是我們也難以直接掌握館臣的意見。但是，或許我們可以透過〈梁文紀提要〉[77]，間接地推測館臣收錄《五代詩話》的原因：

> 梁代沿永明舊製，競事浮華……簡文帝與湘東王書曰：「……」一代帝王，持論如是，宜其風靡波蕩，文體日趨華縟也。然古文至梁而絕，駢體乃以梁為極盛。殘膏賸馥，沾溉無窮。唐代沿流，取材不盡。譬之晚唐、五代，其詩無非側調，而其詞乃為正聲。寸有所長，四六既不能廢，則梁代諸家亦未可屏斥矣。

---

[75] 參見〔宋〕葉夢得：《避暑錄話》，《景印文淵閣四庫全書》，卷上，頁863（冊）－666。〔宋〕歐陽修：《新五代史》，北京：中華書局，1997.11），卷三十四、列傳第二十二、〈一行傳〉，頁100。

[76] 《總目》，卷一百九十七、集部五十、詩文評類存目，頁5（冊）－276。

[77] 《總目》，卷一百八十九、集部四十二、總集類四，頁5（冊）－83。

《梁文紀》為明梅鼎祚所編，館臣認為梁文特色在於駢體而非古體，所以，當我們放棄將古體做為唯一衡量文學成就的標準時，那梁文自然擁有價值，況且它的影響力也頗為綿長。館臣復以唐、五代文學為例，認為在唐代文學的沿流下，詞體是正聲，詩體為側調。相似的情形，若我們不將詩體做為評判文學優劣的唯一準則，那晚唐與五代的文學，亦有可觀之處。就此蠡測館臣收錄《五代詩話》的原因，除了保存史料的用意外，應仍出於相類於王士禛廣納包容的文學態度。

館臣對於鄭方坤《五代詩話》的評價，都從體例是非（如「無預詩者，一概從刪，殊有廓清之功」、「（司空圖等）仍是唐人，列之五代，亦乖斷限」、「宋事宋人，一併闌入，尤泛濫矣」、「雖詠五代之事，實非五代之人，一概增入……自古以來，無斯體例」）、記載疏舛（「前後并載，既不互注，又不考訂」）、史料價值（「然採摭繁富，五代軼聞瑣事，幾於搜括無餘，較之士禎原書，則賅備多矣。」）等層次加以討論，較不涉文學思想層次。

此外，須附帶一提的是：鄭方坤為閩人，其作《全閩詩話》，為第一部閩地之區域性詩話。清代自該書以降，多有地域詩話，或許與其產生有關[78]。〈提要〉對該書的肯定，仍在史料的保存與考

---

[78] 參見蔡鎮楚：《中國詩話史》（長沙：湖南文藝出版社，2001.1），頁 312-315；陳慶元：〈清初至清中葉福建的區域詩話〉，《漳州師院學報》，1997年 1 期。事實上，具地域性色彩且早於《全閩詩話》類者，尚有張泰來《江西詩社宗派圖錄》、裘君宏《西江詩話》等，分見蔣寅：《清詩話考》頁272，296。惟兩書分別沿承呂居仁《江西詩社宗派圖》（見《江西詩社宗派圖錄·序》，郭紹虞編：《清詩話》，頁 39）、郭子章《豫章詩話》而來，

證上，其云：「所採諸書，計四百三十八種。採摭繁富，未免細大不捐。而上下千餘年間，一方文獻，犁然有徵。舊事遺文，多資考證，固亦談藝之淵藪矣。」鄭方坤為王士禛之門人，而該作是否如《五代詩話》一般，深受士禛強烈影響，未可確知，但《全閩詩話》或直接引述王氏之說——《池北偶話》（如卷九「林古度」條）、《漁洋詩話》（如卷九「徐延壽」條）、《分甘餘話》（如卷九「余懷」條）等等；或雖引述他人詩話，內容仍涉及王士禛（如卷九「許友」、「張遠」條下《靜志居詩話》）[79]，故本文將《全閩詩話》暫歸士禛影響的作品之列。

最後，我們可以簡單地說：在王士禛詩學的擴散效應下，屬於連結神韻學說的後繼者，以兩種著作形式表現出來：其一為師生的對答記錄，如《師友詩傳錄》、《續錄》；其二為補證王士禛著作，如《五代詩話》。

二、王士禛現象中「擴散－背離」效應

〈聲調譜提要〉[80]云：

> 執信嘗問聲調於王士禛，士禛靳不肯言，執信乃發唐人諸集，排比鉤稽，竟得其法，因著為此書……其說頗為精密。

故《全閩詩話》略具開創性。

[79] 〔清〕鄭方坤：《全閩詩話》，《景印文淵閣四庫全書》，卷九，分見頁1486（冊）－352、353、354、355。

[80] 《總目》，卷一百九十六、集部四十九、詩文評類，頁5（冊）－251。

惟所列李賀〈十二月樂府〉所標平仄不可解，卷末附以古韻通轉，其說尤謬。或曰古韻一篇，乃其門人所妄增也。

〈談龍錄提要〉81云：

執信為王士禎甥壻，初甚相得，後以求作《觀海集》序不得，遂至相失。因士禎與門人論詩，謂當作雲中之龍，時露一鱗一爪，遂著此書以排之。大旨謂詩中當有人在。其謂士禎祭告南海都門留別詩「盧溝河上望，落日風塵昏，萬里自茲始，孤懷誰與論」四句，為類羈臣遷客之詞。又述吳修齡語，謂士禎為清秀李于鱗，雖忿悁著書，持論不無過激。然神韻之說，不善學者往往易流於浮響。施閏章華嚴樓閣之喻，汪琬西川錦匠之戒，士禎亦嘗自記之，則執信此書，亦未始非預防流弊之切論也。近時揚州刻此書，欲調停二家之說，遂舉錄中攻駁士禎之語，概為刪汰，於執信著書之意，全相乖忤，殊失其真。今仍以原本著錄，而附論其紕繆如右。

館臣或據《談龍錄》趙執信〈序〉末所記題的時間「康熙己丑（四十八）年夏六月」，以及《談龍錄》載王士禎不肯輕言律調之學從

---

81 《總目》，卷一百九十六、集部四十九、詩文評類，頁5（冊）—251-252。

何所受，授人亦不肯盡，趙氏故竊自鉤稽而得之事[82]，而將《聲調譜》次於《談龍錄》之前[83]。館臣指出《聲調譜》的內容，除了李賀〈十二月樂府〉[84]所標示的平仄難以理解，和古韻通轉的說法大為謬誤以外，大抵「頗為精密」。此外，館臣亦提及該書之作與王士禛對於聲調「密不肯語」[85]有關。事實上，在〈談龍錄提要〉中，館臣對趙執信與王士禛的關係，有了更多的著墨。〈談龍錄提要〉的內容，主要集中在兩人之間的讎怨與詩學差異，而這兩個話題，已出現在趙執信《因園集》的〈提要〉中。〈因園集提要〉[86]云：

---

[82] 〔清〕趙執信：《談龍錄》云：「阮翁律調，蓋有所受之，而終身不言所自；其以授人，又不肯盡也。有始從之學者，既得名，轉以其說驕人，而不知己之有失調也。余既竊得之，阮翁曰：『子勿妄語人。』余以為不知是者，固未為能詩；僅無失調而已，謂之能詩可乎？故輒以語人無隱，然罕見信者。」《清詩話》，頁274。

[83] 蔣寅先生認為《談龍錄》「全書三十七則中，或隱或顯，詆斥漁洋者二十一則」，又語氣「肆無忌憚」，故似王士禛辭世（康熙五十年）以後的作品，而《聲調譜》應為漁洋卒後至雍正間成書，見氏著：《清詩話考》，頁301-303。唯一般學者多據《談龍錄》趙〈序〉所載時間，訂《談龍錄》書成於康熙四十八年。兩書成書之先後，無關本文大旨，故暫不細辨。

[84] 〔唐〕李賀：《昌谷集》，《景印文淵閣四庫全書》，卷一，頁1078（冊）－443-444。詩名作〈河南府試十二月樂詞并閏月〉，與〈提要〉不同。此外，《聲調譜》僅列正、三、五、七、九、十月六首詩，參見《景印文淵閣四庫全書》，卷一，頁1483（冊）－907-908。

[85] 〔清〕紀昀等撰：《四庫全書簡明目錄》（臺北：世界書局，1975.11），卷二十，《聲調譜三卷》條下語，頁885。

[86] 《總目》，卷一百十三、集部二十六、別集類二十六，頁4（冊）－579-598。

執信娶王士禛之甥女，初相契重。相傳以求作《觀海集》〈序〉，士禛屢失其期，遂漸相詬厲，讐隙終身。今觀《還山集》中，尚有〈酬士禛詩〉二首（曾案：文淵閣四庫本《因園集》卷三所收之酬詩，實為三首），又為士禛作〈西城別墅十三詠〉。至《鼓枻集》中〈渡江〉一首，已有「祇應羨詩老，持節問岷源」句，注曰：「謂阮翁」；又〈悼吳孝廉〉一首有「漁洋未識名先著」句其詞氣已不和平，自是以還，遂互相排擊，則謂二人之釁生於作《觀海集》時，其說當信。迨其後沿波逐流，遞相祖述，堅持門戶，入主出奴，嘵嘵然迄無定說。平心而論，王以神韻縹緲為宗，趙以思路劖刻為主，王之規模闊於趙，而流弊傷於膚廓；趙之才力銳於王，而末派病於纖小。使兩家互救其短，乃可以各見所長，正不必論甘而忌辛，是丹而非素也。

王、趙交惡的原因何來？自清朝來已來，頗多臆測。[87]《總目》在〈因園集提要〉中，先拈出當時傳言——趙執信因求《觀海集》序不遂，而心生恚憤，構釁士禛。然後，館臣進一步考察趙執信晚年手授定本《因園集》，而得出「其說當信」的結語。《因園集》內

[87] 吳宏一先生曾歸納諸說為兩點：一為求序不成、二為趙執信罷官起因乃為「陰中之」，而陰人即或為士禛。見氏著：《清代詩學初探》，頁 184。彭玉平歸納諸說為第一、趙執信批評《南海集》的內容，輾轉傳到士禛的耳中；第二、由具體創作觀念不同而引發心理隔閡；第三、由聲律問題引起的矛盾；第四、求作《觀海集》〈序〉不成。見氏著：〈王士禛、趙執信關係考辨〉，《學術研究》，1998 第 5 期。

容乃依照時間先後次序，，總共收錄趙氏十三種文集，而館臣發現《還山集》、《觀海集》、《鼓枻集》三書之間，保有兩人交惡的線索，亦即《還山集》還有酬贈王士禛的作品，但《鼓枻集》提及王士禛時候的語氣，則不見平和，故傳言有可信之處。

嚴迪昌先生也曾指出，在康熙三十五年秋天，趙執信往赴廣東而途經杭州時，寫下收於《鼓枻集》的〈論詩二絕句〉，詩作已針砭王士禛；而後〈懷舊詩十首〉之七〈蒲州吳雯〉詩前〈小序〉云：「晚相值於津門，出詩卷見示曰：『曩之所攻，悉刪改矣。』乃知其非名輩所及也。屬余論定，余請俟異日。蓋其時正逢阮翁之怒，不敢闌入詩壇故耳。」趙執信與詩學馮班的吳雯在康熙四十年相見於津門，故嚴氏推論趙、王交惡的時間，應在康熙三十五至四十年間。[88]換言之，我們可以說，在《觀海集》以後（至於求序過

[88]〔清〕趙執信：《因園集》，〈鼓枻集〉、〈論詩二絕句〉：「畫手權奇敵化工，寒林高下亂青紅。要知秋色分明處，只在空山落照中。」「無絃祇許陶彭澤，會得無絃響更長。若使無絃亦無響，人間悅耳足笙簧。」《景印文淵閣四庫全書》，卷五，頁 1325（冊）－343。另外，嚴迪昌之說，見氏著：《清詩史》，頁 612-620。至於張健亦認在康熙三十五、三十六年間，兩人關係趨於緊張，見氏著：《清代詩學研究》，頁 494-500。唯吳宏一先生、王英志先生認為〈論詩二絕句〉，與王士禛神韻之說並無抵觸，見吳宏一著：《清代文學批評論集》（臺北：聯經出版事業公司，1998.6），頁 165；王英志：《清人詩論研究》（南京：江蘇古籍出版社，1986.11），頁 136。專就詩歌而言，若將這兩首絕句的末兩句當做批評神韻說，謂「欲寫分明之秋色，需有人之切身所見、所感」「若空學無絃故落得無響，那足以悅耳的聲響還得是笙簧」那嚴、張之說則可能成立。可是，若將這兩首詩，當做趙執信肯定王維、陶潛作品，那麼，這兩首詩的前二句就俱為正面肯定之陳述句，後二句則為進一步補充說明。因此，第一首詩意即為：「空山落照」便

程，則尚待詳考）的時間裏，王、趙有更明顯的交惡趨向，但原因是否基於單一事件——求〈序〉，則未可確知。

館臣從動機論來推測，將兩人的爭執歸於趙執信的意氣使然，當然不無可能，蔣寅先生也如此看待，他說：「王趙交惡的起因主要在於秋谷輕狂狷急的個性，詩學主張的差異尚是次要的因素。如果是性情寬厚之人，即便是論詩不合，也不至於惡口相向，肆意詆譏。在漁洋一方並未有什麼激烈的言行，主要是秋古的所作所為，不能不遭人非議。」[89]個性使然的說法，是從人的主觀性去做討論

是「秋色分明」的最寫照，此乃喻說是「不著一字」秋色的寫法——「空山落照」，卻盡得秋天景致之風流；第二首詩意為：若「無絃」也就「無響」，那人間足以動悅人耳的，就只剩下笙簧等具體樂器了，此乃喻說無弦之境實難臻至。若做此解，則應修正嚴、張之說。然而，詩的語言本為多義，故此處容有分歧。本文順著《總目》的考察，故權引嚴氏之說為補證，但嚴氏進一步「破譯」所云：「（第一首詩）趙執信借用『寒林高下』，『空山落照』，一派野色景象，意在表明：他要以在野的空間與在朝的大僚們作一番詩學的抗爭！第二首中的『陶彭澤』」則是前一首『意』的補足，又起領著這後一首正、負兩面的褒貶內涵。」因引申詮釋頗廣，在缺乏旁證的狀況下，本文暫且保留。見《清詩史》，頁612。

[89] 蔣寅：〈王漁洋與趙秋谷〉，《王漁洋與康熙詩壇》，頁 208。另外，蔣寅先生的這個說法，與〈分甘餘話提要〉相似：「其中《滄浪詩話》一條，獨舉馮班《鈍吟襍錄》之說，反覆詆排不遺餘力，則以士禎論詩宗嚴羽，而趙執信論詩宗馮班。核其年月，在《談龍錄》初出之時，攻班所以攻執信也。然執信訟言詆士禎，而士禎僅旁借其詞，不相顯斥，則所養勝執信多矣。」《總目》，卷一百二十二、子部、雜家類六，頁 3（冊）－653。而王英志先生就曾引袁枚判斷二人「亦無甚抵牾」，並推論：趙、王既非截然對抗，又有相通之處，故《談龍錄》應「自有其理論意義」，見《清人詩論研究》，頁 125-126。

的，但當客觀條件加諸人身時，實有強弱程度不同的可能性。換言之，大歷史的敘事方式，總是要以忽略細節做為代價，一旦細節被過度忽略，則可能喪失精準度。具體來說，趙執信折心於馮班、吳喬等江南遺老，主張「詩之中須有人在」、「文以意為主，以語言為役」、「詩外尚有事在」，進而才「越佚山左門庭，棄其家學」在在顯示趙說與神韻說不同之處，恐有詩學層次的爭辯。

持平地說，〈談龍錄提要〉不若〈因園集提要〉客觀，因為〈因園集提要〉是以書籍內容做為蠡測的基礎。當然，《總目》「別集類」〈提要〉已述及的部分，編次於後的「詩文評類」〈提要〉，自然就沒有複述、細論的必要了。無論如何，這兩篇〈提要〉都將動機論（求序不成）、意氣論（忿悁著書）做為兩人交惡的重要因素，可是若將視野囿限於此，則又相對模糊詩學內容的理性意義。

〈談龍錄提要〉述說兩人交惡之後，接著就提到《談龍錄》的重要觀點：詩中當有人在；次舉兩例證成其說。館臣所認為的重要觀點，《談龍錄》原云[90]：

> 崑山吳修齡喬論詩甚精。所著《圍爐詩話》，余三客吳門，徧求之不可得。獨見其與友人（曾案：「與友人」三字，文淵閣四庫全書本作〈答萬季野〉）書一篇中有云：「詩之中須有人在。」余服膺以為名言。夫必使後世因其詩以知其人，而兼可以論其世，是又與於禮義之大者也。若言與心違，而又與

---

[90] 《談龍錄》，《清詩話》，頁 275。

其時與地不相蒙也，將安所得知之而論之？

「詩之中須有人在」的觀念，在創作層面上，心與言相貫，心、言又與時、地相通；在閱讀層面上，讀者得以知人論世，並且得禮義之精萃。趙執信將「禮義」和「風流」視為一組相對概念，《談龍錄》[91]云：

> 詩之為道也，非徒以風流相尚而已。《記》曰：「溫柔敦厚，詩教也。」馮先生恒以規人。〈小序〉曰：「發乎情，止乎禮義。」余謂斯言也，真今日之針砭矣夫！

> 或曰：「禮義之說，近乎方嚴，是與溫柔敦厚相妨也。」余曰：「詩固自有其禮義也。今夫喜者不可為泣涕，悲者不可為歡笑，此禮義也。富貴者不可語寒陋，貧賤者不可語侈大，推而論之，無非禮義也。其細焉者，文字必相從順，意興必相附屬，亦禮義也。是烏能以不止耶？」

「風流」一詞，在神韻主張裏，最常以「不著一字，盡得風流」的句子出現。溯其語源，《二十四詩品》「不著一字，盡得風流」乃就詩歌以含蓄手法描繪客觀對象而言，但在趙執信的眼中，則專指側重山水物色，輕忽表露情志的神韻主張。事實上，王漁洋曾說：「司空表聖：『不著一字，盡得風流』此性情之說也；楊子雲：

[91] 《談龍錄》，《清詩話》，頁 275。

『讀千賦則能賦』此學問之說也。二者相輔相成，不可偏廢」[92]意謂詩歌能得物色風流，端賴性情所發，可見詩歌不能掛空情感。如此看來，趙執信的批判，恐有太過之處。當然，王、趙所論，亦有層次之別。王士禎是從作者與作品的關係來說的，趙執信則從作品內容（即「詩之中」）來說，兩者實有不同。

趙執信服膺吳喬的「詩之中須有人在」，至於「在」的意義，乃就真實情感而言，〈談龍錄提要〉曾提及趙執信批評王漁洋，《談龍錄》原作云[93]：

> 司寇昔以少詹事兼翰林侍講學士，奉使祭告南海，著《南海集》，其首章〈留別相送諸子〉云：「盧溝橋上望，落日風塵昏。萬里自茲始，孤懷誰與論？」又云：「此去珠江水，相思寄斷猿。」不識謫宦遷客更作何語？其次章〈與友夜話〉云：「寒宵共杯酒，一笑失窮途。」窮途定何許？非所謂詩中無人者耶？

王士禎奉使並非貶謫，故詩語「孤懷」、「相思」、「窮途」，應是矯情，所以趙執信反問：「非所謂詩中無人者耶？」所謂真實的情感，趙執信以「志」字統貫，《談龍錄》云：「詩以言志，志不可偽託，吾緣其詞以覘其志，雖《傳》所稱賦列國之詩，猶可測試

---

[92] 《師友詩傳錄》，《清詩話》，頁 105。

[93] 《談龍錄》、《清詩話》，頁 275。

也，矧其所自為者耶？」[94]就此看來，詩的意義與人（原作者或賦詩者）的心志，是穩定的對應關係，在這層意義底下，孟子的以意逆志、知人論世的談法，俱成可能。作者的心志，在詩教的傳統中，是「發乎情，止乎禮義」[95]的格局，趙執信雖未詳言志、情、禮義的關係，但前引《談龍錄》文獻，我們約可說：志的本質是情，禮義可以節制、疏導情，故「喜者不可為泣涕，悲者不可為歡笑」中的喜與悲，明顯屬情；其「不可」即出於節制、疏導的結果，至於詩中所言經過節制、疏導的情感，則為「志」。至於「富貴者不可語寒陋，貧賤者不可語侈大」雖是從身份（富貴者、貧賤者）上來說，但其意仍為某身份者應在其存在感受下，順情而發抒真切之語。若將「發乎情，止乎禮義」、「詩固自有其禮義也」合觀，並通過《禮記》：「禮義之經也，非從天降也，非從地出也，人情而已。」《史記》：「觀三代損益，乃知緣人情而制禮，依人性而作儀。」[96]的說法，可知禮義的本質還是人情、人性。[97]因此，趙執

---

[94] 《談龍錄》，《清詩話》，頁 276。

[95] 《談龍錄》謂此為〈小序〉。孔穎達則謂：「舊說云：『起此至「用之邦國焉」，名〈關雎序〉，謂之〈小序〉；自「風，風也」訖末，名為〈大序〉。』」故或謂〈大序〉內容。見〔漢〕鄭玄箋、〔唐〕孔穎達疏：《毛詩正義》（臺北：藝文印書館，1985.12），卷一，頁 12。

[96] 〔漢〕鄭玄註、孔穎達疏：《禮記注疏》（臺北：藝文印書館，1985.12），卷五十六、〈問喪〉頁 948。〔漢〕司馬遷：《史記》（北京：中華書局，1997.11），卷二十三、〈禮書〉第一，頁 1157。

[97] 〔宋〕陳暘：《樂書》，云：「蓋詩出於人情，禮緣人情而為之節文，則興於詩者，未有不及於禮。故不能詩於禮，必失之無序，能無謬乎？」《景印文淵閣四庫全書》，卷三十四，頁 221（冊）－179。此對詩與禮的關係，已有簡明闡述。

信返回傳統詩教，以修正神韻不顯或虛矯人情的缺點，實具有理論上的效果。

因此，我們可以這樣說：館臣將趙執信反對神韻說的動機，做了簡化詮釋；但對於趙執信的許多見解，倒有相應的理解與繼承。簡單地說，《談龍錄》有一則文獻，與《總目》多次提及之內容極為類近：「司空表聖云：『味在酸鹹之外』蓋概而論之，豈有無味之詩乎哉？觀其所第二十四品，設格甚寬。後人得以各從其所近，非第以『不著一字，盡得風流』為極則也。嚴氏之言，寧堪並舉！馮先生糾之盡矣。」[98]其內容為借馮班主張，批評神韻說甚為明顯。相類趙氏說法，且見於《總目》的尚有——〈滄浪集提要〉[99]、〈詩品提要〉[100]、〈冷邸小言提要〉[101]，其中〈詩品提要〉兼

---

[98] 《談龍錄》，《清詩話》，頁278。

[99] 《總目》，卷一百六十三、集部十六、別集類十六，〈滄浪集提要〉云：「考《困學紀聞》載：唐戴叔倫語謂：『詩家之景，如藍田日暖，良玉生煙，可望而不可即。』司空圖《詩品》有『不著一字，盡得風流』語，其〈與李秀才書〉又有『梅止於酸鹽，止於鹹而味』在酸鹹之外語，蓋推闡叔倫之意。羽之持論，又源於圖，特圖列二十四品，不名一格，羽則專主於妙遠……皆志在天寶以前，而格實不能超大歷之上……止能摹王、孟之餘響，不能追李、杜之巨觀也。」這篇〈提要〉有兩要點：第一、館臣據《困學紀聞》記載，得到司空圖「不著一字」等說法，是出於推闡戴叔倫之說而來。第二、他們進一步認為司空圖《詩品》「不名一格」，但嚴羽卻「專主妙遠」，故有不足之處。而後一要點，應是繼承趙執信而來。頁4（冊）－305-306。

[100] 《總目》，卷一百九十五、集部四十八、詩文評類一，〈詩品提要〉云：「故是書亦深解詩理，凡分二十四品，曰雄渾……流動，各以韻語十二句體貌之。所列諸體畢備，不主一格。王士禎但取其『采采流水，蓬蓬遠春』二語，又取其『不著一字，盡得風流』二語，以為詩家之極則，其實非圖意

及王士禛以一品為極則的缺失，而〈滄浪集提要〉、〈冷邸小言提要〉則以相同標準評價嚴羽和鄧雲宵的文學主張，所以，這些〈提要〉都可視為與趙執信同調。

總之，館臣對於趙執信的詩學見解，有批評、有肯定，也繼承。他們從動機的角度，評定《談龍錄》直接或引述他人攻擊以王士禛[102]的意見，「持論不無過激」。可是，他們同時強調士禛曾自述施閏章[103]、汪琬[104]之語，證明士禛既知他人對自己的看法，有時甚而產生深愧之感[105]，所以稱執信「亦未始非預防流弊之切論

也。」頁 4（冊）－219-220。

[101] 《總目》，卷一百九十七、集部五十、詩文評類存目，〈冷邸小言提要〉云：「此書前有自序，稱論詩什九，品古什一。大旨以嚴羽為宗，尊陶、謝而祧蘇、李，左王、孟而右杜、韓。司空圖所謂『不著一字，盡得風流』者，亦詩家之一派，不可廢也。然以為極則，則狹矣。」頁 5（冊）－269。

[102] 《談龍錄》：「小謝有《消夏錄》，其自敘頗詆阮翁，阮翁深恨之。然小謝特長于機辯，不說學，其持論彷彿金若采耳，不足為阮翁病。然則阮翁奚為恨之？曰：『阮翁素狹』修齡亦目之為清秀李于鱗，阮翁未之知也。」《清詩話》，頁 276。

[103] 《漁洋詩話》，卷中：「洪昇昉思問詩法於施愚山，先述余夙昔言詩大指。愚山曰：『子師言詩，如華嚴樓閣，彈指即現；又如仙人五城十二樓，縹緲俱在天際。余即不然，譬作室者，瓴甓木石，一一須就平地築起。』洪曰：『此禪宗頓、漸二義也』」《清詩話》，頁 175。

[104] 〔清〕王士禛撰、趙伯陶點校：《古夫于亭雜錄》（北京：中華書局，1997.12），卷六，「苕文訒菴之言」條：「康熙丁未、戊申間，余與苕文、公戢、玉虬、周量輩在京師為詩倡和，余詩字句或偶涉新異，諸公亦傚之。苕文規之曰：『兄等勿效阮亭，渠別有西川織錦匠作局在。』又葉文敏訒菴云：『兄歌行，他人不能到，只是熟得《史記》、《漢書》耳。』余深愧兩兄之言。」頁 135。

[105] 唯館臣將「西川織錦匠」、「華嚴閣樓」等說，都理解成施閏章、汪琬對王

也」。此外，館臣仍有類似趙執信的意見，如批評那些但取「不著一字，盡得風流」的詩學流派，並且在〈因園集提要〉中倡議以趙、王兩家「互救其短」，在在顯示繼承趙執信說法的一面。[106]最後仍須注意的是：所謂繼承的部分，尤其針對時人順從王士禛的詩學主張、詩歌作品，將詩論與詩風停留在山水清音的層次而言，而非全盤取消王士禛的創作地位與價值，這在〈南海集提要〉：「趙執信作《談龍錄》，摭其開卷二詩，以為似羈臣遷客之語，其言誠是。然士禛之詩長於山水，別為一調，未可以二馮之法繩之也。」[107]已充分展現。

三、考證視角下的遮蔽現象

在我們透過六篇〈提要〉掌握館臣凸顯、建構王士禛現象以後，不妨再透過剩餘的三篇〈提要〉，勾勒出若干零散的文學或文的現象。

㈠ 建構客觀知識與服膺國家政策的內在矛盾

《總目》中吳景旭《歷代詩話》的〈提要〉，館臣多從著作的

士禛的負面批評，其或起因於前註有「余深愧兩兄（曾案：汪琬、葉文敏）之言」。然「愧」有因褒美而愧與遭貶刺而愧兩種不同解釋，即前者起於謙虛，後者起於罪感。「苕文訒菴之言」係應為謙稱之愧，故館臣所說待商榷。

[106] 在館臣之前已出現調和趙、王主張的意見，如〈談龍錄提要〉所載揚州重刻本之例即是。趙執信對清朝詩壇亦有影響，館臣實非孤例，參見吳宏一：《清代文學批評論集》，頁 188-196。

[107] 《總目》，卷一百八十二、集部三十五、別集類存目九，頁 4（冊）－872-873。

形式體例進行考述，較不直接表述文學思想。今存《歷代詩話》的版本，除了四庫全書本外，還有後出的嘉業堂本。兩種版本的內容大抵相同，唯嘉業堂本增加劉承幹〈跋〉[108]。〈跋〉末省去〈提要〉「嗜博貪多」等批評語，另增「已開乾、嘉諸儒之風氣」的讚語，足為〈提要〉「每條各立標題，先引舊說於前，後雜採諸書，以相考證，或辨其是非，或參其異同，或引伸其未竟，或補綴其所遺。」[109]說法的進一步補充。

然大陸學者陳衛平與徐杰先生以嘉業堂本為底本，另援四庫全書本進行校勘，得出「錢謙益論詩之語，或被刪去，或改作『前人曰』，甚至被改作他人所說」[110]的結論，因此，我們可以發現：館臣標榜建立客觀知識之際，卻又以知識以外的力量，破壞知識的客觀性，產生弔詭的文化現象。

---

[108] 〔清〕吳景旭撰，陳衛平、徐杰點校：《歷代詩話》（北京：京華出版社，1998.6），頁 1029。

[109] 《總目》，卷一百九十六、集部四十九、詩文評類二，頁 5（冊）－248。

[110] 《歷代詩話》，頁 2。蔣寅先生亦持此說，見《清詩話考》，頁 247。惟二書皆未臚列具體例證，今檢索文淵閣四庫全書本，無作「前人曰」之例：「被刪去」者計有：⑴刪去「錢牧齋」之字樣，然後保留錢氏之語，如卷四十二、己集九、杜詩、卷下之下、〈錄箋〉即是，見《歷代詩話》，頁 405。⑵有刪去「錢牧齋」字樣，改做「他」字，如卷七十、壬集九、元詩、卷下之上、「西湖竹枝」條下，「吳旦生云」之文即是，見《歷代詩話》，頁 897。⑶亦有刪去「牧齋選本」字樣，改做「他」字，見《歷代詩話》，頁 900。⑷盡刪去者，如卷七十九、癸集八、明詩、卷下之中、「龍尾」條即是，見《歷代詩話》，頁 1012-1013。且未見直接改做他人所說之例者。總之，四庫全書本的刪改狀況，雖尚待詳考，但館臣刪改之動作，仍可確認。

㈡ 忽略實用文體的藝術性——〈金石要例提要〉

在《總目》「詩文評類」裏，館臣以元代潘昂霄《金石例》、明代王行《墓銘舉例》、黃宗羲《金石要例》三部書，構成一個特殊的文學批評領域。〈詩文評類敘〉曾介紹五種詩文批評的形式，其中之一為皎然《詩式》「備陳法律」的體例，因此，尋求括例，並做為後世撰者津梁的著作，都可以屬於《詩式》之類。清初朱彝尊曾在〈書王氏《墓銘舉例》後〉云：「《墓銘舉例》四卷，長洲王行止仲編，先以唐韓退之、李習之、柳子厚，次以宋歐陽永叔、尹師魯、曾子固、王介甫、蘇子瞻、陳無已、黃魯直、陳瑩中、晁無咎、張文潛、朱元晦、呂伯恭凡一十五家之文，舉以為例，足以續蒼崖潘氏《金石例》而補其闕矣。是書未見雕本，抄自無錫秦氏，竊意墓銘莫盛於東漢，鄱陽洪氏所輯《隸釋》、《隸續》，其文其銘，體例匪一，宜用止仲之法，舉而臚列之。惜乎予老矣，不能為也。」⑪可見清初頗為重視金石括例的風尚，對於金石之文的興起、代表，也有著不同的看法。黃宗羲《金石要例》〈序〉⑫云：

> 碑版之體，至宋末、元初而壞。逮至今日，作者既張王李趙之流，子孫得之，以答賻奠，與紙錢、寓馬相為出入，使人知其子姓婚姻而已，其壞又甚于元時，似世系而非世系，似

---

⑪〔清〕朱彝尊：《曝書亭集》，《景印文淵閣四庫全書》，卷五十二，頁1318（冊）－242。

⑫〔清〕黃宗羲：《金石要例》，《景印文淵閣四庫全書》，頁1483（冊）－820。

履歷而非履歷，市聲俗軌，相沿不覺其非。

宋末、元初金石碑版文體逐漸喪失文學精神，於是黃宗羲興起糾正時風的意圖。〈提要〉引述黃氏〈序〉，並予以評價，其謂：「〈自序〉謂潘蒼崖有《金石例》，大段以昌黎為例，顧未嘗著為例之義與壞例之始……故摘其要領，稍為辨正，所以補蒼崖之闕。其考據較潘書為密。」⑬尋索常例以成規範，是潘昂霄的貢獻，但是常例之所以形成、常例之實際運用和轉變情形，更是黃宗羲關注的焦點，館臣亦能留意。只是，館臣對於《金石要例》的詮解，也僅止於此。

我們若嚴格地說，《金石要例》書末有附錄「論文管見」一篇，內有九則文學主張，值得注意的是，其中有「作文雖不貴模仿，要使古今體式無不備于胸中，始不為大題目所壓倒。」之說，因此，「要例」自有其存在之必要性；但在學習「要例」之餘，「學文者須熟讀三史、八家……常談委事，無不有來歷，而後方可下筆」既已學之，寫作時也非將一切所學照搬硬塞，而是在每寫一人一事時，能夠「敘事須有風韻，不可擔板。」此外，「文以理為主，然而情不至則亦理之郛廓耳。」⑭則對金石之文，予以藝術性的期待與要求。如此可知，《總目》多從考據角度論斷該書得失，

---

⑬ 葉國良先生認為黃宗羲異於潘昂霄、王行之處有：僅論要義、論及唐以前碑誌、論壞例之始。見氏著：《石學蠡測》（臺北：大安出版社，1989.5），頁 111-113。

⑭ 〔清〕黃宗羲：《金石要例》，《景印文淵閣四庫全書》，頁 1483（冊）－829。

而相對喪失藝術層次之反省。

㈢ 未能深掘詩文評著的幽微意識——〈宋詩紀事提要〉

厲鶚《宋詩紀事》乃屬〈詩文評類序〉中孟棨《本事詩》之類的批評體例。館臣在〈宋詩紀事提要〉敘及此類批評體例流衍的狀況，其云[115]：

> 昔唐孟棨作《本事詩》，所錄篇章，咸有故實。後劉攽、呂居仁等諸詩話，或僅載佚事，而不必皆詩。計敏夫《唐詩紀事》，或附錄佚詩，而不必有事。揆以體例，均嫌名實相乖。然猶偶爾泛登，不為定式。鶚此書裒輯詩話，亦紀事為名，而多收無事之詩，全如總集；涉無詩之事，竟類說家，未免失於斷限。又採摭既繁，牴牾不免。

館臣指出劉攽《中山詩話》與呂本中《紫微詩話》二書有僅載佚事而不及於詩作的例子，《總目》〈紫微詩話提要〉也曾指出：「其中如李鼎祚《易解》諸條，偶涉經義；秦觀《黃樓賦》諸條，頗及雜文；吳儔倒語諸條，亦間雜諧謔；而大致以論詩為主。」[116]《紫微詩話》有出於論詩的例子，可是詩話本來就「體兼說部」[117]，難免體例不純。計有功（字敏夫）《唐詩紀事》則屬「旁及故實」的體例，然亦有不及於故事，僅錄佚詩的。這兩種不同的批評體例，

---

[115] 《總目》，卷一百九十六、集部四十九、詩文評類二，頁5（冊）－253。

[116] 《總目》，卷一百九十五、集部四十八、詩文評類一，頁5（冊）－224。

[117] 《總目》，卷一百九十五、集部四十八、詩文評類一、〈序〉，頁5（冊）－215。

雖偶有出入常態，但大抵未衍異為另外一種新的體例。至於厲鶚的《宋詩紀事》，館臣則認為其壞例更甚，有些類似只收錄詩作的總集，有些類似雜述無關詩作的說部。就此說來，館臣心中的〈詩文評類敘〉的形式，具有某種約束意義。當然，據《宋詩紀事》〈原序〉[118]：

> 宋承五季衰敝，後大興文教，雅道克振。其詩與唐在合離間，而詩人之盛，視唐且過之。前明諸公剿擬唐人太甚，凡遇宋人集，槩置不問，迄今流傳者，僅數百家。即名公鉅手，亦多散逸無存。江湖林藪之士，誰復發其幽光者？良可歎也。予自乙巳後薄游邗溝，嘗與汪君祓江欲效計有功搜括而甄錄之，會祓江以事罷去，遂中輟。幸馬君嶰谷、半槎兄弟，相與商榷，以為宋人詩考訂。本朝尚有未當……非博稽深訂，烏能集事。

在這段話中可見厲鶚肯定宋詩價值。厲鶚自雍正乙巳（三年、1725年）開始[119]，受汪祓江、馬嶰谷和馬半槎兄弟等人協助，欲效計有功《唐詩紀事》，以求保存宋詩。[120]厲鶚的著作尚有成於《宋詩紀

---

[118] 錢鍾書：《宋詩紀事補正》（瀋陽：遼寧人民出版社，2003.1），頁1。

[119] 厲鶚寫作《宋詩紀事》的起迄時間，長達二十一年（1725-1746），參見陸謙祉：《厲樊榭年譜》，《民國叢書》第四編 86（上海：上海書店，1992.6），頁 26-27；65-70。

[120] 關於厲鶚在雍正三年以後的地位與交遊情形，可參見田曉春：〈憑仗君扶大雅輪——從樊榭集外書札一通之考證論厲鶚在雍、乾詩壇的地位〉，《西北

事》（乾隆十一年）之前的《遼史拾遺》（乾隆六年）[121]，其史學功力、興趣，可見一斑。清初以降，浙東史學儼然成宗，具強烈民族思想[122]；而乾隆四年的查嗣庭案、呂留良案等等，皆與浙江有關，朝廷也曾諭停考浙江鄉試，浙江學術文風實具獨特性。嚴迪昌先生認為，浙派與宋調的結合，基本上是一種「沉痛的家國興亡感激活起對南宋詩史的歷史認同」[123]，厲鶚或許就在這樣的地域學術傳統下，投注了對宋詩的關注心力[124]。館臣在《總目》中，屢舉《宋詩紀事》做為討論、補證其他文獻之用，驗諸〈宋詩紀事提要〉的結論所說：「考有宋一代之詩話者，終以是書為淵海，非胡仔諸家所能比較短長也。」〈提要〉的推贊崇實非虛語，只是，或因《宋詩紀事》具有強列史料蒐羅之性質，作者不易明言對宋調的幽微情意；亦或館臣從朝廷立場而刻意忽略，至使《總目》「詩文評」著錄書〈提要〉所建構的批評史圖像，主要著落在考據的、王趙二人互補的視域之中。[125]

師大學報（社會科學版）》，第 41 卷第 2 期，2004 年 3 月。又厲鶚保存宋詩的用心，可參見〔清〕全祖望：《鮚埼亭集外編》（清嘉慶十六年刻本），卷二十六、〈序〉四、〈宋詩紀事序〉。

[121] 《厲樊榭年譜》，頁 54。

[122] 參見陳訓慈：〈清代浙東之史學〉，收入杜維運：《中國史學史論文選集》（臺北：華世出版社，1979.10），頁 642-644。

[123] 嚴迪昌：《清詩史》，頁 872。

[124] 關於厲鶚的朱明之思，參見徐照華：《厲鶚及其詞學之研究》（高雄：復文圖書出版公司，1998.9），頁 33-46。關於浙派詩學思想的內涵與特色，可見張兵、王小恒：〈厲鶚與浙派詩學思想體系的重建〉，《文學遺產》，2007 年第 1 期。

[125] 趙爾巽等：《清史稿》，卷四百八十五、列傳二百七十二、文苑二、〈吳錫

第三節 《總目》存目書中作者、著作的「在場」與「缺席」現象

《總目》「詩文評類」存目書部分，計有：陳維崧《六四金針》、施閏章《蠖齋詩話》、毛奇齡《詩話》、談遷《棗林藝簣》、毛先舒《詩辨坻》、王士禛《五代詩話》、王士祿《然脂集例》、吳喬《圍爐詩話》、宋犖《漫堂詩說》、伍涵芬《說詩樂趣、偶詠草續集》、宋長白《柳亭詩話》、葉燮《原詩》、勞孝輿《春秋詩話》、王之績《鐵立文起》、不著撰人名氏《學稼餘譚》、杭世駿《榕城詩話》等十五部書。《總目》既以著作為評述單元，所以作家社群、詩學流派等集合式印象則相對輕淡，甚而流於零散。「詩文評類」存目書〈提要〉雖同於其他部類〈提要〉一樣零散，可是當我們抽繹館臣凸顯「王士禛現象」的特質，並以之為論述立場以後，就能從零散的表象層，找到各部分互相關聯而可被統整的思想脈絡與內容。

此外，正因〈提要〉以簡要文字述說特定著作，往往為求有效論述，而容易發生隱而未發或發而未盡的狀況，於是我們就得尋求其他參照點，以便逼顯〈提要〉的深層意義，因此，下文一方以館臣凸顯的「王士禛現象」為線索，另一方面以作家社群與詩學流派做為參照點，並經由歷史圖像的（歷史當事人）「在場」與「缺席」現象，嘗試勾勒館臣的文學思想。

鱗傳〉：「浙中詩派，前有朱彝尊、查慎行，繼之者杭世駿、厲鶚。」頁13386。從這分名單看來，列於詩文評類的人，只有杭、厲二氏。

一、虞山派中批評家的「在場」與「缺席」

存目書〈提要〉中，涉及神韻派作家或神韻說者，約有〈五代詩話提要〉、〈圍爐詩話提要〉、〈榕城詩話提要〉。當然，涉及神韻派作家的作品，館臣並非一一掘發其神韻思想，如〈五代詩話提要〉即是一例。《五代詩話》存目本，乃為宋弼等人所補緝，因著錄書已取刪補更為精詳的鄭方坤本，故宋弼補緝本僅置於存目之列，其〈提要〉僅述及二書優劣而已。因此，值得我們注意的應是〈圍爐詩話提要〉與〈榕城詩話提要〉。

〈圍爐詩話提要〉述云：「閻若璩《潛邱劄記》載喬自譽之言曰：『賀黃公《載酒園詩話》，馮定遠《純吟雜錄》及某《圍爐詩話》，可稱談詩之三絕。』過矣。」[126]所謂的「過矣」，乃為館臣對吳喬自譽之詞，不以為然。暫不論吳喬自譽是否「過矣」，閻若璩的這段話，足供觀察館臣思想的重要線索。

《圍爐詩話》〈自序〉云：「一生困阨，息交絕游，惟常熟馮定遠班、金壇賀黃公裳所見多合。皎然《詩式》持論甚高，而止在字句間。宋人淺于詩而好作詩話，邇言是爭，貽悞後世，不逮二君

---

[126] 《總目》，卷一百九十七、集部五十、詩文評類存目、〈序〉，頁 5（冊）－277。另閻若璩之說，見閻氏著：《潛邱劄記》，《景印文淵閣四庫全書》，卷五，〈跋賀黃公《載酒園詩話》〉，〈跋〉云：「老友吳喬先生嘗言：『賀黃公《載酒園詩話》、馮定遠《鈍吟雜錄》及某《圍爐詩話》，可稱談詩者之三絕。』余急問賀：『書何處有？』曰：『金陵有。』即託黃俞邰使者購之，不半月以書至，同胡朏明細讀，口眼俱快，沁入心脾，嘆吾老友之知言也。康熙庚午（曾案：二十九年、1690）秋洞庭東山席氏館題。」頁 859（冊）－511-512。

所說遠甚。……定遠于古詩、唐體，妙有神解，著書一卷，以斥嚴氏之謬。黃公《載酒園詩話》三卷，深得三唐作者之意，明破兩宋膏肓，讀之則宋詩可不讀。此中載其精要者，而實當盡讀者也。」[127]吳喬高度肯定並積極繼承馮班（字定遠）與賀裳（字黃公）的意見。馮班之書，《圍爐詩話》未著書名，《潛邱劄記》、〈圍爐詩話提要〉則俱作《鈍吟雜錄》。事實上，賀裳《載酒園詩話》與馮班《鈍吟雜錄》二書，都未被收錄於「詩文評類」。由於《鈍吟雜錄》稍為複雜，故先略做討論。

(一) 馮班

四庫全書將《鈍吟雜錄》收於子部雜家類，內容共有十卷，其中一卷為〈嚴氏糾謬〉[128]，其殆《圍爐詩話・序》所說「著書一卷，以斥嚴氏之謬」者。《鈍吟雜錄》十卷內容，非盡論詩文；且許多詩文評類著作，兼有說部色彩，常被置於子部雜家類，如王士禎《居易錄》、《池北偶談》、《香祖筆記》、《分甘餘話》、《古夫于亭雜錄》等等，就為雜家類的「雜說之屬」[129]，而《鈍吟雜錄》亦編入雜家類的「雜編之屬」。張寅彭先生曾考察版本云：「《鈍吟雜錄》一卷，馮班撰。嘉慶間刊雪北山樵花薰閣詩述本。按《鈍吟雜錄》十卷，原非論詩之著。嘉慶間雪北山樵《花薰閣詩述》，取卷三『正俗』論詩體三則，另取《鈍吟文稿》中論樂府三

---

[127] 〔清〕吳喬：《圍爐詩話》，見郭紹虞編選、富壽蓀校點：《清詩話續編》（上海：上海古籍出版社，1999.6），頁 469-470。

[128] 《總目》，卷一百二十三、子部三十三、雜家類七，頁 3（冊）－670。

[129] 《總目》，卷一百二十二、子部三十二、雜家類六，頁 3（冊）－651-654。

則，合為一卷，仍名之以『鈍吟雜錄』，頗與原著相淆。」⑬⓪這樣看來，吳〈序〉所說的「一卷」，無論從時間（嘉慶年間）、內容（應為「以斥嚴氏之謬」）看來，實非《花薰閣詩述》本。〈嚴氏糾謬〉在館臣編纂叢書前，是否單獨成書？今不易考訂。然據吳喬所說，看似存在。

《總目》〈鈍吟雜錄提要〉云：「是書凡〈家誡〉二卷、〈正俗〉一卷、〈讀古淺說〉一卷、〈嚴氏糾謬〉一卷、〈日記〉一卷、〈誡子帖〉一卷、〈遺言〉一卷、〈通鑑綱目糾謬〉一卷、〈將死之鳴〉一卷，班著述頗多，歿後大半散佚，其猶子武搜求遺藁，僅得九種裒而成編。」則知該書為馮武於馮班卒（康熙十年、1671）後編成，而〈嚴氏糾謬〉在馮班卒前，未必無單獨成書之可能。若乾隆年間，館臣無見單行之《嚴氏糾謬》，故未收於《四庫全書》，那自無可議；但若已刊行卻未納入，則有可議之處，就以同為清代詩文評著作——宋犖《漫堂說詩》為例，該書本為宋犖《西陂類稿》卷二十七〈雜著〉之內容，而《西陂類稿》雖已入集部別集類著錄書⑬①，但不礙詩文評類亦將《漫堂說詩》置於存目書中。此版本問題之所以值得稍加關注，因為可能牽涉館臣的主觀意

---

⑬⓪ 吳宏一主編：《清代詩話知見錄》（臺北：中央研究院中國文哲研究所，2002.2），頁 259-260。另郭紹虞認為：「至丁氏《清詩話》所舉之《鈍吟雜錄》則是根據雪北山樵所輯《花薰閣詩述》之本。雪北山樵輯錢木菴《唐音審體》，於是再從馮氏《鈍吟雜錄》。丁氏不察，一仍其舊，並據《花薰閣詩述》本題為『馮定遠原本』，則似乎馮班之《鈍吟雜錄》原來就是這樣的了。」《清詩話》、〈前言〉，頁 5。

⑬① 《總目》，卷一百七十三、集部二十六、別集類二十六，頁 4（冊）－593-594。

識。

〈鈍吟雜錄提要〉評馮班云[132]：

> 大抵明季諸儒，守正者多迂，騖名者多詐。明季詩文沿王、李、鍾、譚之餘波，偽體競出，故班諸書之中，詆斥或傷之激。然班學有本源，論事多達物情，論文皆究古法。雖間有偏駁，要所得者為多也。

館臣以「諸書」稱呼《鈍吟雜錄》各卷內容，謂晚明詩文受王、李或鍾、譚影響甚深，故馮班書中多詆斥七子與竟陵，至於其論文基礎，則由古法而來。馮班為錢謙益門人[133]，錢謙益自萬曆三十四年和李流芳、袁中道交游以後，詩文主張便轉以公安派的立場，攻擊七子與竟陵[134]，故馮班亦是如此。《鈍吟雜錄》卷三云：「杜陵云：『讀書破萬卷，下筆如有神』近日鍾、譚之藥石也。元微之云：『憐伊直道當時語，不著心源傍古人』王、李之藥石也。子美〈解悶〉、〈戲為諸絕句〉，不知當今學杜者何以都不讀？」「王、李、李、何之論詩，如貴胄子弟倚恃門閥，傲忽自大，時時

---

[132] 《總目》，卷一百二十三、子部三十三、雜家類七，頁3（冊）－670。

[133] 〔清〕錢謙益撰、錢仲聯標校：《牧齋初學集》，〈馮定遠詩序〉：「定遠，吾友嗣宗之子也，而游于吾門。」（上海：上海古籍出版社，2003.8），卷第三十二，頁939。

[134] 吳宏一：《清代詩學初探》，105-123。至於二馮從錢謙益詩學裂變出來的情形與內容，參見鄔國平、王鎮遠：《中國文學批評通史》（上海：上海古籍出版社，1996.12），頁132-141。

不會人情。鍾、譚如屠沽家兒，時有慧黠，異乎雅流。」[135]因此，盛唐李、杜可學，中唐元稹亦可學，學問與性情必須兼濟。從〈提要〉「雖間有偏駁，要所得者為多也。」的結論看來，館臣在此似乎仍能欣賞馮班之論。可是，《鈍吟雜錄》之「所得者」何以為「多」？「得」之內容為何？又「得」自何處？諸問題皆未見闡述。至於偏頗的地方，〈二馮評才調集提要〉[136]倒有清晰說明，其云：

> 此書去取大旨，具見武所作凡例中。凡所持論，具有淵源，非明代公安、竟陵諸家所可比擬，故趙執信祖述其說。然韋縠之選是集，其途頗寬，原不專主晚唐。故上至李白、王維，以至元、白長慶之體，無不具錄。二馮乃以國初風氣矯太倉、歷城之習，競尚宋詩，遂借以排斥江西，尊崇崑體，黃、陳、溫、李，齗齗為門戶之爭。不知學江西者其弊易流於粗獷，學崑體者其弊亦易流於纖穠。除一弊而生一弊，楚固失之，齊亦未為得也。王士禎謂趙執信崇信是書，鑄金呼佛，殊不可解。杭世駿《榕城詩話》亦曰：「戚進士弢言，德清人，每為二馮左袒。予跋其《才調集》點本後曰：『固哉馮叟之言詩也。承轉開合，提唱不已，乃村夫子長技。緣情綺靡，寧或在斯，古人容有。細心通才必不當為此迂論，

---

[135] 〔清〕馮班：《鈍吟雜錄》，《景印文淵閣四庫全書》，卷三，頁 886（冊）－540。

[136] 《總目》，卷一百二十三、子部三十三、雜家類七，頁 3（冊）－670。

> 右西崑而黜西江。夫西崑盛於晚唐（案晚唐無西崑之名，此語失考），西江盛於南宋。今將禁晉、宋之不為齊、梁，禁齊、梁之不為開元、大歷，此必不得之數。風會流轉，人聲因之。合三千年之人為一朝之詩，有是理乎？二馮可謂能持詩之正，未可謂遂盡其變。』」云云。其論頗當，惟謂承轉開合乃村夫子長技，則又主持太過。孟子曰：「梓匠輪輿能與人規矩，不能使人巧。」巧在規矩之外，而亦不能出乎規矩之中。故詩必從承轉開合入，而後不為泛駕之馬，久而神明變化，無復承轉開合之迹，而承轉開合自行乎其間。譬如毛嬙、西子，明眸纖步，百態橫生，要其四體五官之位置，不能與人有異也。豈有眉生目下，足著臂旁者哉！王士禎〈蠡勺亭觀海〉詩曰：「春浪護魚龍，驚濤與漢通。石華秋散雪，海扇夜乘風。」竟不知士禎斯遊為在春、在秋？在晝、在夜？豈非但標神韻，不講承轉開合之故哉！世駿斯言，徒欲張新城之門戶，而不知又流於一偏也。

這一大段〈提要〉，充分說明馮班的詩學源流、旨趣和缺失。館臣認為馮班思想產生於清初宗尚宋詩的氣氛裏。關於這種文學氣氛，《鈍吟雜錄》有鮮明的譬喻與陳述，他認為寫詩應「作自家話」，然此卻不蘊涵「不學古人」[137]。「學古人」者，本指王、李之人；

---

[137] 《鈍吟雜錄》，卷四云：「圖騕褭之形，極其神駿，若求伏轅，不免駑欵段之駟。寫西施之貌，極其美麗，若須薦枕，不如求里門之嫗。萬歷時，王、李盛學漢、魏、盛唐之詩，只求之聲貌之間，所謂圖騕褭、寫西施者也。虞山詩人好言後代詩，所謂欵段之駟、里門之嫗也。遂謂里門之嫗勝於西施，

而「作自家話」者，乃是清初虞山派諸人。虞山詩人（公安派路數）為救治七子，競尚宋詩，可是宋詩已稍弱於唐詩，加上虞山詩人對宋詩的體會，仍有生吞活剝的現象，所以難有佳績。馮班反對七子一味學古，故將學習典範擴大，既肯定漢魏盛唐，亦肯定晚唐價值，甚至將晚唐（溫、李）、盛唐（李、杜）與齊梁，相互鉤合串聯[138]，以形成新的取法傳統與對象。館臣並指出：儘管江西派易流於粗獷，但晚唐又易流於纖穠。館臣的批評基礎，大抵是站在王士禛立場上而衍發的。士禛批評馮班說：

> 常熟馮（班）字定遠，著《鈍吟雜錄》，多拾錢宗伯牙慧，極詆空同、滄溟，於弘、正、嘉靖諸名家，多所訾謷。其自為詩，但沿《香奩》一體耳，教人則以《才調集》為法。余見其兄弟（名舒）所評《才調集》，亦卑之無甚高論，乃有

欵段之駟勝於騕褭，豈其然乎？況今日之虞山詩人，撏撦剽剝，其弊與王、李正同，而文不及王、李，是圖欵段之馬，寫里門之嫗者也，宜為世人所笑。錢遵王以為詩妖，此君亦具眼。學書須學真跡，不是不看石刻；作文要作自家話，不是不學古人。」《景印文淵閣四庫全書》，卷四，頁 886（冊）－544-545。

[138] 關此，張健先生曾深入討論，見氏著：《清代詩學研究》，頁 189-204；另外，羅時進先生以「同趨」而「異往」的概念，說明錢、馮關係。所謂「同趨」，乃就反對明代復古派標舉盛唐為第一義的態度而言；「異往」，即是在「破」復古的見識底下，各自汲引不同的詩學源流，具體地說，極是對宋元詩有不同的理解與繼承。見氏著：〈清初虞山派詩學觀分歧及其影響〉，《文藝理論研究》，2005 年 5 期。至於虞山派概念的形成與代表人物，亦請參見羅時進：〈清初虞山派及其詩文化圈〉，《蘇州大學學報（哲學社會科學版）》，2002 年 7 月第 3 期。

皈依頂禮，不啻鑄金呼佛者，何也？[139]

嚴滄浪論詩，特拈妙悟二字，及所云：「不涉理路，不落言詮」，又「鏡中之象，水中之月，羚羊挂角，無跡可尋。」云云，皆發前人未發之秘。而常熟馮班詆諆之，不遺餘力。如周興、來俊臣之流，文致士大夫，鍛鍊羅織，無所不至，不謂風雅中，乃有此《羅織經》也。昔胡元瑞作《正楊》，識者非之。近吳殳修齡作《正錢》，余在京師，亦嘗面規之。若馮君雌黃之口，又甚於胡、吳輩矣。此等謬論，為害於詩教非小，明眼人自當辨之。至敢詈滄浪為「一竅不通，一字不識」，則尤似醉人罵坐，聞之唯掩耳走避而已。[140]

王士禛認為：馮班批評七子派，但自己卻也只學晚得唐香奩體，故無特出之處；馮舒評《才調集》，無甚高論；馮班欲攻擊七子，詆諆嚴羽的情狀，正如唐代酷吏周興、來俊臣作《羅織經》、明代胡應麟作《正楊》以及吳喬作《正錢》一般，多有過激之語。館臣雖未以「雌黃之口」來稱馮班，但欲修正之意，不難從〈提要〉引士禛門人杭世駿《榕城詩話》得知。杭世駿認為馮班企圖以晚唐崑體取代宋代江西詩，然而詩學風會流轉，若一味想藉「右西崑」以達「黜江西」的目的，便失去通變的視域。值得我們注意的是：館臣

---

[139] 《古夫于亭雜錄》、卷五、「常熟馮氏」條，頁 113-114。

[140] 〔清〕王士禛撰、張世林點校：《分甘餘話》（北京：中華書局，2006.3），頁 37。

以神韻派宗主與門生——王士禛與杭世駿的說法，做為討論馮班的參照架構，其詩學取向自然不言而喻。只是，館臣使神韻派與虞山派支流對列的目的，應是欲藉神韻修正虞山支流，並非全然替代，因為館臣亦對杭氏說法，提出批評——若詩歌在構作過程缺少法度，全憑直覺範水模山、批風抹月，則亦非佳作。此說通於〈榕城詩話提要〉[141]：

> 其論詩以王士禛為宗，故如馮舒、馮班、趙執信、龐塏、何焯諸人不附士禛者，皆深致不滿。於同時諸人，無不極意標榜，欲以仿士禛諸雜著。然士禛善於選擇，每一集節取一二聯，往往可觀，世駿則未之能也。

至此，我們可以發現一個辯證的思想：館臣以神韻批評西崑，避免詩境纖細、詩語穠麗；又以西崑法度修正神韻「妙悟」，避免情感空洞化。回顧前文〈談龍錄提要〉，我們就可以推論——趙執信雖心折馮班、瓣香吳喬，但《談龍錄》仍被選錄著錄書之列，應與其詩論內容既能修正神韻說，又不走入西崑纖穠有關。

㈡ 吳喬〈兼涉賀裳〉

馮班的文學思想，館臣採取傾向批判的態度，而虞山派之一賀裳的《載酒園詩話》雖不見〈提要〉述評其失，但從不選錄的角度

---

[141] 《總目》，卷一百九十七、集部五十、詩文評類存目，頁 5（冊）—278。

來看，又顯現館臣對此流派的整體態度。再看〈圍爐詩話提要〉[142]云：

> 是書所論，如意，喻之米；文，則炊而為飯；詩，則釀而為酒。飯不變米形，酒則變盡。如〈小弁〉、〈凱風〉諸篇，斷不能以文章之道平直出之。又謂詩之中須有人在。趙執信作《談龍錄》，皆深取其說。然統核全書，則偏駁特甚。大旨初尊長沙而排慶陽，又祖晚唐而擠兩宋，氣質囂浮，欲以毒詈狂談劫伏俗耳，遂以王、李為牛呞驢鳴，而比陳子龍於王錫爵之僕夫。七子摹擬盛唐，誠不免於流弊，然亦各有根據，必斥之不比於人類，殊未得其平。至於賦、比、興三體並行，源於《三百》，緣情觸景，各有所宜，未嘗聞興、比則必優，賦則必劣。況唐人非無賦體，宋人亦非盡無比興。遺詩具在，吾將誰欺？乃劃界分疆，誣宋人以比、興都絕，而所謂唐人之比、興者，實皆穿鑿附會，大半難通。即所最推之李商隱、韓偓二家，李則字字為令狐而吟，韓則句句為朱溫而發。平心而論，果盡如是哉？

〈提要〉共論兩事，一為《圍爐詩話》與《談龍錄》的關係，二為《圍爐詩話》的缺點。首先，關於被《談龍錄》深取的部分，又有二義，即詩文辨體與詩中有人。所謂詩文辨體，實非純然語言表相

---

[142] 《總目》，卷一百九十七、集部五十、詩文評類存目，頁 5（冊）－276-277。

層次的問題，而亦為詩學價值取向及詩史評價的問題。若以米、飯、酒取譬，米乃飯與酒之材料，但「飯不變米形」、「酒則變盡」。準此，「米」為意，「飯」為文，「酒」為詩；意在文中，不變意之形，為一實用；意在詩中，改變意之形，成為虛用。[143]此牽涉「詞與意」的表達問題，詩之詞與文之詞，在表意趨向上不同，即詩之詞須求婉約、文之詞求暢達，故在語言表相上，自有區別。以傳統詩學來說，詩之詞的表意方法即是賦、比、興，此為文之詞所不必使用者。吳喬之說，乃針對明、宋詩風而言，在「有有詞無意之詩，二百年來，習以成風，全不覺悟，無意則賦尚不成，何況比、興。」的明代詩風下，光講格調，卻成了「瞎盛唐詩」，其「無意」之狀實若「木偶被文繡」；至於宋代，「詩亦有意，惟賦而少比興」賦之語意較為顯露，其「徑以直」之狀實如「人而赤體」[144]。因此，詩語的內核為「詩意」、詩語的外相為「賦、比、興」。「賦比興」屬技法層次，問題較為單純；「詩意」從何而

---

[143] 《圍爐詩話》，卷之一：「問曰：『詩文之界如何？』答曰：『意豈有二？意同而所以用之者不同，是以詩文體製有異耳。文之詞達，詩之詞婉。《書》以道政事，故宜詞達；《詩》以道性情，故宜詞婉。意喻之米，飯與酒所同出。文喻之炊而為飯，詩喻之釀而為酒。文之措詞必副乎意，猶飯之不變米形，噉之則飽也。詩之措詞不必副乎意，猶酒之變盡米形，飲之則醉也。……賦為直陳，猶不與文同，況比、興乎？詩若直陳，〈凱風〉、〈小弁〉大詬父母矣。』」《清詩話續編》，頁 479。唯「詩之措詞不必副乎意」非「詩不需意」，而是詩意表出不採直陳方式。

[144] 《清詩話續編》，頁 472。此外，諸如吳喬：《圍爐詩話》〈自序〉、卷之一：「宋詩率直，失比興而賦猶存。弘、嘉人詩無文理，並賦亦失之。」等等文獻，也有類似說法，不一一枚舉，《清詩話續編》，頁 469、482。

來，則較為複雜。吳喬〈《圍爐詩話》自序〉昉始即曰：「人心感於境遇，而哀樂情動，達其意而成章，則為六義，《三百篇》之大旨也。」詩意來自人在境遇中的窮通經歷，詩人心生感動而有哀樂之情。[145]趙執信賡續吳喬的上述思想，館臣在〈圍爐詩話提要〉雖不置評價語，但參見前文館臣對趙執信的評述，可知館臣尋此系統做為修正神韻說之用。

館臣批評吳喬的部分為：吳喬初學李東陽（長沙府茶陵人）反對李夢陽（慶陽人），而後走向晚唐派，反對宋詩，甚至以「牛呞驢鳴」、「僕夫」稱王世貞、李攀龍與陳子龍等人[146]，但這些措詞已失公允。其次，在《詩經》傳統中，賦、比、興實無優劣高下之分；況且唐、宋詩的區別，也不能以具有賦比興中的哪幾種技巧做為區判標準，因為這與歷史事實不相符合。最後，吳喬因為要強調唐詩比興與詩意的關係，不惜穿鑿附會，指說李商隱和韓偓的字字句句，都是有所為而發。就館臣評述吳喬的說法，堪稱允當。

館臣的整體詩學傾向於折衷王士禛與趙執信，並以趙說修正王說。趙執信深取吳、馮、賀詩學，但王士禛對馮班、賀裳[147]、吳喬

[145] 《清詩話續編》，頁 469。又《圍爐詩話》卷之一：「人之境遇有窮通，而心之哀樂生焉。夫子言詩，亦不出于哀樂之情。詩而有境有情，則自有人在其中。」亦屬同調，《清詩話續編》，頁 490。

[146] 「牛呞驢鳴」之說，見《圍爐詩話》卷之一，《清詩話續編》，頁 473-474。「僕夫」之說，見《圍爐詩話》卷之六，《清詩話續編》，頁 667-668。

[147] 賀裳對於唐宋詩的態度，自〈《唐宋詩話》緣起〉：「余小子，椎魯寡學，述前人之教，尚苦不足，安所容吾辯乎？故所揚榷，斷自唐始。又略於初盛，而詳於中晚。以嘉、隆以前，談詩者視中晚，幾如漢武帝之視夜郎、滇、僰，度外置之；萬曆末年，一時推服，又幾於尉佗魋結箕踞以見陸生，

多有批評，且推其為晚唐派之屬。館臣應接受王士禛的基本理解，而對吳、馮、賀的作品或不選錄、或置於存目之中。

總之，以王士禛評價看待吳、馮、賀，同時又以趙執信修正王士禛，因此產生彼此節制的效果。

二、「國朝六家」中批評家的「在場」與「缺席」

清人劉執玉編纂的《國朝六家詩鈔》（刊行於乾隆三十二年）將宋琬、施閏章、王士禛、趙執信、朱彝尊、查慎行六家詩作編年彙合，有所謂「六家」之稱[148]。這六位作家非同屬一個文學社群，但其文學成就卻被視為同列。《總目》編纂之前已有「國朝六家」的稱呼，我們若參照當時文壇這個看法，應能尋繹館臣若干文學思想與態度。

問與高帝孰賢？……一則忽之過卑，一則尊之過盛。……抑余讀前輩遺言，尤薄宋人，然宋人之詩，實亦數變，非可一概視之。」可見其多論中晚唐詩，非出於獎賞，而是企圖更持平地對待，但吳喬多稱引其說，故轉有重中晚唐詩之色彩。《清詩話續編》，頁 399。而王士禛對賀裳評曰：「《載酒園詩話》，丹陽賀（裳）著，其持論有不可解處。……大抵所取，率晚唐雕巧之語以為雋異，豈得輒衡量大家耶？」見《居易錄》，《景印文淵閣四庫全書》，卷三，頁 869（冊）－345。

[148] 見〔清〕張之洞、范希曾補正：《書目答問補正》（臺北：新興書局，1966.5），頁 199。〔清〕朱庭珍《筱園詩話》，卷二云：「順治中，海內詩家稱『南施北宋』，康熙中稱『南朱北王』，謂南人則宣城施愚山、秀水朱竹垞、北人則新城王阮亭、萊陽宋荔裳也。繼又南取海寧查初白，北取益都趙秋谷益之，號六大家，後人因有《六家詩選》之刻。」《清詩話續編》，頁 2357。

王士禛、趙執信的著作，已被選入詩文評類的著錄書中，而存目書亦有施閏章《蠖齋詩話》。扣除無詩話傳世的宋琬，剩下的朱彝尊《靜志居詩話》、查慎行《初白庵詩評》[149]，則未被選錄。

㈠ **「南施」**

王士禛頗喜施閏章之作，《漁洋詩話》云：「余論當代詩人，目曰南施北宋。施謂愚山，宋謂荔裳。二君集皆經余刪定。又嘗取愚山五言近體詩為《主客圖》一卷，今施集尚存其家，未能版行。宋集經蜀亂，失其本矣。」又「施愚山〈游嵩山詩〉云：『翠屏橫少室，明月正中峰。』十字，令人擊擷不盡。」[150]而「翠屏橫少室，明月正中峰。」亦見於《主客圖》。就此看來，施閏章的五言近體具有自然山水、興會直致的況味，這確與士禛詩學相通。不過，這僅是施閏章詩作的一個面向而已，因為二十七歲經歷甲申鼎革的詩人，另有抒發憤悶的作品[151]。館臣在〈蠖齋詩話提要〉云：「閏章詩深婉蘊藉，世推作手。」[152]「深婉蘊藉」顯然不是針對直

---

[149] 檢索文淵閣《四庫全書》資料庫，《總目》引述朱彝尊《靜志居詩話》共計八十八次（至於作「朱彝尊《詩話》」未計），可見《靜志居詩話》於館臣編纂《總目》時已經行世。查慎行《初白庵詩評》在乾隆四十二年亦有張氏涉園觀樂堂刊本，可知其於《總目》編纂時期也已流傳，見蔣寅：《清詩話考》，頁 370-372。

[150] 分見《漁洋詩話》，上卷，《清詩話》，頁 150、158。關於主客圖之名，《池北偶談》卷十三乃稱「據張為《主客圖》之例……因作《摘句圖》」，頁 303-306。

[151] 嚴迪昌先生認為這是出現在清初較早入仕文人身上的普遍現象，《清詩史》，頁 537。

[152] 《總目》，卷一百九十七、集部五十、詩文評存目，頁 5（冊）－274。

接顯露情志的風格而言。當然，館臣雖謂「世推作手」，但下文隨即轉曰：「《詩話》乃多可議」可議之處，應分兩類：其一為「直錄舊文，以為己語」類，共有十三例；其二為「偶然劄記，不甚經意」類，共三例[153]。館臣的評述都是從史料考證的角度涉入，無關文學思想層次的討論。事實上，若隨舉《蠖齋詩話》一例，就可以得知該書尚有值得闡發之處。如「詩有本」[154]條：

> 山谷言：「近世少年不肯治經史，徒取助詩，故致遠而泥。」此最為詩人鍼砭。詩如其人，不可不慎。浮華者浪子，叫嚎者麤人，窘瘠者淺，癡肥者俗。
>
> 風雲月露，鋪張滿眼，識者見之，直是一葉空紙耳。故曰：君子以言有物。
>
> 詩不可無道氣；稍著迹，輒敗人興。右丞體具禪悅，供奉身有仙骨，靖節則近乎道。鳶飛魚躍，不知道者何與？一落宋賢，便多笨伯。

---

[153] 《總目》，卷一百九十七、集部五十、詩文評存目，頁 5（冊）－274-275。

[154] 〔清〕施閏章：《蠖齋詩話》，《清詩話》，頁 326。施氏不以堆垛學問寫詩之論，亦見於「詩用典故」條：「古人詩入三昧，更無從堆垛學問，正如眼中不著得金屑。坡公謂浩然詩韻高才短，嫌其少料。評孟良是，然坡正患多料耳。坡胸中萬卷書，下筆無半點塵，為詩何獨不然？」《清詩話》，頁 336。

「江之永矣」四句，止詠嘆江、漢，而文王化行南國，許多難言處含蘊略盡。漢、魏、六朝以來，詩人多用景語，是其遺意。純用賦而無比興，則索然矣。

詩之根本何在？此則先引黃庭堅語，謂詩作無法經由堆垛經史學問而成；詩作與詩人性情有關，故浮華、叫噪、窘瘠、癡肥不同弊病，來自不同生命質性。當然，如此說詩，並不意謂只要發抒自然性情即可，因為浪子麤人、淺俗之流，也都能抒發自然性情，可是卻生詩病。人之性情，尚須積學涵養，只是要將一切學習化入性命之中，而非直接闌入詩歌，一味說理議論。積學之後，則能言之有物，且有不著痕迹之道氣流貫。不著痕迹之狀，也有屬於語言表現層次的部分，如《詩經》比興手法就能將難言之處，予以恰當透露。總之，既重性情，又非純任性情；既重學問，又不堆垛學問，這就顯現出與前朝（七子、公安、竟陵），乃至當代〈神韻〉異趨之所在。館臣所忽略的思想內蘊，《漁洋詩話》卷中曾標出：「洪昇昉思問詩法於施愚山，先述余夙昔言詩大指。愚山曰：『子師言詩，如華嚴樓閣，彈指即現；又如仙人五城十二樓，縹緲俱在天際。余即不然，譬作室者，瓴甓木石，一一須就平地築起。』洪曰：『此禪宗頓漸二義也』」而施閏章所謂「一一須就平地築起」的詩法，在《蠖齋詩話》中不難尋得。

總之，「南施」的文學思想內蘊，館臣未能深發其義。

(二) 「南朱北王」（兼涉「浙派」）

現行《靜志居詩話》原是從《明詩綜》所輯出的，單行本分別有盧文弨、周中孚二人在乾隆四十一年、五十九年輯出[155]。就時間點來看，《總目》諸書〈提要〉屢作「朱彝尊《靜志居詩話》」或「朱彝尊《詩話》」，都是據《明詩綜》而來的[156]。又大體說來，館臣對於朱說也頗為重視。因此，《總目》未收《靜志居詩話》的原因，應單純為《靜志居詩話》較為晚出罷了。透過〈明詩綜提要〉[157]，我們可以再次釐清上述的問題：

> 國朝朱彝尊編。……明之詩派，始終三變。洪武開國之初，人心渾朴，一洗元季之綺靡。作者各抒所長，無門戶異同之見。永樂以迄宏治，沿三楊臺閣之體，務以舂容和雅，歌詠太平，其弊也冗沓膚廓，萬喙一音，形模徒具，興象不存。是以正德、嘉靖、隆慶之間，李夢陽、何景明等崛起於前，李攀龍、王世貞等奮發於後，以復古之說，遞相唱和，導天

---

[155] 見蔣寅：《清詩話考》，頁 275。

[156] 清人曾有引錄《明詩綜》時，「凡遇（曾案：《明詩綜》）有標明靜志居者，則稱《靜志居詩話》；只稱詩話者，則稱《明詩綜詩話》。」見蔣寅：《清詩話考》，頁 274。而館臣稱「朱彝尊《靜志居詩話》」或「朱彝尊《詩話》」是否也符合這個現象呢？茲比對《總目》與《明詩綜》（四庫本）可得：《總目》〔明〕陳鶴《梅樵先生集》〈提要〉稱「朱彝尊《詩話》」云云，乃指《明詩綜》，卷四十五、「陳鶴」條下「詩話」內容。又〔明〕徐獻忠《長谷集》〈提要〉稱「朱彝尊《詩話》」云云，乃指《明詩綜》、卷五十三、「徐獻忠」條下「靜志居詩話」內容。可見館臣稱「朱彝尊《靜志居詩話》」或「朱彝尊《詩話》」應是互用同義。陳、徐集〈提要〉，見《總目》，卷一百七十七、集部三十、別集類存目四，頁 4（冊）－723。

[157] 《總目》，卷一百九十、集部四十三、總集類五，頁 5（冊）－105-106。

下無讀唐以後書。天下響應，文體一新。七子之名，遂竟奪長沙之壇坫。漸久而摹擬剽竊，百弊俱生，厭故趨新，別開蹊徑。萬歷以後，公安倡纖詭之音，竟陵標幽冷之趣，么弦側調，嘈囋爭鳴。佻巧蕩乎人心，哀思關乎國運，而明社亦於是乎屋矣。大抵二百七十年中，主盟者遞相盛衰，偏袒者互相左右，諸家選本，亦遂皆堅持畛域，各尊所聞。至錢謙益《列朝詩集》出，以記醜言偽之才，濟以黨同伐異之見，逞其恩怨，顛倒是非，黑白混淆，無復公論。彝尊因眾情之弗協，乃編纂此書，以糾其謬。每人皆略敘始末，不橫牽他事，巧肆譏彈。里貫之下，各備載諸家評論，而以所作《靜志居詩話》分附於後。雖隆、萬以後，所收未免稍繁，然世遠者篇章易佚，時近者部帙多存，當亦隨所見聞，不盡出於標榜。其所評品，亦頗持平。於舊人私憎私愛之談，往往多所匡正。六、七十年以來，謙益之書久已澌滅無遺，而彝尊此編獨為詩家所傳誦。亦人心彝秉之公，有不知其然而然者矣。

館臣使用大量文字，先鋪述明代文學發展，次以錢謙益與朱彝尊對列並舉，最後展現貶錢尊朱的立場，在在顯示館臣重視朱彝尊的地位與價值。此外，館臣指《靜志居詩話》分附於《明詩綜》後，可知詩文評未收該《詩話》的原因，應出於《詩話》實存的狀態——附錄而非單行。當然，在此長篇敘述裏，我們看不見館臣所謂「持平」的理論內容為何？朱彝尊在〈明詩綜序〉指出：「合洪武迄崇禎詩甄綜之。……入選者三千四百餘家，或因詩而存其人，或因人而存其詩。間綴以詩話，述其本事，期不失作者之旨。……析為百卷，庶幾成一代之書。竊取國史之義，俾覽者可以明夫得失之故矣。」[158]追求存全與展現國史意義的目的，成為該書的主要宗旨。在朱氏之前，已有相似作品（或因詩存人、或因人存詩），故朱氏亦云：「明自萬歷後，作者散而無紀，後之選者，不加審擇，甄綜寥寥……彝尊於公安、竟陵之前，詮次稍詳，意在補當時選本之闕漏。若啟、禎死事諸臣，復社文章之士，亦當力為表揚之，非寬於近代也。」[159]對文學史料的增補狀況，也略做交代。

前文曾述浙派人物多宗宋詩，可是朱彝尊卻是浙籍中，不崇尚宋詩的人物[160]，朱彝尊的表弟，曾因牽罪而改名的查慎行[161]，在

---

[158] 〔清〕朱彝尊：《曝書亭集》，《景印文淵閣四庫全書》，卷六十四，〈明詩綜序〉，頁 1318（冊）－64。

[159] 〔清〕朱彝尊：《曝書亭集》，《景印文淵閣四庫全書》，卷三十三，〈答刑部王尚書論明詩書〉，頁 1318（冊）－26-27。

[160] 正因如此，嚴迪昌先生於是認為「『浙派』詩與浙籍人詩不是平行以至等同的概念」，見《清詩史》，頁 514。

[161] 〔清〕王應奎：《柳南隨筆、續筆》（北京：中華書局，1997.12），卷六：「康熙丁卯、戊辰間，京師梨園子弟以『內聚班』為第一。時錢塘洪太學昉思昇著《長生殿》傳奇初成，授『內聚班』演之。聖祖覽之稱善，賜優人白金二十兩，且向諸親王稱之。……『內聚班』優人因告於洪曰：『賴君新製，吾輩獲賞賜多矣！請開筵為君壽，而即演是劇以侑觴，凡君所交游，當延之俱來。』乃擇日治具，大會於『生公園』，名流之在都下者，悉為羅致，而不及吾邑趙□□〔星瞻徵介〕。時趙館給諫王某所，乃言於王，促之入奏，謂是日係皇太后忌辰，設宴張樂，為大不敬，請按律治罪。上覽其奏，命下刑部獄，凡士大夫及諸生，除名者幾五十人，益都趙贊善伸符執信、海寧查太學夏重嗣璉其最著者也。後查以改名慎行登第，而趙竟廢置終其身。」頁 123-124。

〈曝書亭集序〉[162]云：

> 世徒知先生文章之工，而不知其根柢六經，折衷群輔，雖極縱橫變化，而粹然一出于正。如此，其稱詩以少陵為宗，上追漢魏，而汎濫於昌黎、樊川，句酌字斟，務歸典雅，不屑隨俗波，靡落宋人淺易蹊徑。故其長篇短什，無體不備，且無孅不臻。

查慎行兼從詩文角度，肯定朱氏的文學表現。〈序〉謂朱氏「根柢六經，折衷群輔」，可知重學問乃為朱彝尊重要主張之一[163]。又朱詩「以少陵為宗」，不隨「宋人淺易蹊徑」可知其宗唐而抑宋之立場[164]。朱彝尊既重學問，又主宗唐，則他批評七子，但不落入公安、竟陵窠臼的獨特性形象，清晰浮現。〈明詩綜提要〉的「持平」之說，或可在查慎行〈序〉文中，得到補充證明。若此，館臣

---

[162] 〔清〕朱彝尊：《曝書亭集》（《四部叢刊》本），〈序〉。《四部叢刊》與《四庫全書》查〈序〉內容不盡相同，以《四部叢刊》本較為清晰，故本文據此而論。

[163] 〔清〕朱彝尊著、黃君坦校點：《靜志居詩話》（北京：人民出版社，2006.6）、卷十八、「徐𤊹」條云：「嚴儀卿論詩所謂『詩有別才，非關學也』，其言似是而非。不學牆面，焉能作詩？自公安、竟陵派行，空疏者得以借口。果爾，則少陵何苦『讀書破萬卷』？」，頁 549。

[164] 如〈葉李二使君合刻詩序〉云：「今之言詩者，每厭棄唐音，轉入宋人之流派。高者師法蘇、黃，下乃效及楊廷秀之體，叫囂以為奇，俚鄙以為正，譬之于樂，其變而不成方者與？」即是其例。朱彝尊：《曝書亭集》，《景印文淵閣四庫全書》，卷三十八，〈葉李二使君合刻詩序〉，頁 1318（冊）—83。

未收《靜志居詩話》，應非出於一味主觀排拒的態度。

一般來說，「浙派」概念往往兼有宗尚宋詩的複合意義，查慎行為代表人物之一，館臣在〈敬業堂集提要〉[165]云：

> 集首載王士禎〈原序〉，稱黃宗羲比其詩於陸游，士禎則謂奇創之才，慎行遜游；綿至之思，游遜慎行。又稱其五、七言古體，有陳師道、元好問之風。今觀慎行近體，實出劍南，但游喜寫景，慎行喜抒情，游喜隸事，慎行喜運意，故長短互形。士禎所評良允。至於後山古體，悉出苦思，而不以變化為長，遺山古體具有健氣，而不以靈敏見巧，與慎行殊不相似。核其淵源，大抵得諸蘇軾為多。觀其積一生之力，補註蘇詩，其得力之處可見矣。明人喜稱唐詩，自國朝康熙初年，窠臼漸深，往往厭而學宋，然麤直病亦生焉。得宋人之長而不染其弊，數十年來，固當為慎行屈一指也。

館臣的結論是：查慎行著有《蘇詩補注》，亦從蘇詩中尋求養分，故其為宋調，不染麤直之時病。〈提要〉在結論前，藉王士禎〈原序〉予以推闡[166]，最後導出慎行近體似陸游，古體學蘇軾的結論。

---

[165] 《總目》，卷一百七十三、集部二十六、別集類二十六，頁 4（冊）－599-600。

[166] 嚴迪昌先生曾謂〈提要〉轉述王士禛〈序〉，頗有粗陋之處：一是「題目其詩，比之劍南」是黃宗炎（晦木）而非宗羲所說；二是王士禛沒有用「慎行遜游」「游遜慎行」的判斷語，而是說「或遜奇雄」「亦未過之」。見《清詩史》，頁 591。

乾隆十五《御選唐宋詩醇》共選出唐代詩人四家，宋代詩人二家。宋代二家為蘇軾與陸游，〈御選唐宋詩醇提要〉云：「國初多以宋詩為宗，宋詩又弊。士禎乃持嚴羽餘論，倡神韻之說以救之……士禎又不究興觀羣怨之原，故光景流連，變而為虛響。各明一義，遂各倚一偏，論甘忌辛，是丹非素，其斯之謂歟！」館臣認為綜攝唐、宋詩的長處，不各倚一偏，方能回復孔門詩教。因此，我們可以猜測館臣應能肯定查慎行的作品，至於為何不收錄，則不易得知。

綜上所述，《總目》「詩文評類」中的「國朝六家」，王士禎與趙執信最受稱揚，浙籍人物朱彝尊與查慎行的著作，雖未被載錄，但我們無法直言館臣不予重視（至少朱彝尊在〈明詩綜提要〉中，仍受館臣稱揚）。至於「南施北宋」的施閏章，其回應時代的思想深度，顯然受到壓縮[167]，換言之，施閏章雖然「在場」，但充其量只為背景人物。因此，《總目》中「國朝六家」並稱人物仍不離「王士禎現象」的光暈。

三、「西泠十子」中批評家的「在場」與「缺席」

毛奇齡〈毛稚黃墓誌銘〉曾指出：「當甲乙之際，士君子棄置今學、學古人，為文辭往往萃一二指名者，互相標許。維時臨安諸

---

[167] 宋琬未有《詩話》傳世，故本文不予討論。唯嚴迪昌先生說：「《四庫全書總目》列宋琬詩集於『別集類存目』之八，《提要》說《安雅堂拾遺詩》無卷數，『非但珠礫並陳，並恐真贋莫別』，實係數衍話，列于『存目』，已是打入另冊。」值得參考。氏著：《清詩史》，頁531。

君，則有所謂西泠十子者，實以稚黃為項領。」168在甲申鼎革之際，一群文人棄今學古，彼此唱和，有成西泠十子之名，《總目》亦曾標出「（張丹）與陸圻、柴紹炳、陳廷會、毛先舒、丁澎、吳百朋、孫治、沈謙、虞黃昊相唱和，稱西泠十子。」169十子之興起，與明亡投水自盡的陳子龍有關170，縱然陳子龍在乾隆四十一年已受追謚171，但館臣對其歷史評價，未能即刻改變，或因於此，館臣將這些人的著作多不收錄或置入存目書中。172

在十子中，《總目》所收最多著作的是毛先舒，其《詩辯坻》入存目書，〈提要〉173云：

> 然先舒詩源出太倉、歷下，故宋、元皆置不論。而尤好為高論，如謂常建「深入強千里」句為不知句法。謂杜甫《詠懷

168 〔清〕毛奇齡：《西河集》，《景印文淵閣四庫全書》，卷九十九，頁 1321（冊）－114。

169 《總目》，卷一百八十一、集部三十四、別集類存目八，頁 5（冊）－852。

170 《清史稿》，卷四百八十四、列傳二百七十一、文苑一、〈陸沂傳〉：「先是陳子龍為登樓社，圻、澎及同里柴紹炳、毛先舒、孫治、張丹、吳百朋、沈謙、虞黃昊等並起，世號『西泠十子』」，頁 3419。另請參見朱則杰：《清詩史》（南京：江蘇古籍出版社，2000.5），頁 28-34。

171 〔清〕和紳等奉敕撰：《欽定大清一統志》，《景印文淵閣四庫全書》、卷五十九，頁 475（冊）－184。松江府二、「陳子龍」條下：「本朝乾隆四十一年賜專謚忠裕」。

172 《總目》收錄西泠十子中六人二十四種著作，而著作俱入存目。請參見【附錄五】《總目》西泠十子著作收錄情形一覽表。

173 《總目》，卷一百九十七、集部五十、詩文評類存目，頁 5（冊）－275-276。

古蹟》第五首，通章草草，伯仲二語殊傷淵雅。謂元結《欸乃曲》傖父之狀，使人欲嘔。謂李白《清平調》「雲想衣裳花想容」句，落填詞纖境；「若非」、「會向」，居然滑調；「一枝穠豔」、「君王帶笑」，了無高趣。又謂胡應麟性鶩多，故於宋、元詩俱評。然眼中能容如許塵物，即胸次可知，而上下千古所鑄金呼佛者，則惟一李攀龍焉。

館臣指明：毛先舒詩源於王世貞（太倉人）、李攀龍（歷城人），為七子派餘緒，故其對宋、元之詩，多無相應之理解；他雖宗尚唐詩，但對常建、杜甫、李白之詩，也多有譏評；他對於胡應麟評宋元詩，亦有微詞。故館臣總評他因詩源明代七子，尤其對李攀龍「鑄金呼佛」，所以眼中容納許多塵物，胸次不高。事實上，館臣對七子派的理解是較粗略的，將他們的主張壓縮為「文必秦漢、詩必盛唐」，整體上以「師古的」、「模擬的」做為他們的內質，所以會有後繼者亦無可觀之處的判斷。

事實上，將毛先舒視為繼承七子、陳子龍的詩學家，大抵公允，如其論詩主張格調，《詩辯坻》〈總論〉[174]云：

鄙人之論云：「詩以寫發性靈耳，值憂喜悲愉，宜縱懷吐辭，蘄快吾意，真詩乃見。若模擬標格，拘忌聲調，則為古所域，性靈斯掩，幾亡詩矣。」予案是說非也。標格聲調，古人以寫性靈之具也。由之斯中隱畢達，廢之則辭理自乖。

[174] 〔清〕毛先舒：《詩辯坻》，《清詩話續編》，頁12。

> 夫古人之傳者，精于立言為多，取彼之精，以遇吾心，法由彼立，杼自我成，柯則不遠，彼我奚間？

文中「鄙人之論」應為公安派的基本看法，毛先舒認為「標格聲調」是一種描寫性靈的工具，學習「標格聲調」，只是學習一種有效的語言工具而已；且有效的工具既已經古人陶鑄，我們自可「取彼之精」。如此一來，「法」雖由古人所立，但機杼仍由我成，因此應無古人與今我之區別。換言之，強調「法」的普遍性、原則性，同時也正視「我」的選擇性（「取法之精」）、主動性（「杼自我成」），就是毛先舒的詩學重心。在面對明末以降抨擊七子的聲浪下，毛氏的主張應屬修正的格調派路線，可是這些細微的地方，卻不受館臣正視、抉發。當然，這也符合館臣排斥七子的一貫立場。[175]

總之，館臣不重視西泠派作家的現象，從《總目》收錄著作的

---

[175] 對於具有明代流風的詩文評著作，館臣皆置微詞，如同為存目書的〈棗林藝簣提要〉云：「所談詩文，皆不出明人門徑。其載張弼推尊《洪武正韻》一條，尤為紕謬。」〈柳亭詩話〉云：「自三代以迄近人，凡涉於詩者，多所記錄，時以己意品題。而議論考據，多無根柢，猶明季山人之餘緒也。」《總目》，卷一百九十七、集部五十、詩文評存目，頁 5（冊）－275、277。見關於〈柳亭詩話〉是否果為無據，在清人眼中，別有評價，如羅坤《柳亭詩話·序》：「今岸舫自三代以迄今，茲凡涉于詩句、詩聯、詩之格律、詩之長短、本末名物家數，罔不兼收畢舉；而一字半語，具有根據；正訛霹謬，□益無窮。」〔清〕宋長白：《柳亭詩話》（臺北：廣文書局，1971.9），頁 1。又〔清〕查為仁：《蓮坡詩話》：「（宋西洲）父長白先生為越中名宿，有《柳亭詩話》，考據精博。其徵引近事，可備掌故。」《清詩話》，頁 436。

情形已經明曉可見，唯一入列「詩文評類」的毛先舒《詩辯坻》，所受評價也顯低下。通過這個現象，館臣對於七子派餘續的不友善態度，亦不言而喻。

四、餘論——以「唐宋詩爭」爲觀察視域

前文嘗試從歷史當事人的「在場」與「缺席」，以及文學史、批評史「並稱」人物的角度，逼顯《總目》「詩文評類」所重構文學批評史圖像的意義。在這個觀察角度以外，還有幾部著作〈提要〉未及討論，當然，有的〈提要〉內容簡單，未有較為深入的思想表述，所以，我們不妨暫時割捨。

此外，館臣在看待明朝至清初文學流衍時，常指出唐詩與宋詩是兩種主要被學習的範型，而文學社群也將唐詩、宋詩的某些質素，內化成自我詩學主張，並做為對抗異趣者的工具。所以，我們若透過「唐宋詩爭」的文學脈絡，還可以稍加梳理下列三部著作（毛奇齡《詩話》、宋犖《漫堂說詩》、葉燮《原詩》）〈提要〉，並與前文相呼應。

㈠ 對於宗唐論述形式的批評

毛奇齡是清初主張唐音的重要學者，其反對宋詩的激烈程度，曾遭時人訕笑。《漁洋詩話》卷下[176]云：

> 蕭山毛奇齡大可不喜蘇詩，一日復於座中訾謷之。汪蛟門懋麟起曰：「『竹外桃花三兩枝，春江水暖鴨先知』云云，如

[176] 《漁洋詩話》，見《清詩話》，頁 192。

> 此詩，亦可道不佳耶？」毛怫然曰：「鵞也先知，怎只說鴨？」

此則毛奇齡所爭辯的，全非詩性討論，其固執樣貌，可想而知。〈詩話提要〉用「尊唐抑宋」總說毛奇齡的詩學主張，認為其詩學主張自有體系，對於毛奇齡的評詩內容，「所論宋詩，皆未見宋人得失，漫肆譏彈。即所論唐詩，亦未造唐代藩籬，而妄相標榜。如詆李白，詆李商隱，詆宗元，詆蘇軾，皆務為高論，實茫然不得要領。」[177]由此推知，館臣的立場，不在追問尊唐抑宋是否適當，而是追問在建構尊唐抑宋的過程中，學理是否具有合理性？這樣一來，館臣不直接陷入唐宋詩爭的泥淖中，並以俯瞰高度，評述毛奇齡《詩話》的內容與價值。

㈡ 對於折衷唐宋派的批評

《四庫全書》所收宋犖《漫堂說詩》版本，乃為曹溶《學海類編》（編修曹晉芳家藏本）刊本，而該書原在宋犖著作《西陂類稿》中，故〈漫堂說詩提要〉僅簡陳《漫堂說詩》和《西陂類稿》的關係，未涉文學思想範圍。若要進一步理解館臣眼中的宋犖，及其文學表現，須賴〈西陂類稿提要〉：

> 詩文亦為當代所推，名亞於新城王士禎。其官蘇州巡撫時，武進邵長蘅選士禎及犖詩為《王宋二家集》，一時頗以獻媚大吏為疑。趙執信尤持異論，併士禎而掎軋之。平心而論，

---

[177] 《總目》，卷一百九十七、集部五十、詩文評存目，頁5（冊）－275。

> 犖詩大抵縱橫奔放，刻意生新，其淵源出於蘇軾……施元之《蘇詩註》久無傳本，犖在蘇州重價購得殘帙，為校讐補綴，刊板以行，其宗法可以槩見。故其詩雖不及士禎之超逸，而清剛雋上，亦撥戟自成一隊。其序記、奏議等作，亦皆疏暢條達，有眉山軌度。士禎寄犖詩有曰：「尚書北闕霜侵鬢，開府江南雪滿頭。當日朱顏兩年少，王揚州與宋黃州。」言二人少為卑官即已齊名，不自長蘅合刻始，所以釋趙執信之議也。然則士禎亦未嘗不引為同調矣。

〈提要〉內容討論王、宋齊名的緣由、關係、宋犖的文學特色、淵源。縱然王士禛引宋氏為同調，但宋犖詩文頗有東坡軌度，故與士禛有所差距。館臣的理解，符合宋犖自述文學轉折的歷程，《漫堂說詩》[178]云：

> 年十二即奉先文康庭訓，從事聲律。旋入侍禁闥，側身屬車豹尾間，此道便棄。後歸故園之日，追隨侯方域、賈開先、徐作肅諸君，分題拈韻，篇什遂多。迨筮仕黃州，官衙岑寂，頗究心詩學。然初接王、李之餘波，後守三唐之成法，於古人精意，毫未窺見。康熙壬子、癸丑（曾案：康熙十一、十二年，1672-1673）間屢入長安，與海內名宿尊酒細論，又闌入宋人畛域。所謂旗東亦東，旗西亦西，猶之乎學王、李，學三唐也。庚申（曾案：康熙十九年，1680）虔州返命，舟泊鄱

---

[178] 《漫堂說詩》，《清詩話》，頁 376-377。

> 湖，月夜望匡廬，與兒至作《詩話》，忽有所得。阮亭侍郎序余〈西山詩〉云：「黃州以前，守而未化；虔州以後，每變愈上。」余愧未敢當，足見此道自有實證。

宋犖自十二歲學詩，後隨河南商丘一帶著名詩人侯、賈、徐等學習，此為初期階段；擔任黃州推官以後，學七子，學初、盛、中唐詩，又學宋詩。整體而言，具有折衷唐、宋詩爭的理路。[179]

事實上，館臣雖謂「詩文亦為當代所推，名亞於新城王士禎。」但在詩文評類中，還是捨宋犖而重王士禎。

㈢ 對於「博辨」論述形式的批評

〈原詩提要〉[180]云：

> 其大旨在排斥有明七子之摹擬，及糾彈近人之剽竊。其言皆深中癥結。而詞勝於意，雖極縱橫博辨之致，是作論之體，非評詩之體也。亦多英雄欺人之語。如曰「宋詩在工拙之外，其工處固有意求工，拙處亦有意為拙。若以工拙上下

---

[179] 關於宋犖的立場，學者有不同的看法。吳宏一先生視為王士禛的同道者，見氏著：《清代詩學初探》，頁 179。蔣寅先生則從《漫堂說詩》中舉出「自有得於性之所近，不必橅唐，不必橅古，亦不必橅宋、元、明，而吾之真詩觸境流出。」「邇來學宋者，遺其骨理而撏扯其皮毛，棄其精深而描摹其陋劣。是今人之謂宋，又宋之臭腐而已。」「以此力挽尊宋祧唐之習，良於風雅有裨。至於杜之海涵地負，韓之鰲擲鯨呿，尚有所未逮。」證成宋犖的詩學內涵為「取法甚廣，不居一隅」，值得參考。蔣寅：《清詩話考》，頁 257。

[180] 《總目》，卷一百九十七、集部五十、詩文評存目，頁 5（冊）—277-278。

> 之，宋人不受也。」此論蘇、黃數家猶可，概曰宋人，豈其然乎？至謂謝靈運勝曹植，亦故為高論耳。

館臣對《原詩》的內容，頗能點明要旨，諸如排斥明代七子及今人模擬剽竊的風氣。當然，葉燮排拒模擬文風的理論基礎，就是建立在時間遷流的實然現象與意義上。《原詩》云[181]：

> 詩始於《三百篇》，而規模體具於漢。自是而魏、六朝、三唐，歷宋、元、明以至昭代，上下三千餘年間，詩之質文、體裁、格律、聲調、辭句，遞嬗升降不同，而要之詩有源必有流，有本必達末；又有因流而溯源，循末以反本，其學無窮，其理日出。乃知詩之為道，未有一日不相續相禪而或息者也。但就一時而論，有盛必有衰；綜千古而論，則盛而必至於衰，又必自衰而復盛；非在前者之必居於盛，後者之必居於衰也。乃近論詩者……如李夢陽不讀唐以後書，李攀龍謂唐無古詩，又謂陳子昂以其古詩為古詩，弗取也。自若輩之論出，天下從而和之，推為詩家正宗，家絃而戶習。習之既久，乃有起而掊之，矯而反之者，誠是也。然又往往溺於偏畸之私說。其說勝，則出乎陳腐而入乎頗僻；不勝，則兩敝，而詩道遂淪而不可救。

詩歌的發展肇端於《三百篇》，而規模具全於漢代，從魏至清，質

---

[181] 《原詩》，卷一、內篇上，《清詩話》，頁 511。

文、體裁、格律、聲調、辭句等等語文層次的表現，各有不同。其不同之處，或可區分為盛、衰，但沒有「前盛後必衰」或「前衰後必盛」的必然道理，即不可單純以時代先後來定詩之盛衰。因為依照自然規律，盛衰相替、衰盛交迭，這是一個循環發展的模式，我們不可「就一時」而棄「綜千古」。因此，一味師古，自然昧於「其理日出」「相續相禪」的實然法則；但為了救治陳腐剽竊的虛病，轉入纖仄冷僻的詩境，則又救之太過。葉燮嘗試跳脫明代七子以降的詩學路徑與爭議，藉提舉歷史運動的內在邏輯，以安頓詩歌流變的各種文學形式與意義，展現「凡存在即合理」的傾向。正因「凡存在即合理」[182]，所以我們不能輕忽、抹殺每一段詩史，縱然我們可以從價值層次斷言其「盛、衰」，甚至從歷史當事者中標舉出「英雄」（諸如杜甫、蘇軾、韓愈等）[183]，但都不礙歷史自身的遷動改變。

至於價值層次底下的文學「盛、衰」現象，不是純粹宿命地交付天運，因為葉燮是藉歷史遷變的實然性，保住每個文學時代的個別價值，而不是要用歷史的實然性去取代個別時代的自我抉擇與自

[182] 「凡存在皆合理」是黑格爾哲學的一個談法，我們可以運用到歷史判斷的討論上，只是本文暫不涉哲學形上學的討論。關於「凡存在皆合理」的哲學討論，請參見牟宗三：〈論「凡存在即合理」〉，收入氏著：《生命的學問》（臺北：三民書局，2003.9），頁 203-217。

[183] 《原詩》，卷三、外篇上云：「杜甫之詩，獨冠今古。此外上下千餘年，作者代有，惟韓愈、蘇軾，其才力能與甫抗衡，鼎立為三。」《清詩話》，頁 54。蔣寅先生將葉燮的詩歌史論視為一種英雄史觀，頗值得參考，見氏著：〈葉燮的文學史觀〉，《文學遺產》，2001 年 6 期。

我實踐[184]，亦即自我時代的文學走向，飽含著取捨、創造的空間。於是，歷史遷變的實然性開出當代創造的應然性，當代創造的成果又會回歸歷史遷變的階段，這樣就能既能解釋明代七子、公安、竟陵的歷史地置與價值，同時也能綜理歷史經驗並且滋發自我時代的新趨向，展現「相續相代」的事理本質。

葉燮的詩學內容已逐步上昇到文學形上學、歷史哲學[185]的範圍，探究詩的根源、原理，並且對於個別的文學事理予以哲學解釋，所以具有強烈的思辨色彩。可是，館臣卻從詩文評的形式與內容，對《原詩》提出批評。館臣認為《原詩》的論述型態，是「作論之體」而非「評詩之體」，為一種越界的、出體的表現，因此容易展現「詞勝於意」、「縱橫博辨」的特質。館臣實以「詩話」散漫零碎的型態，與之對比[186]。事實上，在〈詩文評類敘〉曾指出詩文評共有五種評論形式，其至宋代《中山詩話》、《六一詩話》等「體兼說部」就已經完成，館臣便持如此標準衡量《原詩》的論述

[184] 葉燮的詩學理論，強調兼重「理、事、情」與「才、膽、識、力」。「理、事、情」為詩法的根據，即《原詩·內篇上》「三者（曾案：「理、事、情」）得而不可易，則自然之法立。故法者，當乎理，確乎事，酌乎情，為三者之平準，而無所自為法也。」《清詩話》，頁 521。屬於創作活動的客觀性要素；「才、膽、識、力」為創作得以「禦法」而不「就法」的關鍵所在，故此屬創作活動的主觀性要素。請參見鄔國平、王鎮遠：《中國文學批評通史》，頁 289-299。

[185] 歷史哲學的學門性質為：以歷史之事理為對象的哲學解釋，而解釋者須通過具體解悟，完成歷史判斷。參見牟宗三：《歷史哲學》（臺北：臺灣學生書局，1988.8），頁 1-6。

[186] 關於《總目》批評葉燮《原詩》「體系性特徵」的原因，詳見張健：《清代詩學研究》，頁 327-330。

形式。當然，如果館臣能夠採取開放的心靈與欣賞態度，《原詩》或許就可以成為當代新例了。若進一步反向追問：館臣為何沒能欣賞《原詩》之論體呢？從〈詩文評類敘〉應可看出些端倪：「宋、明兩代，均好為議論，所撰尤繁。雖宋人務求深解，多穿鑿之詞；明人喜作高談，多虛矯之論。」「博辨」之論實無益文章之道，甚而易流於穿鑿與虛論，故應貶抑。

論述形式與論述內容本來應分屬於不同層級，館臣大可不必率然批判。但在企圖建立清代政權之權威性、合法性的文化氣氛下，發展出——以「由字以通詞，由詞以通道」為根本方法[187]，然後依附字詞返回傳統經典，並掘發經典深處的形上實理與人間秩序，就成為清代文化現象的具體脈絡。就在側重語言效力的關鍵時刻，這類認為語言形式足以決定論述內容的看法，便容易發展出嚴密控管「博辯」形式的聲音來。因此，拿〈詩文評類敘〉所言「考證舊聞，觸發新意」的著錄標準來評估《原詩》，那《原詩》的「博辨」形式，以及宋詩工拙皆有意、謝靈運勝曹植等等「高論」內容，就注定成為被排拒的對象了。至於仍將它置於存目之中，應其尚有「深中（明七子與今人）癥結」之功。

總之，館臣批評毛奇齡的地方，是集中在宗唐抑宋的理由，而非宗唐抑宋的立場，因此不礙他們了凸顯、建構「王士禛現象」。至於宋犖、葉燮折衷唐、宋的詩學主張，也不受到高度的青睞，因

---

[187] 見葛兆光：〈清代考據學：重建社會與思想基礎的嘗試〉，陳平原、王德威、商緯編：《晚明與晚清：歷史傳承與文化創新》（武漢：湖北教育出版社，2004.5），頁 126。

為館臣對於唐詩弊端、神韻說理路罅隙的補救方法，在於回歸傳統詩教，而不在斟酌唐、宋詩的質量多寡上。

第四節　結　語

經過上文討論，可以得到以下主要結論：

(一)《總目》清代詩文評類的著錄書共有九部，其著作、〈提要〉內容與及王士禛密切相關的，就有五部。所以我們可以發現：館臣凸顯、建構了「王士禛現象」。

(二)館臣所建構的「王士禛現象」規模，乃從王士禛詩學的「內在理路」與「擴散效應」兩方向，予以架構。

(三)王士禛詩學（或可直謂「神韻說」）的「內在理路」，又分自作品實踐與理論論述兩項，展開構作：

1. 館臣認為神韻說實踐為文學作品時，就成為「範水模山，批風抹月」的「山水清音」，而這種作品終究淪為「虛響」。
2. 神韻說的理論，乃以「不著一字，盡得風流」為極則，其論述終究流於「偏蔽」。
3. 館臣對於神韻說內在理路的建構，是在歷史意義與理論意義相即的基礎上進行的。即神韻說的理論意義，不是被獨立在文學藝術的討論範圍裏，而是不斷地被消融在歷史發展的脈絡中。簡單地說，館臣強調神韻說是為了救治當代（清初）的文學缺失——「祧唐祖宋」之弊而起，此一當代性課題隨即又被捲入前朝性的課題中，用單一矢向的方式，振瀾索源，推向錢謙益、公安與竟陵、明代七子等文學社群與主張，反覆強調後者對前者的取代狀況。

㈣在王士禛詩學的「擴散效應」中，我們可以將相關人士分為「連結型」與「背離型」。

1.「連結型」即為正面繼承的類型，該型作者與著作有：郎廷槐和劉大勤《師友詩傳錄、續錄》、鄭方坤《五代詩話》（若從鄭方坤與王士禛的詩生關係，以及《全閩詩話》引述王士禛的意見來看，《全閩詩話》亦可納入此類）。

2.「背離型」即為批判背悖的類型，該型作者與著作有：趙執信《聲調譜》與《談龍錄》。

⑴館臣對於趙執信背悖王士禛的原因，多從意氣角度予以說明。於是，相對模糊詩學理論層次的原因。

⑵縱然館臣多從詩學外部原因解釋王、趙關係，可是他們也同時接受趙執信部分修正神韻說的看法。

㈤著錄書〈提要〉除了反映「王士禛現象」以外，也出現「建構客觀知識與服膺國家政策的內在矛盾」、「忽略實用文體的藝術性」、「未深掘詩文評著作的幽微意識」等文學現象。

㈥關於存目書，我們若以歷史圖像的「在場」與「缺席」為觀察點，可以得知：

1.館臣對於虞山派人物——馮班、賀裳、吳喬的著作，或不採入《總目》，或僅列入存目書，並以王士禛的立場進行批評。

2.在「國朝六家」名單中，《總目》著錄書只收錄王士禛與趙執信的著作。施閏章著作列於存目書，而〈蠖齋詩話提要〉也忽略其文學思想層次的討論。至於浙籍人士朱彝尊與查慎行著作，《總目》未予收錄。當然，朱彝尊著作未被收錄，應與他的著作尚未單行刊出有關；查慎行受到忽略的原因，尚難確認，但從「六家」的整體狀況來說，還是加深館臣凸顯「王士禛現象」的痕跡。

3.「西泠十子」的著作未受館臣重視，其或為明七子、陳子龍餘緒使然。事實上，毛先舒雖廁身十子之間，但他對七子亦有修正之說，唯〈提要〉未予正視。

4.若以「祧唐祖宋」為觀察視域，宗唐音的毛奇齡仍受館臣批評，而折衷唐宋的宋犖、葉燮也不受館臣特別肯定。就此可見：館臣適度地跳脫唐宋詩爭的泥淖。

㈦〈因園集提要〉結語「不必論甘而忌辛，是丹而非素」之說，正代表館臣某種開放的態度與期待。可是，開放並非虛無，他們以開放的態度面對、調適王士禛與趙執信的文學內涵，但最終的文學價值歸趨，還是在詩教的「興觀群怨」、「溫柔敦厚」之上。

第五章　結　論

第一節　本論題的回顧與反省

一、回顧《總目》「詩文評類」文學思想的主要內容

《總目》是中國重要的一部目錄書籍，它伴隨《四庫全書》的編纂工作而生成。館臣在整理圖書文獻之餘，逐一列論作者的生平、世代，考訂內容得失，辨覈文字增刪、篇帙分合，在在展現考證學問的性格。可是，館臣不只考索歷史文獻，他們更期待從考訂中找出合理的論斷（即「公論」），以達成勸懲當代的政教目的。

圖書文獻，是一段壓縮的歷史。當館臣面對文獻時，他們得通過歷史理解，掌握歷史脈絡；當館臣述評文獻時，他們就得建構歷史圖像，甚至評價圖像內容。所有的歷史理解，都難免介入現實生活世界的經驗、期待與想像，所以，被建構的歷史圖像，就成為現實生活世界的隱喻。本書便將《總目》當做館臣的歷史敘述，嘗試從中尋繹隱喻的內容。

《總目》「詩文評類」依朝代為序，共收列著錄書六十四部、存目書八十五部，逐書分撰〈提要〉。「詩文評」的觀念，類近當

代學術的「文學批評」，因此，《總目》所收錄的著作，亦類近文學批評著作。館臣將文學批評著作按時平鋪，除了逐一述評以外，也描繪著作之間的發展關係。所以，本書從文學批評史的角度，一方面重建館臣的歷史圖像，一方面尋找圖像的隱喻內容。

我們自《總目》中，可以得到幾個重要的歷史圖像、文學觀念：

㈠中國「詩文評」著作的生成原因，在於文學作品數量累積（「渾渾灝灝」）、質量轉異（「體裁漸備」）以後，文學作品的內在規則愈趨鮮明、成熟（「文成法立」），進而推動文學評論活動，產生評論著作。

㈡中國「詩文評」著作正式成立的時間起點為南朝，直到北宋前期才完成五種書寫形式的常例與體類。

㈢中國詩文評論活動進入宋、明兩代，因士人好發議論，所以多穿鑿、虛憍的言論，甚至演變為堅持門戶私見，彼此詬誶，蠹害人心世道。

㈣門戶爭論，自北宋逐漸展開。北宋論爭多著落於新／舊、洛／蜀、西崑／江西之爭。宋朝文學與文學批評的流派發展約為：西崑——元祐——江西——永嘉四靈——江湖，其中江西影響時間最長、效力最廣，致使南宋形成江西與對治江西的基本格局。江西派講究詩法、詩格，卻造成「聲韻拗捩，詞語艱澀」的流弊。永嘉、江湖則取（晚）唐詩，對抗或修正江西派，但又墮入「猥雜細碎」的地步。基本上，整體發展呈現倒退狀態。

㈤在宋朝門戶爭論中，館臣認為元祐諸人講求學問、重視考證，議論多有根柢、品題具有別裁，所以頗為欣賞。只是，館臣

「尊元祐」並不蘊涵「抑熙寧」，因此可以避開宋朝的黨爭漩渦。

㈥明朝則從七子派開始，門戶爭論又進入白熱化，七子／公安、竟陵爭議不斷。七子派講究師古摹擬，卻流於贗古剽竊；公安講究性靈本色，卻步於破律壞度；竟陵講究尖新幽冷，卻失於纖仄詭僻。基本上，整體發展呈現倒退狀態。

㈦宋、明兩朝是中國門戶爭鬥最為激烈的時代，而清初錢謙益《列朝詩集》則為「黨同伐異」的極致表現。此後雖未見激烈爭鬥，但王士禛與趙執信尚存門戶歧見。當然，王士禛仍為主要的核心人物。

二、反省《總目》「詩文評類」文學思想的主要內容

關於《總目》所建構的批評史圖像與文學觀念，有幾點值得反省：

㈠館臣將歷史時間鑄造為線性時間，即是連續的、必然的、因果的歷程時間。可是，歷史發展卻也充滿斷裂、偶然、失序的運動。當館臣強調連續、必然、因果的時候，就必須以填補罅隙、捨棄突發、忽略細節做為代價。至於填補、捨棄、忽略等外顯行為的內在信念是：後繼者崛起的重要理由在於對治前行者。於是，每個文學社群或文學主張，必須予以簡化，以方便建構前後的對治關係。既然強調對治，也就製造了對抗性、緊張性。舉例來說，七子師古、公安師心的說法，就是先簡化個別理論內部的複雜性，削弱彼此相同或相近的質素，增強彼此相異的色彩，然後再聚焦於前行者理論虛欠的地方，讓後繼者得以救治不足。當然，館臣不太檢討

理論層次的補救效果，而是迅速轉往凸顯後繼者所衍生的缺失，並尋找下一個補位者。總之，簡單化、標籤化就成為建構此類歷史圖像的有效策略了。

㈡在理論上，館臣理解線性時間內的文學評論發展，並不事先預設進化或退化的模式。雖然館臣認為宋、明文學發展是退化的，但退化並不成為構成歷史的先驗條件，否則，詩文評書寫形式如何浸漸完成常例、體類？我「聖朝」如何能經由調和王、趙之爭，獲得文學佳績？當然，館臣是否別有居心地允許退化與進化並存，然後在歷史解釋上採取壓抑宋明、抬高清朝，這就屬於另一個問題了。

㈢在理論上，人文成果需要數量積累與質量轉異，以造就新氣象、新生命，那文學批評書寫形式也應該符合此一原則。可是，館臣在強調書寫形式常例的指導性時，也賦予了它的限制性；當限制效力過強，將造成理論自身的矛盾現象，即當新生的書寫形式逸出常例時，我們應該相應地欣賞它的創造性，為它別列一格？還是悍然排拒它的超逸性？從《總目》對《原詩》「博辨」的批評，不難得知館臣採取排拒的態度。這樣的態度，應是實務考量使然，因為館臣認為虛談高論是宋明政權、學術、文化衰敗的癥候，我「聖朝」豈容重蹈覆轍？正因理論與實務雙軌考量，所以造成理論內部的自我鬆動。

㈣館臣強調以考證方法閱讀歷史文獻、書寫《總目》，可是考證方法或有一定程度的合理性，但仍無法保障推論結果的正確性。此外，當國家權力介入歷史閱讀與理解的時候，館臣所堅信的考證方法，將遭受更巨大的壓制力量，或者重新包裝，展現出一套新的歷史知識。《總目》對清朝初期錢謙益的批判、消音、改造等狂暴手段，終使《總目》詩文評類中的文壇主盟為王士禛。這些正顯現館臣追求客觀知識與擁抱主觀政教關懷的詭譎相即。

㈤館臣最終期盼泯除門戶私見，所以必須採取包容、折衷的立場與態度。但這不意謂館臣喪失積極主張權，他們還是擁有堅定的價值信仰。就文學來說，儒家詩教的「興觀群怨」、「溫柔敦厚」即是重要的價值信仰，同時也被塑成一套評價他者的法印。因此，館臣帶有復古的色彩，只是他們所要回復的是詩教精神，而不是語言表相。他們對於語言表相的發展與變化，如文體、聲律、法度等等，並非一味排斥，進而固守在《詩經》的四言體世界，故實具通變內涵。正因如此，期待調和王士禛、趙執信的文學主張，就成為當代對於傳統詩教的某種具體回應與落實。

第二節　本論題的限制與前瞻意義

一、本論題的限制

在研究過程中，本論題確曾遭遇到若干限制，以下簡要臚列數則：

㈠本書〈緒論〉曾歸納〈提要〉書寫形式的原則與限制——書寫的簡要原則帶來論述簡單化，書寫的工具原則帶來歷史平淺化。這個現象應是研究者需要嚴正面對的問題。事實上，此類因形式所造成的限制，我們只能以適度擴大研究材料做為克服之道，亦即由《總目》的部分擴及全部，甚至由《總目》內部擴及外部。所謂由部分到全部，乃指由詩文評類擴大到其他部類；所謂由內部到外部，乃指由《總目》擴大到《總目》作者與他人。

只是，《總目》作者身分複雜，在現實條件下，研究者不易完整地掌握材料，所以適度地放棄傳記式批評的追蹤方式，將研究焦點與心力置回《總目》之中，便成為現階段的研究策略。

㈡上述由部分到全部的研究策略，仍是以詩文評類做為主要的、優先的研究對象為前提。事實上，要考察館臣批評史圖像的另一個有效樣本，應是總集類。總集為另一形式的批評著作，可視為「詩文評」著作的一種表現❶。楊松年先生從一九八一發表〈詩選之詩論價值：文學評論研究之另一方向〉❷開始，即致力研究選集所反映的文學批評思想，直至一九九六年出版的《中國文學批評問題研究論集》❸仍不斷從理論與實踐層次，反省、建構中國文學批評史。楊氏曾引王瑤先生的說法：「中國人一向不太注重詩文評，他們對詩的意見常寓於總集的選彙中。因此，一部《文選》之影響

---

❶ 當然，也有學者持不同的觀念，如王慶梅就認為「總集」不等於「選集」，其不全然為一種文學批評的表現。見氏著：〈文章之衡鑒　著作之淵藪——總集探析〉，《鄭州大學學報》（哲學社會科學版），1995 年 04 期，頁 115-120。唯《總目》〈總集類敘〉云：「（總集）是固文章之鑒衡，著作之淵藪矣」，仍可見出批評意義。

❷ 楊松年：〈詩選之詩論價值：文學評論研究之另一方向〉，《中外文學》第 10 卷第 5 期，1981.10。

❸ 楊松年：《中國文學批評問題研究論集》（臺北：文史哲出版社，1996.5），至於理論層次之討論者有〈選集的文學評論價值：兼評中國文學批評史的寫作〉；實踐層次的討論者有〈王夫之評選唐代詩人與詩作：《唐詩評選》研究〉、〈王夫之評選唐代詩人與詩作：《明詩評選》研究〉、〈王夫之《明詩評選》與錢謙益《列朝詩集》的比較研究〉等。

中國詩人文人，是遠遠超過任何一部詩文評之作」❹換言之，總集被視為一種具有文學批評意義的表述形式，其中充盪著選編者的文學意識。近十年來，學者們將這種文學批評的形式，稱為「選本批評」，並逐漸視為中國古典文學批評的重要現象之一。諸如：張伯偉先生在《中國古代文學批評方法研究》❺一書中，即將「選本」視為一種批評方法，並討論其方法的形成、發展與影響。鄒雲湖先生有《中國選本批評》❻一書，論述中國選本批評的變遷，及其原理。查清華先生《明代唐詩接受史》❼亦以明代唐詩選編做為接受史的核心現象。總之，「選本批評」乃指選編者藉由選擇、編纂的活動，展現汰刪或保存的主動批評意識與行為。在中國目錄學的分類上，從《隋書·經籍志》到《四庫全書》，「選本」大都被歸於「集部」的「總集類」。因此，通過《總目》總集類釐清館臣如何面對這些選本與選編意識，應能順利拓展本論題的觀察視域。

㈢館臣文學思想的研究工作，實非限於《總目》文學批評史的討論視野而已，諸如《總目》文學史、文學理論史的相關論述，乃至館臣的文學創作等等，實應納入討論範圍。不過，如此龐大的學術議題群，實非個人短暫時日所能完成，因此，本書只能成為研究議題群中的一個小環節。

---

❹ 《中國文學批評問題研究論集》，頁 56。

❺ 張伯偉：《中國古代文學批評方法研究》（北京：中華書局，2006.1），頁 227-325。

❻ 鄒雲湖：《中國選本批評》（上海：上海三聯書店，2002.7）。

❼ 查清華：《明代唐詩接受史》（上海：上海古籍出版社，2006.7）。

二、本論題的前瞻意義

本論題為四庫學、文學批評史、文學思想史的疊合論題，其學術的前瞻意義約有：

㈠在四庫學研究中，前輩學者已取得考證上的堅實成果，所以借用前人智慧結晶，並且呼應二十世紀八〇年代以降新的研究方向，進入文學詮釋範圍，應能豐富《四庫》學研究的深度與廣度。

㈡在中國文學思想史研究中，官方意識通常被視為具有霸權的、保守的意識，可是霸權與保守的形成，應起於對治某些問題，甚至起於某種集體焦慮。當官方意識成為語言論述，在相對單元的社會結構中，自然產生一定積極支配或濡化浸染的力量，而逐漸掩蓋思想在萌動之初，對治問題的情緒感受、企圖目標。因此，我們若能面對中國文學思想（史）中的官方論述，並且重新爬梳釐清，應可豐富文學思想（史）的樣貌，甚而掌握整體文化特質。

最後，唐小兵先生曾說❽：

> 一旦閱讀不再是單純地解釋現象或滿足於發生學似的敘述，也不再是歸納意義或總結特徵，而是要揭示出歷史文本後面的運作機制和意義結構，我們便可以把這一種重新編碼的過程稱作「解讀」。解讀的過程便是暴露出現存文本中被遺忘、被壓抑或被粉飾的異質、混亂、憧憬和暴力。因此解讀的出發點與歸宿必然是意識型態批判，也是拯救歷史複雜多

❽ 唐小兵：〈我們怎樣想像歷史〉，收入氏編：《再解讀——大眾文藝與意識型態》（北京：北京大學出版社，2007.5），頁 15。

元性、辨認其中烏托邦想象的努力。

縱然本書嘗試「解讀」《總目》文本背後的運作機制與意義結構，並且帶有後現代解構的氣味，但這一切實非要回到意識型態批判的歸宿，而是期待被官方論述所壓縮的歷史多元樣貌，以及壓縮過程的「烏托邦想像」，一齊展現在我們的面前，使得我們能夠反省館臣的語境，並且在閱讀、徵引《總目》資料時，多一點後設覺醒，而非不證自明地套用、承襲。總之，從前人洞見與盲視的經驗世界裏，重新發現前人與自我居處的不同位置，並且重新體驗共同所面對的文化現象、內涵與意義，應該都是我們不能迴避的學術使命。

附　錄

【附錄一】《總目》「詩文評類」著作暨作者（生卒年）一覽表

一、著錄書

編號	書名	作者	生年	卒年	出處、頁數(P)或備註
1	文心雕龍	〔梁〕劉勰	466？	537？	1A、P137
			？	473	3、P194
			？	？	4、P78
2	文心雕龍輯註	〔梁〕劉勰 〔清〕黃叔琳	1672	1756	1E、P711
3	詩品	〔梁〕鍾嶸	467？	519？	1A、P308
			約505年前後在世		3、P229
			469	518	4、P80
4	文章緣起	〔梁〕任昉	460	508	1A、P103
					3、P221
					4、P761
5	本事詩	〔唐〕孟棨	？	？	1B、P547
			約556年前後在世		《總目》：「是書前有光啓二年（556）自序」
6	詩品	〔唐〕司空圖	837	908	1B、P151
					3、P485
					4、P191
7	六一詩話	〔宋〕歐陽修	1007	1072	1C、P552
					2A、P587
					3、P210
					4、P248

8	續詩話	〔宋〕司馬光	1019	1086	1C、P142
					2A、P366
					3、P596
					4、P257
9	中山詩話	〔宋〕劉攽	1023	1089	1C、P1206
					2A、P440
					4、P259
			1022	1088	3、P601
10	後山詩詩	〔宋〕陳師道	1053	1101	1C、P481
					2A、P1015
					3、P628
					4、P272
11	臨漢隱居詩話	〔宋〕魏泰	?	?	1C、P992
			約 1105 年前後在世		2A、P1207
			約 1082 年前後在世		3、P619
12	優古堂詩話	〔宋〕吳幵	?	?	1C、P361
			約 1130 年前後在世		2A、P2171
			約 1109 年前後在世		3、P641
13	詩話總龜前集、後集	〔宋〕阮閱	?	?	1C、P242
			約 1130 年前後在世		2A、P1434
			約 1126 年前後在世		3、P668
14	彥周詩話	〔宋〕許顗	?	?	1C、P240
			約 1128 年前後在世		2A、P1392
			約 1111 年前後在世		3、P645
15	紫微詩話	〔宋〕呂本中	1084	1145	1C、P153
					2A、P2879
			約 1119 年前後在世		3、P652
16	四六話	〔宋〕王銍	?	?	1C、P63
			約 1132 年前後在世		2A、P2252

<table>
<tr><td rowspan="3">17</td><td rowspan="3">珊瑚鉤詩話</td><td rowspan="3">〔宋〕張表臣</td><td>?</td><td>?</td><td>1C、P442</td></tr>
<tr><td colspan="2">約 1146 前後在世</td><td>2A、P2597</td></tr>
<tr><td colspan="2">約 1126 年前後在世</td><td>3、P666</td></tr>
<tr><td rowspan="4">18</td><td rowspan="4">石林詩話</td><td rowspan="4">〔宋〕葉夢得</td><td>?</td><td>?</td><td>1C、P120</td></tr>
<tr><td rowspan="3">1077</td><td rowspan="3">1148</td><td>2A、P2685</td></tr>
<tr><td>3、P649</td></tr>
<tr><td>4、P281</td></tr>
<tr><td rowspan="3">19</td><td rowspan="3">藏海詩話</td><td rowspan="3">〔宋〕吳可</td><td>?</td><td>?</td><td>1C、P360</td></tr>
<tr><td colspan="2">約 1173 年前後在世</td><td>2A、P5535</td></tr>
<tr><td colspan="2">約 1126 年前後在世</td><td>3、P668</td></tr>
<tr><td rowspan="4">20</td><td rowspan="4">風月堂詩話</td><td rowspan="4">〔宋〕朱弁</td><td rowspan="2">1085</td><td rowspan="2">1144</td><td>1C、P167</td></tr>
<tr><td>2A、P2942</td></tr>
<tr><td>?</td><td>1154</td><td>3、P684</td></tr>
<tr><td>?</td><td>1148</td><td>4、P318</td></tr>
<tr><td rowspan="3">21</td><td rowspan="3">歲寒堂詩話</td><td rowspan="3">〔宋〕張戒</td><td>?</td><td>?</td><td>1C、P434</td></tr>
<tr><td>?</td><td>1158</td><td>2A、P3234</td></tr>
<tr><td colspan="2">約 1135 年前後在世</td><td>3、P678</td></tr>
<tr><td rowspan="3">22</td><td rowspan="3">庚溪詩話</td><td rowspan="3">〔宋〕陳巖肖</td><td>?</td><td>?</td><td>1C、P491</td></tr>
<tr><td colspan="2">約 1151 前後在世</td><td>2A、P2785</td></tr>
<tr><td colspan="2">約 1147 年前後在世</td><td>3、P693</td></tr>
<tr><td rowspan="4">23</td><td rowspan="4">韻語陽秋</td><td rowspan="4">〔宋〕葛立方</td><td rowspan="4">?</td><td rowspan="4">1164</td><td>1C、P845</td></tr>
<tr><td>2A、P8196</td></tr>
<tr><td>3、P689</td></tr>
<tr><td>4、P325</td></tr>
<tr><td rowspan="3">24</td><td rowspan="3">碧溪詩話</td><td rowspan="3">〔宋〕黃徹</td><td>?</td><td>?</td><td>1C、P785</td></tr>
<tr><td colspan="2">約 1141 年前後在世</td><td>2A、P2364</td></tr>
<tr><td colspan="2">約 1140 年前後在世</td><td>3、P683</td></tr>
<tr><td rowspan="3">25</td><td rowspan="3">唐詩紀事</td><td rowspan="3">〔宋〕計有功</td><td>?</td><td>?</td><td>1C、P85</td></tr>
<tr><td colspan="2">約 1170 年前後在世</td><td>2A、P4413</td></tr>
<tr><td colspan="2">約 1126 年前後在世</td><td>3、P666</td></tr>
</table>

<table>
<tr><td rowspan="3">26</td><td rowspan="3">觀林詩話</td><td rowspan="3">〔宋〕吳聿</td><td>？</td><td>？</td><td>1C、P364</td></tr>
<tr><td colspan="2">約 1148 前後在世</td><td>2A、P2729</td></tr>
<tr><td colspan="2">約 1147 前後在世</td><td>3、P691</td></tr>
<tr><td rowspan="2">27</td><td rowspan="2">四六談塵</td><td rowspan="2">〔宋〕謝伋</td><td>？</td><td>？</td><td>1C、P928</td></tr>
<tr><td colspan="2">約 1147 年前後在世</td><td>3、P692</td></tr>
<tr><td rowspan="2">28</td><td rowspan="2">環溪詩話</td><td rowspan="2">〔宋〕吳沆</td><td>？</td><td>？</td><td>1C、P365</td></tr>
<tr><td>1116</td><td>1155</td><td>2A、P4333</td></tr>
<tr><td rowspan="3">29</td><td rowspan="3">苕溪漁隱叢話前集、後集</td><td rowspan="3">〔宋〕胡仔</td><td>1110</td><td>1170</td><td>1C、P610</td></tr>
<tr><td>1108？</td><td>1168？</td><td>2A、P3513</td></tr>
<tr><td colspan="2">約 1147 年前後在世</td><td>3、P691</td></tr>
<tr><td rowspan="3">30</td><td rowspan="3">竹坡詩話</td><td rowspan="3">〔宋〕周紫芝</td><td>1082</td><td>1155</td><td>1C、P579</td></tr>
<tr><td>1083</td><td>1155</td><td>2A、P2819</td></tr>
<tr><td>1082</td><td>？</td><td>3、P657</td></tr>
<tr><td rowspan="4">31</td><td rowspan="4">文則</td><td rowspan="4">〔宋〕陳騤</td><td rowspan="4">1128</td><td rowspan="4">1203</td><td>1C、P515</td></tr>
<tr><td>2A、P6094</td></tr>
<tr><td>3、P719</td></tr>
<tr><td>4、P304</td></tr>
<tr><td rowspan="4">32</td><td rowspan="4">二老堂詩話</td><td rowspan="4">〔宋〕周必大</td><td rowspan="4">1126</td><td rowspan="4">1204</td><td>1C、P568</td></tr>
<tr><td>2A、P5902</td></tr>
<tr><td>3、P716</td></tr>
<tr><td>4、P302</td></tr>
<tr><td rowspan="3">33</td><td rowspan="3">誠齋詩話</td><td rowspan="3">〔宋〕楊萬里</td><td>1127</td><td>1206</td><td>1C、P264</td></tr>
<tr><td>1124</td><td>1206</td><td>2A、P5931</td></tr>
<tr><td>1124</td><td>1203</td><td>3、P713</td></tr>
<tr><td rowspan="3">34</td><td rowspan="3">餘師錄</td><td rowspan="3">〔宋〕王正德</td><td>？</td><td>？</td><td>1C、P22</td></tr>
<tr><td colspan="2">約 1190 年前後在世</td><td>2A、P6137</td></tr>
<tr><td colspan="2">約 1182 年前後在世</td><td>3、P740</td></tr>
<tr><td rowspan="3">35</td><td rowspan="3">滄浪詩話</td><td rowspan="3">〔宋〕嚴羽</td><td>1192？</td><td>1245？</td><td>1C、P352</td></tr>
<tr><td>1197？</td><td>1241？</td><td>2A、P8717</td></tr>
<tr><td colspan="2">約 1200 年前後在世</td><td>3、P761</td></tr>
</table>

36	詩人玉屑	〔宋〕魏慶之	？	？	1C、P990
			約 1268 年前後在世		2A、P8928
			約 1240 年前後在世		3、P807
37	後村詩話前集、後集、續集、新集	〔宋〕劉克莊	1187	1269	1C、P197
					2A、P8352
					3、P794
					4、P334
38	娛書堂詩話	〔宋〕趙與虤	？	？	1C、P624
			約 1227 年前後在世		2A、P7718
39	荊溪林下偶談	〔宋〕吳子良	1197	1256	1C、P357
			約 1245 年前後在世		2A、P8700
			約 1240 年前後在世		3、P807
40	草堂詩話	〔宋〕蔡夢弼	？	？	1C、P957
			約 1251 年前後在世		2A、P8848
			約 1247 年前後在世		3、P817
41	竹莊詩話	〔宋〕不著撰人名氏			《總目》：「《宋史·藝文志》有何谿汶《竹莊詩話》二十七卷，蓋即此書。」案：何谿汶，約 1279 年前後在世
42	文章精義	〔宋〕李塗	？	？	1C、P346
			約 1195 年前後在世		2A、P6617
			約 1147 年前後在世		3、P692
43	浩然齋雅談	〔宋〕周密	1232	1298	1C、P577
					2A、P9995
					4、P355
			1232	1308？	3、P843

44	對床夜語	〔宋〕范晞文	?	?	1C、P548
			約 1269 年前後在世		2A、P9278
			約 1279 年前後在世		3、P858
45	詩林廣記前集、後集	〔宋〕蔡正孫	?	?	1C、P952
			約 1278 前後在世		2A、P9540
			約 1279 年前後在世		3、P859
46	文說	〔元〕陳繹曾	?	?	1D、P198
			約 1332 年前後在世		2B、P1889
			約 1329 年前後在世		3、P920
47	修辭鑑衡	〔元〕王構	1245	1310	1D、P23
					2B、P1485
					3、P866
					4、P362
48	金石例	〔元〕潘昂霄	約 1289 年前後在世		《至大金陵新志》記潘昂霄至元二十六年任監察御史。
49	作義要訣	〔元〕倪士毅	約 1330 前後在世		3、P924
50	墓銘舉例	〔明〕王行	1331	1395	2C、P245
					3、P981
					4、P399
51	懷麓堂詩話	〔明〕李東陽	1447	1516	2C、P1622
					3、P1035
					4、P431
52	頤山詩話	〔明〕安磐	約 1515 年前後在世		2C、P2117
53	詩話補遺	〔明〕楊慎	1488	1559	2C、P2567
				1568	3、P1083
				1559	4、P445
54	藝圃擷餘	〔明〕王世懋	1536	1588	2C、P4824
					3、P1173
					4、P460

55	唐音癸籤	〔明〕胡震亨	1569	1645	2C、P6824
56	歷代詩話	〔清〕吳景旭	1611	1695	1E、P318
57	金石例	〔清〕黃宗羲	1610	1695	1E、P714
					3、P1291
					4、P500
58	漁洋詩話	〔清〕王士禛	1634	1711	1E、P20
					3、P1386
					4、P531
59	師友詩傳錄、續錄	〔清〕劉大勤	1634？	1711？	《總目》：「（劉大勤）學詩於新城王士禛。」
60	聲調譜	〔清〕趙執信	1662	1744	1E、P572
					3、P1453
					4、P557
61	談龍錄	〔清〕趙執信	1662	1744	1E、P572
					3、P1453
					4、P557
62	宋詩紀事	〔清〕厲鶚	1692	1752	1E、P102
					3、P1506
					4、P577
63	全閩詩話	〔清〕鄭方坤	？	？	1E、P538
			約 1729 前後在世		3、P1501
64	五代詩話	〔清〕鄭方坤	？	？	1E、P538
			約 1729 前後在世		3、P1501

二、存目書

編號	書名	作者	生年	卒年	出處
65	樂府古題要解	〔唐〕吳兢	670	749	1B、P374
					3、P362
					4、P144
66	詩式	〔唐〕釋皎然	720？	？	1B、P719
			約 760 年前後在世		3、P394
67	詩法源流	〔唐〕 不著撰人名氏	？	？	《總目》：「然則此書為(明)王用章所輯」
68	二南密旨	〔唐〕賈島	779	843	1B、P621
			793	865	3、P454
			779	843	4、P181
69	玉壺詩話	〔宋〕釋文瑩	？	？	1C、P875
			約 1060 年前後在世		2A、P158
					3、P600
70	天厨禁臠	〔宋〕釋惠洪	1071	1128	1C、P894
					2A、P2424
					3、P644
71	容齋詩話	〔宋〕洪邁	1123	1202	1C、P674
					2A、P5584
					3、P711
					4、P299
72	容齋四六叢談	〔宋〕洪邁	1123	1202	1C、P674
					2A、P5584
					3、P711
					4、P299
73	少陵詩格	〔宋〕林越	約 1147 年前後在世		3、P690
74	歷代吟譜	〔宋〕蔡傳	1066	？	3、P639
75	唐子西文錄	〔宋〕強行父	約 1126 年前後在世		3、P666

76	藝苑雌黃	〔宋〕嚴有翼	?	?	1C、P352
			約 1140 年前後在世		2A、P2325
			約 1126 年前後在世		3、P666
77	吟牕雜錄	〔宋〕陳應行	?	?	1C、P488
78	全唐詩話	〔宋〕尤袤	1127	1194	1C、P79
					3、P718
					4、P303
79	深雪偶談	〔宋〕方嶽	約 1252 年前後在世		2A、P8884
			約 1247 年前後在世		3、P817
80	吳氏詩話	〔宋〕吳子良	1197	1256	1C、P357
			約 1245 年前後在世		2A、P8700
			約 1240 年前後在世		3、P807
81	詩話	〔宋〕陳日華	約 1182 年前後在世		3、P739
82	老杜詩評	〔宋〕方深道	?	?	1C、P98
83	竹窻詩文辨正叢說	〔宋〕囂囂子	?	?	《總目》：「以書中所稱引觀之，蓋南宋人。」
84	太學黼藻文章百段錦	〔宋〕方頤孫	約 1240 年前後在世		《總目》:「理宗時，為太學篤信齋長。」南宋理宗(1225-1264)
85	答策秘訣	〔元〕劉錦文	約 1349 年前後在世		1.《總目》：「末有跋語，題『至正己丑（1349）建安日新堂誌』」 2.《總目》：「蓋猶南宋書」本文據此，實質視為宋朝著作。
86	詩法家數	〔元〕楊載	1271	1323	1D、P122
					2B、P1998
					4、P375

87	木天禁語	〔元〕范梈	1272	1330	1D、P218
					2B、P2021
					3、P898
					4、P375
88	詩學禁臠	〔元〕范梈	1272	1330	1D、P218
					2B、P2021
					3、P898
					4、P375
89	文筌、詩小譜	〔元〕陳繹曾	?	?	1D、P198
			約 1332 年前後在世		2B、P1889
			約 1329 年前後在世		3、P920
90	詩文軌範	〔元〕徐駿	?	?	《總目》：「元徐駿撰。」
91	東坡文談錄	〔元〕陳秀民	?	?	1D、P198
			約 1350 年前後在世		3、P952
92	東坡詩話	〔元〕陳秀民	?	?	1D、P198
			約 1350 前後在世		3、P952
93	南溪詩話	〔元〕不著撰人名氏	?	?	《總目》：「元末人所作無疑也。」
94	歸田詩話	〔明〕瞿佑	1341	1427	2C、P292
					3、P986
					4、P401
95	菊坡叢話	〔明〕單宇	約 1450 年前後在世		2C、P664
96	瓊臺詩話	〔明〕蔣冕	1463	1533	2C、P1824
			約 1500 年前後在世		3、P1045
97	詩話	〔明〕楊成玉	約 1462 年前後在世		《福建通志》載楊成玉為天順六年（1462）黃初榜。
98	餘冬詩話	〔明〕何孟春	1474	1536	2C、P1991
			約 1506 年前後在世		3、P1052

99	南濠居士詩話	〔明〕都穆	1459	1525	2C、P1741
			1458	1525	4、P435
100	夢蕉詩話	〔明〕游潛	約 1515 年前後在世		2C、P1513
					3、P1063
101	渚山堂詩話	〔明〕陳霆	約 1515 前後在世		3、P1063
102	詩談	〔明〕徐泰	1429	1479	2C、P1389
103	存餘堂詩話	〔明〕朱承爵	1470？	1539	2C、P1953
104	全唐詩說、詩評	〔明〕王世貞	1526	1590	2C、P4188
					3、P1147
					4、P458
105	詩家直說	〔明〕謝榛	1495	1575	2C、P3117
					3、P1092
					4、P447
106	詩文原始	〔明〕李攀龍	1514	1570	2C、P3822
					3、P1132
					4、P454
107	文脉	〔明〕王文祿	約 1584 年前後在世		2C、P8967
108	過庭詩話	〔明〕劉世偉	約 1544 年前後在世		《總目》：「明劉世偉撰。世偉字宗周，陽信人。嘉靖中官寧州州同。」
109	解頤新語	〔明〕皇甫汸	1498	1583	2C、P3243
					3、P1097
			1497	1582	4、P448
110	水川詩式	〔明〕梁橋	約 1550 年前後在世		2C、P5195
111	豫章詩話	〔明〕郭子章	1542	1618	2C、P5015
					4、P463
			約 1585 年前後在世		3、P1185
112	玉笥詩談	〔明〕朱孟震	約 1592 年前後在世		2C、P4726
			約 1582 年前後在世		3、P1182

<table>
<tr><td>113</td><td>玉堂日鈔</td><td>〔明〕黃洪憲</td><td colspan="2">約 1571 年前後在世</td><td>《總目》：「洪憲字懋中，秀水人。隆慶辛未(1571)進士。」</td></tr>
<tr><td>114</td><td>詩心珠會</td><td>〔明〕朱宣墡</td><td colspan="2">約 1560 年前後在世</td><td>《總目》：「是編前有序，題嘉靖庚申(1560)。」</td></tr>
<tr><td rowspan="2">115</td><td rowspan="2">冷邸小言</td><td rowspan="2">〔明〕鄧雲霄</td><td>1566</td><td>1632</td><td>2C、P6417</td></tr>
<tr><td colspan="2">約 1613 年前後在世</td><td>3、P1233</td></tr>
<tr><td>116</td><td>藝藪談宗</td><td>〔明〕周子文</td><td colspan="2">約 1605 年前後在世</td><td>2C、P4801</td></tr>
<tr><td rowspan="2">117</td><td rowspan="2">楚範</td><td rowspan="2">〔明〕張之象</td><td rowspan="2">1496</td><td rowspan="2">1577</td><td>2C、P3228</td></tr>
<tr><td>4、P448</td></tr>
<tr><td rowspan="3">118</td><td rowspan="3">恬志堂詩話</td><td rowspan="3">〔明〕李日華</td><td rowspan="3">1565</td><td rowspan="3">1635</td><td>2C、P6357</td></tr>
<tr><td>3、P1223</td></tr>
<tr><td>4、P470</td></tr>
<tr><td rowspan="2">119</td><td rowspan="2">詩藪</td><td rowspan="2">〔明〕胡應麟</td><td>1551</td><td>1602</td><td>2C、P5434</td></tr>
<tr><td colspan="2">約 1590 前後在世</td><td>3、P1191</td></tr>
<tr><td>120</td><td>夷白齋詩話</td><td>〔明〕顧元慶</td><td>1490？</td><td>1562？</td><td>2C、P2929</td></tr>
<tr><td rowspan="2">121</td><td rowspan="2">詩譚</td><td rowspan="2">〔明〕葉廷秀</td><td>？</td><td>1651</td><td>2C、P9142</td></tr>
<tr><td>？</td><td>1646</td><td>4、P544</td></tr>
<tr><td rowspan="3">122</td><td rowspan="3">佘山詩話</td><td rowspan="3">〔明〕陳繼儒</td><td rowspan="3">1558</td><td rowspan="3">1639</td><td>2C、P5883</td></tr>
<tr><td>3、P1215</td></tr>
<tr><td>4、P468</td></tr>
<tr><td>123</td><td>藕居士詩話</td><td>〔明〕陳懋仁</td><td colspan="2">約 1638 年前後在世</td><td>2C、P7749</td></tr>
<tr><td>124</td><td>藝活甲編</td><td>〔明〕茅元儀</td><td colspan="2">約 1636 年前後在世</td><td>3、P1266</td></tr>
<tr><td>125</td><td>文通</td><td>〔明〕朱荃宰</td><td>？</td><td>？</td><td>《總目》：「明朱荃宰撰。」</td></tr>
<tr><td>126</td><td>詩話類編</td><td>〔明〕王昌會</td><td colspan="2">約 1635 年前後在世</td><td>2C、P7921</td></tr>
<tr><td>127</td><td>堯山堂偶雋</td><td>〔明〕蔣一葵</td><td colspan="2">約 1607 年前後在世</td><td>2C、P10504</td></tr>
<tr><td>128</td><td>唐詩談叢</td><td>〔明〕胡震亨</td><td>1569</td><td>1645</td><td>2C、P6824</td></tr>
</table>

129	詩膾	〔明〕陳雲式	?	?	《總目》：「明陳雲式撰。」
130	綠天耕舍燕鈔	〔明〕 不著撰人名氏	?	?	1.《總目》：「但署雪疇子輯，不知何許人也。」 2.《總目》：「殆當萬歷、天啟之間，《詩歸》盛行之後歟」
131	雅倫	〔明〕費經虞	1599	1671	2C、P9540
					4、P491
132	驢雪齋詩評、詞曲評	〔明〕 不著撰人名氏	約 1629 年前後在世		1.《總目》：「《詩評》有崇禎己巳（1629）自序。」 2.自序皆自署曰「石公」。
133	明人文斷	不著撰人名氏	?	?	暫無線索
134	四六金針	〔清〕陳維崧	1625	1682	1E、P466
					3、P1357
					4、P521
135	蠖齋詩話	〔清〕施閏章	1618	1683	1E、P592
					3、P1319
					4、P511
136	詩話	〔清〕毛奇齡	1623	1716	1E、P73
					3、P1350
					4、P518
137	棗林藝簣	〔清〕談遷	?	1665	1E、P693
			1594	1657	4、P486
138	詩辨坻	〔清〕毛先舒	1620	1688	1E、P72
					3、P1325
					4、P514

<table>
<tr><td rowspan="3">139</td><td rowspan="3">五代詩話</td><td rowspan="3">〔清〕王士禛</td><td rowspan="3">1634</td><td rowspan="3">1711</td><td>1E、P21</td></tr>
<tr><td>3、P1386</td></tr>
<tr><td>4、P531</td></tr>
<tr><td rowspan="3">140</td><td rowspan="3">然脂集例</td><td rowspan="3">〔清〕王士祿</td><td rowspan="3">1626</td><td rowspan="3">1673</td><td>1E、P21</td></tr>
<tr><td>3、P1359</td></tr>
<tr><td>4、P522</td></tr>
<tr><td>141</td><td>圍爐詩話</td><td>〔清〕吳喬</td><td colspan="2">約 1686 年前後在世</td><td>前有康熙二十五年(1686)丙寅冬自序。</td></tr>
<tr><td rowspan="3">142</td><td rowspan="3">漫堂說詩</td><td rowspan="3">〔清〕宋犖</td><td rowspan="3">1634</td><td rowspan="3">1713</td><td>1E、P379</td></tr>
<tr><td>3、P1386</td></tr>
<tr><td>4、P531</td></tr>
<tr><td>143</td><td>說詩樂趣、偶詠草續集</td><td>〔清〕伍涵芬</td><td colspan="2">約 1687 年前後在世</td><td>《總目》：「國朝伍涵芬撰。涵芬字芝軒，於潛人。康熙丁卯（1687）舉人。」</td></tr>
<tr><td>144</td><td>柳亭詩話</td><td>〔清〕宋長白</td><td colspan="2">約 1705 年前後在世</td><td>《總目》:「是編成於康熙乙酉(1705)。」</td></tr>
<tr><td rowspan="3">145</td><td rowspan="3">原詩</td><td rowspan="3">〔清〕葉燮</td><td rowspan="3">1627</td><td rowspan="3">1703</td><td>1E、P112</td></tr>
<tr><td>3、P1363</td></tr>
<tr><td>4、P523</td></tr>
<tr><td>146</td><td>春秋詩話</td><td>〔清〕勞孝輿</td><td colspan="2">約 1736 年前後在世</td><td>3、P1520</td></tr>
<tr><td>147</td><td>鐵立文起</td><td>〔清〕王之績</td><td>?</td><td>?</td><td>暫無線索</td></tr>
<tr><td>148</td><td>學稼餘譚</td><td>〔清〕
不著撰人名氏</td><td>?</td><td>?</td><td>《總目》：「前題『櫟社老人』輯」</td></tr>
<tr><td rowspan="3">149</td><td rowspan="3">榕城詩話</td><td rowspan="3">〔清〕杭世駿</td><td>1696？</td><td>1773？</td><td>1E、P488</td></tr>
<tr><td rowspan="2">1696</td><td rowspan="2">1773</td><td>3、P1511</td></tr>
<tr><td>4、P580</td></tr>
</table>

資料出處與代碼*：

1.《中國文學家大辭典》

　1A　曹道衡、沈玉成主編：〈先秦漢魏晉南北朝卷〉，北京：中華書局，1996.8

　1B　周祖譔主編：〈唐五代卷〉，北京：中華書局，1992.9

　1C　曾棗莊主編：〈宋代卷〉，北京：中華書局，2004.9

　1D　鄭紹基、楊鐮主編：〈遼金元卷〉，北京：中華書局，2006.5

　1E　錢仲聯主編：〈清代卷〉，北京：中華書局，1996.10

2. 吳文治主編：

　2A　《宋詩話全編》，南京：鳳凰出版社，2006.10

　2B　《遼金元詩話全編》，南京：鳳凰出版社，2006.12

　2C　《明詩話全編》，南京：鳳凰出版社，20060.1

3. 譚正璧：《中國文學家大辭典》，上海：上海書店，1985.10

4. 姜亮夫纂定、陶秋英校：《歷代人物年里碑傳綜表》，臺北：文史哲出版社，1985.2

---

*　曹道衡與沈玉成二先生編纂《中國文學家大辭典》時，因考證工作煩瑣，「問題卻層見迭出」，於是將其他所得裁成《中國文學史料叢考》（北京：中華書局，2003.7）一書，由此可知考訂之艱辛。本附錄僅運用他人研究資料，鋪陳排比，還有許多困疑的地方，無法逐一考證、確認。唯為求研究與閱讀之方便、姑且將查證資料予以併錄、以俾參考。

【附錄二】《總目》「詩文評」歷朝著作數量統計、比例圖

一、《總目》「詩文評」歷朝著作總數統計圖

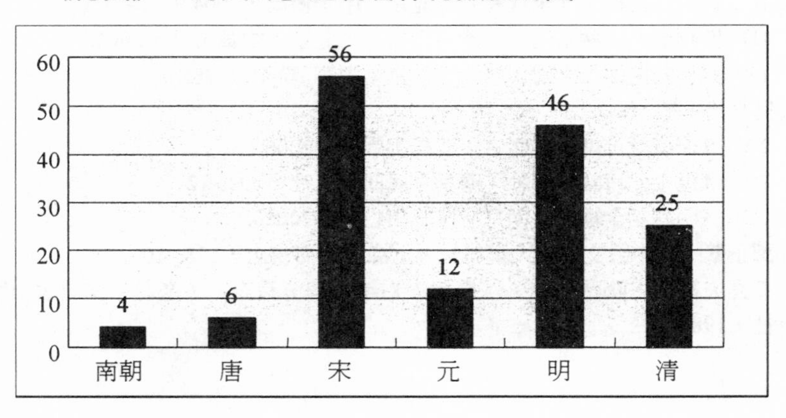

二、《總目》「詩文評」歷朝著錄書總數統計圖

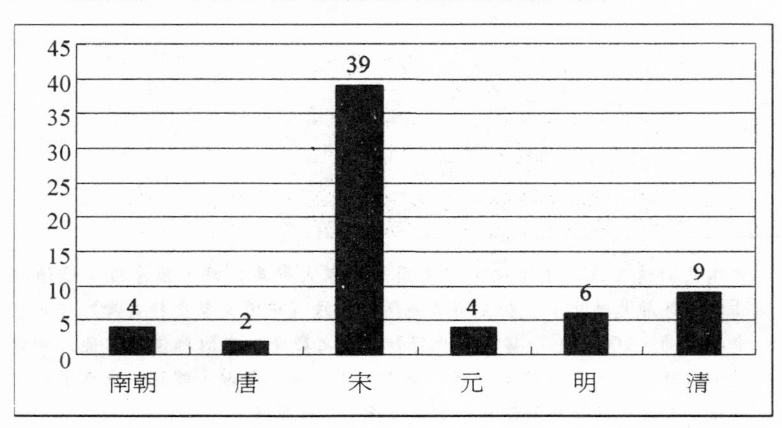

三、《總目》「詩文評」歷朝存目書總數統計圖

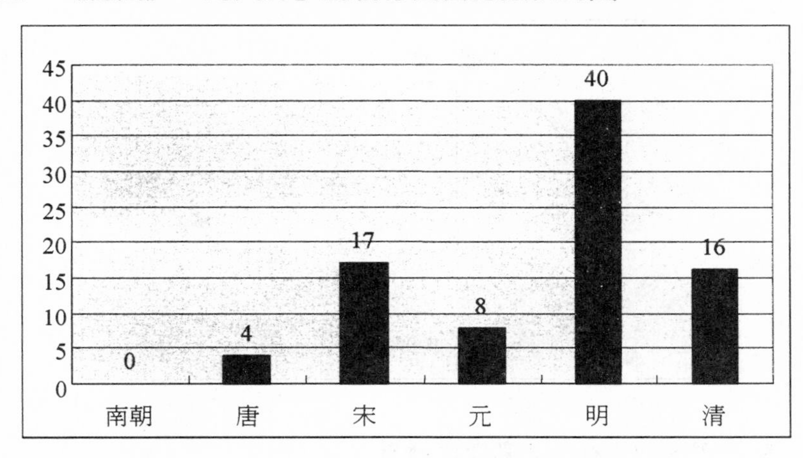

四、歷朝著錄／存目書數量比例圖

㈠ 歷朝著錄／存目書總數比例圖

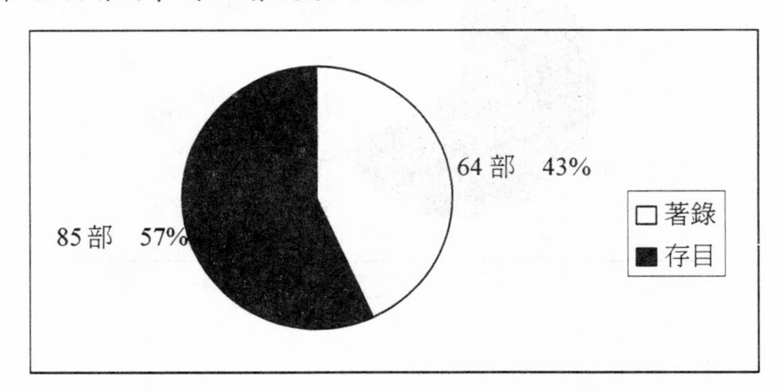

㈡ 南朝著錄／存目書數量比例圖

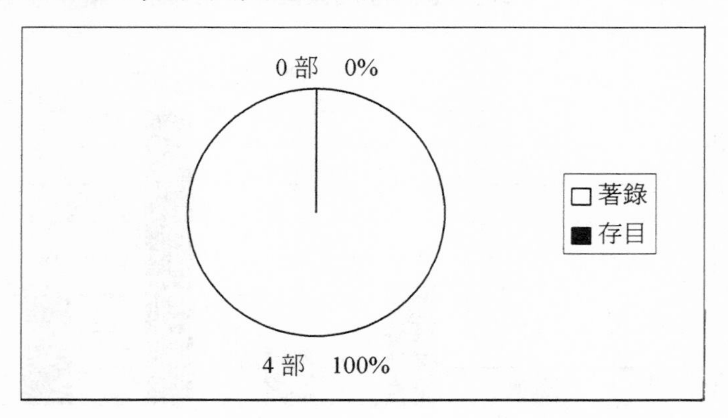

㈢ 唐朝著錄／存目書數量比例圖

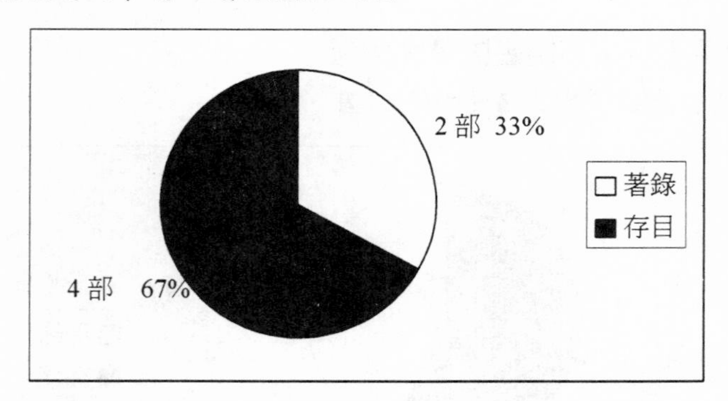

㈣ 宋朝著錄／存目書數量比例圖

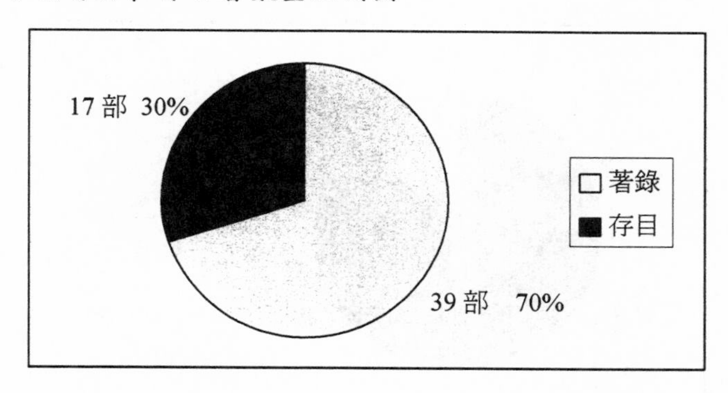

㈤ 元朝著錄／存目書數量比例圖

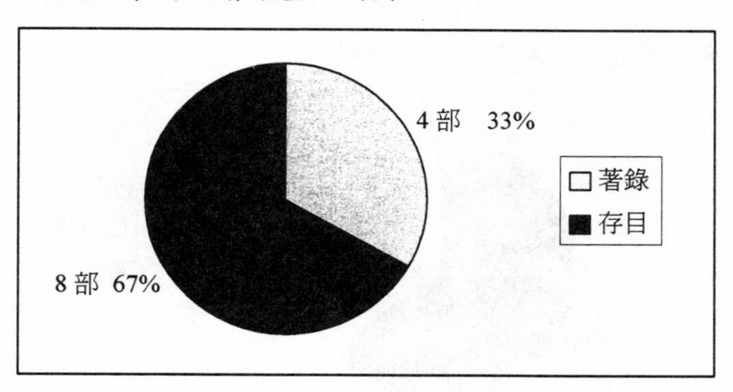

㈥ 明朝著錄／存目書數量比例圖

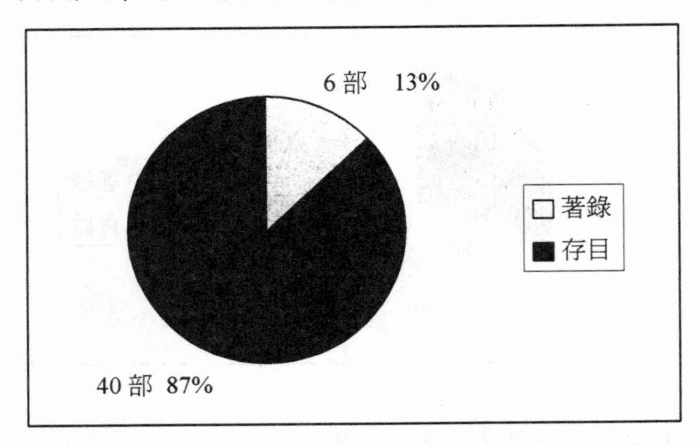

㈦ 清朝著錄／存目書數量比例圖

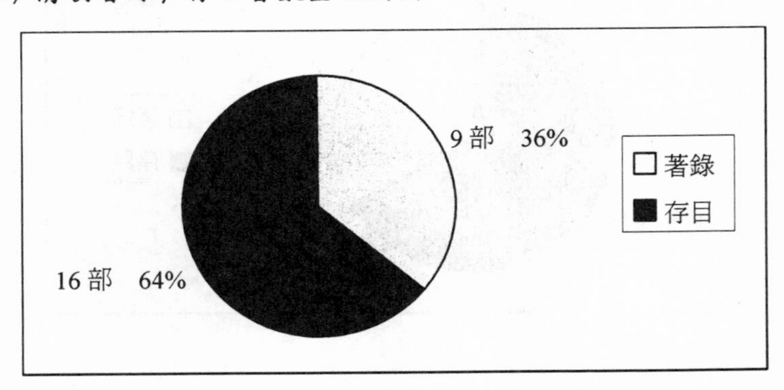

【附錄三】《總目》前後七子著作收錄情形一覽表

<table>
<tr><th>前後七子</th><th>書名</th><th>《總目》
類別/卷/頁</th></tr>
<tr><td rowspan="2">王九思
(1468-1551)</td><td>渼陂集十六卷續集三卷</td><td>集部・別集類存目三/
卷 176/
頁 4-685</td></tr>
<tr><td>碧山樂府五卷</td><td>集部・詞曲類存目/
卷 200/
頁 5-345~5-346</td></tr>
<tr><td rowspan="4">王廷相
(1474-1544)</td><td>慎言十三卷</td><td>子部・儒家類存目一/
卷 95/
頁 3-92</td></tr>
<tr><td>雅述二卷</td><td>子部・雜家類存目一/
卷 124/
頁 3-680~3-681</td></tr>
<tr><td>王氏家藏集六十八卷</td><td>集部・別集類存目三/
卷 176/
頁 4-688</td></tr>
<tr><td>內臺集七卷</td><td>集部・別集類存目三/
卷 176/
頁 4-688</td></tr>
<tr><td rowspan="2">李夢陽
(1472-1527)</td><td>空同子一卷</td><td>子部・雜家類存目一/
卷 124/
頁 3-680</td></tr>
<tr><td>空同集六十六卷</td><td>集部・別集類二十四/
卷 171/
頁 4-528</td></tr>
</table>

康海 (1475-1540)	武功縣志三卷	史部・地理類一/ 卷 68/ 頁 2-468
	對山集十卷	集部・別集類二十四/ 卷 171/ 頁 4-532
邊貢 (1476-1532)	華泉集十四卷	集部・別集類二十四/ 卷 171/ 頁 4-529~4-530
	華泉集選四卷	集部・別集類存目三/ 卷 176/ 頁 4-686
徐禎卿 (1479-1511)	迪功集六卷附談藝錄一卷	集部・別集類二十四/ 卷 171/ 頁 4-535~4-536
何景明 (1483-1521)	雍大記三十六卷	史部・地理類存目二/ 卷 73/ 頁 2-552
	大復論一卷	子部・雜家類存目一/ 卷 124/ 頁 3-681
	大復集三十八卷	集部・別集類二十四/ 卷 171/ 頁 4-533~4-534
謝榛 (1495-1575)	四溟集十卷	集部・別集類二十五/ 卷 172/ 頁 4-561
	詩家直說二卷	集部・詩文評類存目/ 卷 197/ 頁 5-266~5-267

<table>
<tr><td rowspan="9">李攀龍
(1514-1570)</td><td>詩學事類二十四卷</td><td>子部・類書類存目一/
卷 137/
頁 3-905~3-906</td></tr>
<tr><td>韻學事類十二卷</td><td>子部・類書類存目一/
卷 137/
頁 3-906</td></tr>
<tr><td>韻學淵海十二卷</td><td>子部・類書類存目一/
卷 137/
頁 3-906</td></tr>
<tr><td>滄溟集三十卷附錄一卷</td><td>集部・別集類二十五/
卷 172/
頁 4-552</td></tr>
<tr><td>白雪樓詩集十卷</td><td>集部・別集類存目四/
卷 177/
頁 4-749</td></tr>
<tr><td>李滄溟集選四卷</td><td>集部・別集類存目四/
卷 177/
頁 4-749</td></tr>
<tr><td>古今詩刪三十四卷</td><td>集部・總集類四/
卷 189/
頁 5-74</td></tr>
<tr><td>唐詩選七卷</td><td>集部・總集類存目二/
卷 192/
頁 5-149</td></tr>
<tr><td>詩文原始一卷</td><td>集部・詩文評類存目/
頁 197/
頁 5-267</td></tr>
<tr><td>徐中行
(1517-1578)</td><td>天目山堂集二十卷附錄一卷</td><td>集部・別集類存目五/
卷 178/
頁 4-758</td></tr>
</table>

	青蘿館詩六卷	集部・別集類存目五/ 卷 178/ 頁 4-758
吳國倫 (1524-1593)	陳張本末略一卷附方國珍本末略一卷	史部・載記類存目/ 卷 66/ 頁 2-442
	甔甀洞藁五十四卷續藁二十七卷	集部・別集類存目五/ 卷 178/ 頁 4-759
宗臣 (1525-1560)	宗子相集十五卷	集部・別集類二十五/ 卷 172/ 頁 4-557~4-558
	子相文選五卷	集部・別集類存目五/ 卷 178/ 頁 4-761
王世貞 (1526-1590)	弇山堂別集一百卷	史部・雜史類/ 卷 51/ 頁 2-158~2-159
	嘉靖以來首輔傳八卷	史部・傳記類二/ 卷 58/ 頁 2-290
	史乘考誤十卷	史部・史評類存目二/ 卷 90/ 頁 2-834
	弇州山人題跋七卷	子部・藝術類存目/ 卷 114/ 頁 3-469
	異物彙苑五卷	子部・類書類存目一/ 卷 137/ 頁 3-907

	觚不觚錄一卷	子部・小說家類二/ 卷 141/ 頁 3-989~3-990
	讀書後八卷	集部・別集類二五/ 卷 172/ 頁 4-554~4-555
	鳳洲筆記二十四卷續集四卷後集四卷	集部・別集類存目四/ 卷 177/ 頁 4-752
	弇州稿選十六卷	集部・別集類存目四/ 卷 177/ 頁 4-752
	尺牘清裁六十卷補遺一卷	集部・總集類存目二/ 卷 192/ 頁 5-149~5-150
	全唐詩說一卷　詩評一卷	集部五・詩文評類存目/ 卷 197/ 頁 5-266
梁有譽 （1522-1566）	無	

【附錄四】《總目》王士禛著作收錄情形一覽表

書名	《總目》 類別/卷/頁
古懽錄八卷	史部・傳記類存目/卷 63/頁 2-387~2-388
蜀道驛程記二卷	史部・傳記類存目/卷 64/頁 2-406~2-407
南來志一卷	史部・傳記類存目/卷 64/頁 2-407
北歸志一卷	史部・傳記類存目/卷 64/頁 2-407
秦蜀驛程後記二卷	史部・傳記類存目/卷 64/頁 2-407
浯溪考二卷	史部・地理類存目五/卷 76/頁 2-607~2-608
長白山錄一卷補遺一卷	史部・地理類存目五/卷 76/頁 2-608
廣州遊覽小志一卷	史部・地理類存目七/卷 78/頁 2-639
琉球入太學始末一卷	史部・政書類存目一/卷 83/頁 2-735
國朝謚法考一卷	史部・政書類存目一/卷 83/頁 2-735~2-736
居易錄三十四卷	子部・雜家類六/卷 122/頁 3-651~3-652
池北偶談二十六卷	子部・雜家類六/卷 122/頁 3-652
香祖筆記十二卷	子部・雜家類六/卷 122/頁 3-652~3-653
分甘餘話四卷	子部・雜家類六/卷 122/頁 3-653
古夫于亭雜錄六卷	子部・雜家類六/卷 122/頁 3-653~3-654
隴蜀餘聞一卷	子部・小說家類存目一/卷 143/頁 3-1040
皇華紀聞四卷	子部・小說家類存目一/卷 143/頁 3-1040
精華錄十卷	集部・別集類二六/卷 173/頁 4-584~4-585
華泉集選四卷	集部・別集類存目三/卷 176/頁 4-686
精華錄訓纂十卷	集部・別集類存目九/卷 182/頁 4-871
漁洋詩集二十二卷續集十六卷	集部・別集類存目九/卷 182/頁 4-872
漁洋文畧十四卷	集部・別集類存目九/卷 182/頁 4-872
蠶尾集十卷續集二卷後集二卷	集部・別集類存目九/卷 182/頁 4-872

南海集二卷	集部・別集類存目九/卷 182/頁 4-872~4-873
雍益集一卷	集部・別集類存目九/卷 182/頁 4-873
唐賢三昧集三卷	集部・總集類五/卷 190/頁 5-104
二家詩選二卷	集部・總集類五/卷 190/頁 5-104~5-105
唐人萬首絕句選七卷	集部・總集類五/卷 190/頁 5-105
古詩選三十二卷	集部・總集類存目四/卷 194/頁 5-194~5-195
十種唐詩選十七卷	集部・總集類存目四/卷 194/頁 5-195
載書圖詩一卷	集部・總集類存目四/卷 194/頁 5-195
漁洋詩話三卷	集部・詩文評類二/卷 196/頁 5-249
五代詩話十二卷	集部・詩文評類存目/卷 197/頁 5-276

【附錄五】《總目》西泠十子
著作收錄情形一覽表

西泠十子	收錄書名	《總目》類別/卷/頁
張丹（1619-？）	張秦亭詩集十二卷	集部・別集類存目八/卷 181/頁 4-852
陸圻（1613-1667？）	新婦譜一卷	子部・雜家類存目二/卷 125/頁 3-713
	冥報錄二卷	子部・小說家類存目二/卷 144/頁 3-1053
柴紹炳（1616-1670）	古韻通八卷	經部・小學類存目二/卷 44/頁 1-930
	考古類編十二卷	子部・類書類存目三/卷 139/頁 3-928
	省軒文鈔	集部・別集類存目八/卷 181/頁 4-851~4-852
陳廷會（1618-1679）	無	
毛先舒（1622~1688）	聲韻叢說一卷、韻問一卷	經部・小學類存目二/卷 44/頁 1-932

	韻學通指一卷	經部・小學類存目二/ 卷 44/ 頁 1-932~1-933
	韻白一卷	經部・小學類存目二/ 卷 44/ 頁 1-933
	南唐拾遺記一卷	史部・載記類存目/ 卷 66/ 頁 2-444
	格物問答三卷	子部・雜家類存目二/ 卷 125/ 頁 3-713
	螺峰說錄一卷	子部・雜家類存目二/ 卷 125/ 頁 3-713~3-714
	聖學真語二卷	子部・雜家類存目二/ 卷 125/ 頁 3-714
	匡林二卷	子部・雜家類存目六/ 卷 129/ 頁 3-771~3-772
	潠書八卷	集部・別集類存目八/ 卷 181/ 頁 4-852~4-853
	思古堂集四卷	集部・別集類存目八/ 卷 181/ 頁 4-853
	東苑文鈔二卷詩鈔一卷	集部・別集類存目八/ 卷 181/ 頁 4-853

	小匡文鈔四卷	集部・別集類存目八/ 卷 181/ 頁 4-853
	蕊雲集一卷晚唱一卷	集部・別集類存目八/ 卷 181/ 頁 4-853
	詩辨坻四卷	集部・詩文評類存目/ 卷 197/ 頁 5-275~5-276
	填詞名解四卷	集部・詞曲類存目/ 卷 200/ 頁 5-343
	南曲入聲客問一卷	集部・詞曲類存目/ 卷 200/ 頁 5-347
丁澎 （？-？）	無	
吳百朋 （？-1670）	無	
孫治 （？-？）	靈隱寺志八卷	史部・地理類存目六/ 卷 77/ 頁 2-622
沈謙 （1620-1670）	東江集鈔九卷別集一卷	集部・別集類存目七/ 卷 180/ 頁 4-834
虞黃昊 （？-？）	無	

參引書目舉要

一、專書

㈠古代典籍（以作者時代、姓氏筆畫為順序）

〔漢〕司馬遷：《史記》（北京，中華書局，1997.11）
〔漢〕班固：《漢書》（北京，中華書局，1997.11）
〔漢〕鄭玄註、孔穎達疏：《禮記注疏》（《十三經注疏》，臺北，藝文印書館，1985.12）
〔漢〕鄭玄箋、〔唐〕孔穎達疏：《毛詩正義》（《十三經注疏》，臺北，藝文印書館，1985.12）
〔唐〕王維著、〔清〕趙殿成注：《王右丞集箋注》（《景印文淵閣四庫全書》冊 1071，臺北，臺灣商務印書館，1986.3）
〔唐〕司空圖：《司空表聖文集》（《景印文淵閣四庫全書》冊 1083，臺北，臺灣商務印書館，1986.3）
〔唐〕司空圖著、郭紹虞集解：《詩品集解》（北京，人民文學出版社，2005.12）
〔唐〕司空圖著、陳國球導讀：《二十四詩品》（臺北，金楓出版社，1999.4）
〔唐〕李商隱：《李義山詩集》（《景印文淵閣四庫全書》冊 1082，臺北，臺灣商務印書館，1986.3）

〔唐〕李賀：《昌谷集》（《景印文淵閣四庫全書》冊 1078，臺北，臺灣商務印書館，1986.3）
〔宋〕朱弁：《曲洧舊聞》（《景印文淵閣四庫全書》冊 863，臺北，臺灣商務印書館，1986.3）
〔宋〕朱弁：《風月堂詩話》（《宋詩話全編》（三），南京，鳳凰出版社，2006.10）
〔宋〕吳可：《藏海詩話》（《宋詩話全編》（六），南京，鳳凰出版社，2006.10）
〔宋〕吳沆：《環溪詩話》（《宋詩話全編》（四），南京，鳳凰出版社，2006.10）
〔宋〕李耆卿：《文章精義》（《景印文淵閣四庫全書》冊 1481，臺北，臺灣商務印書館，1986.3）
〔宋〕周弼：《三體唐詩》（《景印文淵閣四庫全書》冊 1358，臺北，臺灣商務印書館，1986.3）
〔宋〕范晞文：《對床夜語》（《宋詩話全編》（九），南京，鳳凰出版社，2006.10）
〔宋〕真德秀：《文章正宗》（《景印文淵閣四庫全書》冊 1355，臺北，臺灣商務印書館，1986.3）
〔宋〕張戒：《歲寒堂詩話》（《宋詩話全編》（三），南京，鳳凰出版社，2006.10〉
〔宋〕陳師道：《後山詩話》（《宋詩話全編》（二），南京，鳳凰出版社，2006.10）
〔宋〕陳暘：《樂書》（《景印文淵閣四庫全書》冊 211，臺北，臺灣商務印書館，1986.3）

〔宋〕黃庭堅：《山谷集》（《景印文淵閣四庫全書》冊 1113，臺北，臺灣商務印書館，1986.3）

〔宋〕葉夢得：《避暑錄話》（《景印文淵閣四庫全書》冊 863，臺北，臺灣商務印書館印書館，1986.3）

〔宋〕葉適：《葉適集》（臺北，河洛圖書出版社，1974.5）

〔宋〕趙與虤：《娛書堂詩話》（《景印文淵閣四庫全書》冊 1481，臺北，臺灣商務印書館，1986.3）

〔宋〕歐陽修：《新五代史》（北京，中華書局，1997.11）

〔宋〕嚴羽：《滄浪詩話》（《宋詩話全編》（九），南京，鳳凰出版社，2006.10）

〔宋〕嚴羽著、郭紹虞校釋：《滄浪詩話校釋》（北京，人民文學出版社，2006.6）

〔元〕馬端臨：《文獻通考》（《景印文淵閣四庫全書》冊 610-616，臺北，臺灣商務印書館，1986.3）

〔元〕脫脫：《宋史》（北京，中華書局，1997.11）

〔元〕楊載：《詩法家數》（《遼金元詩話全編》，南京，鳳凰出版社，2006.12）

〔元〕楊翮：《佩玉齋類稾》（《景印文淵閣四庫全書》冊 1220，臺北，臺灣商務印書館，1986.3）

〔元〕潘昂霄：《金石例》（《景印文淵閣四庫全書》冊 1482，臺北，臺灣商務印書館，1986.3）

〔明〕王士懋：《藝圃擷餘》（《明詩話全編》（五），南京，鳳凰出版社，2006.1）

〔明〕王文祿：《文脈》（《明詩話全編》（九），南京，鳳凰出

版社，2006.1）
〔明〕王世貞：《弇州四部稿》（《景印文淵閣四庫全書》冊1280，臺北，臺灣商務印書館，1986.3）
〔明〕王行：《半軒集》（《景印文淵閣四庫全書》冊 1231，臺北，臺灣商務印書館，1986.3）
〔明〕安磐：《頤山詩話》（《明詩話全編》（三），南京，鳳凰出版社，2006.1）
〔明〕何景明：《大復集》（《景印文淵閣四庫全書》冊 1267，臺北，臺灣商務印書館，1986.3）
〔明〕宋濂：《元史》（北京，中華書局，1997.12）
〔明〕李東陽：《懷麓堂詩話》（《明詩話全編》（二），南京，鳳凰出版社，2006.1）
〔明〕李夢陽：《空同集》（《景印文淵閣四庫全書》冊 1262，臺北，臺灣商務印書館，1986.3）
〔明〕胡震亨：《唐音癸籤》（《明詩話全編》（七），南京，鳳凰出版社，2006.1）
〔明〕胡應麟：《少室山房筆叢正集》（《景印文淵閣四庫全書》冊 886，臺北，臺灣商務印書館，1986.3）
〔明〕胡應麟：《少室山房集》（《景印文淵閣四庫全書》冊1290，臺北，臺灣商務印書館，1986.3）
〔明〕胡應麟：《詩藪》（《明詩話全編》(五)，南京，鳳凰出版社，2006.1）
〔明〕袁宏道：《袁宏道集》（《明詩話全編》（六），南京，鳳凰出版社，2006.1）

〔明〕楊慎：《升菴集》（《景印文淵閣四庫全書》冊 1270，臺北，臺灣商務印書館，1986.3）

〔明〕謝榛：《詩家直說》（《明詩話全編》（三），南京，鳳凰出版社，2006.1）

〔明〕鍾惺：《古詩歸》（《明詩話全編》（七），南京，鳳凰出版社，2006.1）

〔明〕鍾惺：《隱秀軒文》（《明詩話全編》（七），南京，鳳凰出版社，2006.1）

〔清〕方苞：《欽定四書文》（《景印文淵閣四庫全書》冊 1451，臺北，臺灣商務印書館，1986.3）

〔清〕毛先舒：《西河集》（《景印文淵閣四庫全書》冊 1320-1321，臺北，臺灣商務印書館，1986.3）

〔清〕毛先舒：《詩辯坻》（《清詩話續編》，上海，上海古籍出版社，1999.6）

〔清〕王士禛：《十種唐詩選》（臺北，廣文書局，1971.4）

〔清〕王士禛：《居易錄》（《景印文淵閣四庫全書》冊 869，臺北，臺灣商務印書館，1986.3）

〔清〕王士禛：《香祖筆記》（《景印文淵閣四庫全書》冊 870，臺北，臺灣商務印書館，1986.3）

〔清〕王士禛：《精華錄》（《景印文淵閣四庫全書》冊 1315，臺北，臺灣商務印書館，1986.3）

〔清〕王士禛：《師友詩傳續錄》（《清詩話》，臺北，西南書局有限公司，1979.1）

〔清〕王士禛：《漁洋詩話》（《清詩話》，臺北，西南書局有限

公司，1979.1）
〔清〕王士禛等：《師友詩傳錄》（《清詩話》，臺北，西南書局有限公司，1979.1）
〔清〕王士禛著，李毓芙、牟通、李茂肅整理：《漁洋精華錄集釋》（上海，上海古籍出版社，1999.12）
〔清〕王士禛著、〔清〕張宗柟纂集、戴鴻森校點：《帶經堂詩話》（北京，人民文學出版社，1982.11）
〔清〕王士禛撰、勒斯仁點校：《池北偶談》（北京，中華書局，1997.12）
〔清〕王士禛撰、張世林點校：《分甘餘話》（北京，中華書局，2006.3）
〔清〕王士禛撰、趙伯陶點校：《古夫于亭雜錄》（北京，中華書局，1997.12）
〔清〕王士禛選、〔清〕黃香石評、〔清〕吳退庵、〔清〕胡甘亭輯註：《唐賢三昧集》（臺北，廣文書局，1968.11）
〔清〕王應奎：《柳南隨筆、續筆》（北京，中華書局，1997.12）
〔清〕永瑢、紀昀等：《四庫全書總目提要》（臺北，臺灣商務印書館，2001.2）
〔清〕永瑢、紀昀等撰：《欽訂四庫全書簡明目錄》（臺北，世界書局，1975.11）
〔清〕全祖望：《鮚埼亭集外編》（清嘉慶十六年刻本）
〔清〕朱庭珍：《筱園詩話》（《清詩話續編》，上海，上海古籍出版社，1999.6）

〔清〕朱彝尊：《曝書亭集》（《景印文淵閣四庫全書》冊1318，臺北，臺灣商務印書館，1986.3）
〔清〕朱彝尊著、黃君坦校點：《靜志居詩話》（北京，人民出版社，2006.6）
〔清〕何承瑾：《然鐙紀聞》（《清詩話》，臺北，西南書局有限公司，1979.1）
〔清〕吳喬：《圍爐詩話》（《清詩話續編》，上海，上海古籍出版社，1999.6）
〔清〕吳景旭撰，陳衛平、徐杰點校：《歷代詩話》（北京，京華出版社，1998.6）
〔清〕宋長白：《柳亭詩話》（臺北，廣文書局，1971.9）
〔清〕宋犖，《漫堂說詩》（《清詩話》，臺北，西南書局有限公司，1979.1）
〔清〕和珅等奉敕撰：《欽定大清一統志》（《景印文淵閣四庫全書》冊474-483，臺北，臺灣商務印書館，1986.3）
〔清〕邵懿辰譔、邵章續編：《增訂四庫簡明目錄標注》（上海，上海古籍出版社，2000.7）
〔清〕姜宸英：《湛園集》（《景印文淵閣四庫全書》冊 323，臺北，臺灣商務印書館，1986.3）
〔清〕施閏章：《蠖齋詩話》（《清詩話》，臺北，西南書局有限公司，1979.1）
〔清〕查為仁：《蓮坡詩話》（《清詩話》，臺北，西南書局有限公司，1979.1）
〔清〕秦緗業著、〔清〕黃以周輯注、顧吉辰點校：《續資治通鑑

長編拾補》（北京，中華書局，2004.1）
〔清〕翁方綱等撰、吳格、樂怡標校整理：《四庫全書分纂稿》（上海，上海書店出版社，2006.10）
〔清〕張之洞、范希曾補正：《書目答問補正》（臺北，新興書局，1966.5）
〔清〕張廷玉等撰：《明史》（北京，中華書局，1997.11）
〔清〕惠棟：《漁洋山人精華錄訓纂》（臺北，中華書局，1971.2）
〔清〕焦循：《孟子正義》（臺北，文津出版社，1988.7）
〔清〕馮班：《鈍吟雜錄》（《景印文淵閣四庫全書》冊 886，臺北，臺灣商務印書館，1986.3）
〔清〕黃宗羲：《金石要例》（《景印文淵閣四庫全書》冊 1483，臺北，臺灣商務印書館，1986.3）
〔清〕趙執信：《因園集》（《景印文淵閣四庫全書》冊 1325，臺北，臺灣商務印書館，1986.3）
〔清〕趙執信：《談龍錄》（《清詩話》，臺北，西南書局有限公司，1979.1）
〔清〕趙執信：《聲調譜》（《景印文淵閣四庫全書》冊 1483，臺北，臺灣商務印書館，1986.3）
〔清〕鄭方坤：《全閩詩話》（《景印文淵閣四庫全書》冊 1486，臺北，臺灣商務印書館，1986.3）
〔清〕錢曾撰、瞿鳳起編：《虞山錢遵王藏書目錄彙編》（上海，上海古籍出版社，2006.4）
〔清〕錢謙益：《列朝詩集小傳》（臺北，世界書局，1961.2）

〔清〕錢謙益撰、錢仲聯標校：《牧齋初學集》（上海，上海古籍出版社，2003.8）

〔清〕閻若璩：《潛邱劄記》（《景印文淵閣四庫全書》冊 859，臺北，臺灣商務印書館，1986.3）

㈡現代著作（以作者姓氏筆畫為順序）

丁福保：《清詩話》（臺北，西南書局有限公司，1979.1）

王更生：《文心雕龍研究》（臺北，文史哲出版社，1984.10）

王英志：《清人詩論研究》（南京，江蘇古籍出版社，1986.11）

王運熙、顧易生主編：《中國文學批評通史》（上海，上海古籍出版社，1996.12）

丘為君：《戴震學的形成》（臺北，聯經事業出版有限公司，2004.7）

司馬朝軍：《《四庫全書總目》研究》（北京，社會科學文獻出版社，2004.12）

司馬朝軍：《《四庫全書總目》編纂考》（武漢，武漢大學出版社，2005.11）

朱立元主編：《當代西方文藝理論》（上海，華東師範大學出版社，2005.4）

朱自清：《朱自清全集》（南京，江蘇教育出版社，1999.3）

朱東潤：《中國文學批評史大綱》（上海，上海古籍出版社，2005.4）

朱則杰：《清詩史》（南京，江蘇古籍出版社，2000.5）

牟宗三：《生命的學問》（臺北，三民書局，2003.9）

牟宗三：《歷史哲學》（臺北，臺灣學生書局，1988.8）

余英時：《朱熹的歷史世界——宋代士大夫政治文化的研究》（臺北，允晨文化實業有限公司，2003.6）
余英時：《論戴震與章學誠》（北京，三聯書店，2005.1）
余嘉錫：《四庫提要辨證》（昆明，雲南人民出版社，2004.11）
吳光明：《歷史與思考》（臺北，聯經出版事業公司，1991.9）
吳宏一：《清代文學批評論集》（臺北，聯經出版事業公司，1998.6）
吳宏一：《清代詩學初探》（臺北，臺灣學生書局，1986.1）
吳宏一主編：《清代詩話知見錄》（臺北，中央研究院中國文哲研究所，2002.2）
吳哲夫：《清代禁燬書目研究》（臺北，嘉新水泥公司文化基金會，1969.8）
李天華：《世說新語新校》（長沙，岳麓書社，2004.11）
李文琪：《焦竑及其國史經籍志》（臺北，漢美圖書有限公司，1991.7）
李煜瀛、楊家駱著：《世界學典與四庫全書》（臺北，世界書局，1953.5）
李裕民：《四庫提要訂誤》（北京，中華書局，2005.9）
杜維運，《中國史學史論文選集》（臺北，華世出版社，1979.10）
杜維運：《史學方法論》（臺北，三民書局，1989.3）
沈松勤：《北宋文人與黨爭——中國士大夫群體研究之一》（北京，人民出版社，1998.12）
周積明：《文化視野下的《四庫全書總目》》（北京，中國青年出

版社，2001.10）
孟森：《明清史論著集刊》（北京，中華書局，2006.4）
屈萬里：《尚書集釋》（臺北，聯經出版事業公司，1983）
林慶彰：《乾嘉學術研究論著目錄（1900-1993）》（臺北，中國文哲研究所籌備處，1995.1）
胡玉縉：《四庫全書總目提要補正》（臺北，木鐸出版社，1981.8）
胡昌智：《歷史知識與社會變遷》（臺北，聯經出版事業公司，1988.12）
范文瀾；《古謠諺》（北京，中華書局，1984.9）
徐照華：《厲鶚及其詞學之研究》（高雄，復文圖書出版公司，1998.9）
祖保泉：《中國詩文理論探微》（合肥，安徽人民出版社，2006.6）
崔富章：《四庫提要補正》（杭州，杭州大學出版社，1984.4）
張伯偉：《中國古代文學批評方法研究》（北京，中華書局，2006.1）
張書才主編：《纂修四庫全書檔案》（上海，上海古籍出版社，1997.7）
張健：《元代詩法校考》（北京，北京大學出版社，2001.9）
張健：《王士禛論詩絕句三十二首箋證》（臺北，文史哲出版社，1994.4）
張健：《清代詩學研究》（北京，北京大學出版社，1999.11）
張舜徽：《四庫提要敘講疏》（臺北，臺灣學生書局，2002.3）

張傳峰：《「四庫全書總目」學術思想研究》（上海：學林出版社，2007.6）
張毅：《中國文藝思想史論集——張毅自選集》（天津，南開大學出版社，2004.10）
敏澤：《中國文學思想史》（長沙，湖南教育出版社，2004.4）
郭紹虞：《中國文學批評史》（臺北，藍燈文化事業有限公司，1988.10）
郭紹虞：《中國詩的神韻、格調及性靈說》（臺北，華正書局，1981.8）
郭紹虞：《宋詩話考》（臺北，漢京文化事業有限公司，1983.1）
郭紹虞：《清詩話續編》（上海，上海古籍出版社，1999.6）
陳國球：《明代復古派唐詩論研究》（北京，北京大學出版社，2007.1）
陳國球：《唐詩的傳承——明代復古詩論研究》（臺北，臺灣學生書局，1990.9）
陸謙祉：《厲樊榭年譜》（上海，上海書店，1992.6）
黃卓越：《明中後期文學思想研究》（北京，北京大學出版社，2006.7）
黃卓越：《明永樂至嘉靖初詩文觀研究》（北京，北京師範大學出版社，2001.12）
黃念然：《20 世紀中國古代文學研究史（文論卷）》（上海，東方出版社，2006.1）
黃念然：《中國古代文論研究的現代轉型》（北京，中國社會科學出版社，2006.3）

黃俊傑：《歷史知識與歷史思考》（臺北，國立臺灣大學出版中心，2003.12）
黃景進：《王漁洋詩論之研究》（臺北，文史哲出版社，1980.6）
黃景進：《意境論的形成——唐代意境論研究》（臺北，臺灣學生書局，2004.9）
黃景進：《嚴羽及其詩論之研究》（臺北，文史哲出版社，1986.2）
黃愛平：《四庫全書纂修研究》（北京，中國人民大學出版社，2001.2）
楊念群主編：《新史學（第一卷）——感覺·圖像·敘事》（北京，中華書局，2007.4）
楊家駱：《四庫大辭典附四庫提要補正》（臺北，中國辭典館復館籌備處，1967.4）
楊家駱主編：《宋史藝文志廣編》（臺北，世界書局，1975.4）
楊家駱主編：《唐書經籍藝文合志》（臺北，世界書局，1976.12）
葉國良：《石學蠡測》（臺北，大安出版社，1989.5）
葛兆光：《中國思想史》（上海，復旦大學出版社，2003.6）
廖可斌：《復古派與明代文學思潮》（臺北，文津出版社，1994.2）
熊十力：《佛家名相通釋》（臺北，明文書局股份有限公司，1994.8）
趙一凡、張中載、李德恩主編：《西方文論關鍵詞》（北京，外語教學與研究出版社，2006.1）

趙爾巽等：《清史稿》（北京，中華書局，1998.1）
劉明今：《遼金元文學史案》（上海，上海古籍出版社，2004.11）
劉墨：《乾嘉學術十論》（北京，生活、讀書、新知三聯書店，2006.11）
蔣述卓、劉紹瑾、程國斌、魏中林等撰：《二十世紀中國古代文論學術研究史》（北京，北京大學出版社，2005.08）
蔣寅：《王漁洋事迹徵略》（北京，人民文學出版社，2001.10）
蔣寅：《王漁洋與康熙詩壇》（北京，中國社會科學出版社，2001.9）
蔣寅：《清詩話考》（北京，中華書局，2007.1）
蔡鎮楚：《中國文學批評史》（北京，中華書局，2005.8）
蔡鎮楚：《中國詩話史》（長沙，湖南文藝出版社，2001.1）
魯迅：《魯迅全集》（北京，人民文學出版社，1981.1）
蕭榮華：《中國詩學思想史》（上海，華東師範大學出版社，1996.4）
蕭慶偉：《北宋新舊黨爭與文學》（北京，人民文學出版社，2001.6）
錢鍾書：《宋詩紀事補正》（瀋陽，遼寧人民出版社，2003.1）
顏崑陽：《李商隱詩箋釋方法論》（臺北，臺灣學生書局，1991.3）
羅宗強：《因緣集——羅宗強自選集》（天津，南開大學出版社，2004.10）
羅宗強：《古代文學理論研究》（武漢：湖北教育出版社，

2002.10）
羅宗強：《隋唐五代文學思想史》（上海，上海古籍出版社，1986.8）
嚴迪昌：《清詩史》（杭州，浙江古籍出版社，2002.12）
龔鵬程：《詩史本色與妙悟》（臺北，臺灣學生書局，1986.4）

㈢外語、外語翻譯著作（以作者（譯）姓氏筆畫為順序）

米歇爾·傅柯著，王德威翻譯、導讀：《知識的考掘》（臺北，麥田出版社，2001.1）
米歇爾·福柯著，劉北成、劉遠嬰譯：《規訓與懲罰》（北京，三聯書店，2003.1）
拉爾夫·科恩主編，程錫麟等譯：《文學理論的未來》（北京，中國社會科學出版社，1993.6）
阿斯特、施萊爾馬赫、狄泰爾、海德格等著，洪漢鼎等譯：《詮釋學經典文選》（臺北，桂冠圖書有限公司，2002.6）
海登·懷特著，劉世安譯：《史元：十九世紀歐洲的歷史意象》（臺北，麥田出版社，1999.12）
張京媛主編：《新歷史主義與文學批評》（北京，北京大學出版社，1997.5）
筧文生、野村鮎子：《四庫提要北宋五十家研究》（東京，汲古書院，2000.2）
筧文生、野村鮎子：《四庫提要南宋五十家研究》（東京，汲古書院，2006.2）
雷克斯·馬丁著、王曉紅譯：《歷史解釋，重演和實踐推斷》（北京，文津出版社，2005.5）

㈣會議論文集

左東嶺主編：《二〇〇五明代文學國際學術研討會論文集》（北京，學苑出版社，2005.12）

左東嶺、陶禮天主編：《中國古代文藝思想國際學術研討會論文集》（北京，學苑出版社，2005.12）

沈松勤主編：《第四屆宋代文學國際研討會論文集》（杭州，浙江大學出版社，2006.10）

淡江大學中文系主編：《兩岸四庫學——第一屆中國文獻學學術研討會論文集》（臺北，臺灣學生書局，1998.09）

陳平原、王德威、商緯編：《晚明與晚清，歷史傳承與文化創新》（武漢，湖北教育出版社，2004.5）

二、期刊、學位論文

毛洪文、鄢傳恕：〈評《詩歸》〉，《荊州師範學院學報（社會科學版）》，2002 年第 4 期

王岳川：〈日內瓦學派的文學批評〉，《文藝研究》，1998 年 06 期

王英志：〈王世懋不屬復古格調派——《藝圃擷餘》論析〉，《江蘇社會科學》，2003 年 5 期

王國強：〈論《國史經籍志》〉，《鄭州大學學報（哲學社會科學版）》，第 31 卷第 6 期，1998.11

包根弟：〈《四庫全書總目提要》歷代詞家評論探析〉，《輔仁國文學報》，第 9 期，1993.6

司馬朝軍：〈《四庫全書總目》研究述略〉，《圖書館雜誌》，

2002 年第 6 期
田曉春：〈憑仗君扶大雅輪——從樊榭集外書札一通之考證論厲鶚在雍、乾詩壇的地位〉，《西北師大學報（社會科學版）》，第 41 卷第 2 期，2004.3
成林：〈試論《四庫提要》的文學批評方法〉，《南京大學學報》，1998 年第 1 期，1998.1
朱則杰：〈《四庫全書總目》五種清詩總集提要補正〉，《深圳大學學報》（人文社會科學版），2006 年 03 期
吳承學：〈《四庫全書》與評點之學〉，《中國古代、近代文學研究》，2007.5
吳承學：〈論《四庫全書總目》在詩文研究史上的貢獻〉，《文學評論》，1998 年第 6 期
李杰：〈90 年代《四庫全書總目》研究論文綜述〉，《圖書館工作與研究》，2001 年第 3 期
李劍亮：〈試論《四庫全書總目》詞籍提要的詞學批評成就〉，《文學遺產》，2001 年第 5 期
李慶立：〈天然與渾然行瀣融會是詩歌追求的極境——謝榛美學思想再探〉，《聊城師範學院學報（哲學社會科學報）》，1999 年 6 期
李慶立：〈從詩和禪聯姻的流變解讀謝榛的禪悟說〉，《蘇州大學學報（哲學社會科學報）》，1997 年第 1 期
周建漳：〈當代西方哲學關於『歷史解釋』的方法論思考〉，《廈門大學學報》（哲社版），1994 年第 2 期
周彥文：〈論提要的客觀性、主觀性與導引性〉，《書目季刊》，

第39卷第3期，2005.12
周裕鍇：〈宋代詩學術語的禪學語源（二）〉，《文藝理論研究》，2000年04期
周積明：〈《四庫全書總目》文化價值重估〉，《書目季刊》，第31卷第1期，1997.6
季野：〈開明的迂腐與困惑的固執——《四庫全書總目提要》小說觀的現代觀照〉，《小說評論》，1997年第4期
宙恩・呂森撰，張永華譯：〈賦與時間意義——以歷史意識為概念基礎的普遍分類學〉，《史學理論研究》，2002年01期
岳書法：〈《四庫全書總目》詩類著錄情況分析〉，《西華師範學院學報》（社會科學版），2003年第5期
昌彼得：〈「四庫學」展望〉，《書目季刊》，第32卷第1期，1998.6
昌彼得：〈武英殿本四庫全書總目考〉，中國圖書館學會會報第35期，1984.12
邵毅平：〈評《四庫全書總目》的晚明文風〉，《復旦學報》，1990年第3期
侯美珍：〈「四庫學」相關書目續編〉，《書目季刊》，第33卷3期，1999.9
段宗社：〈「詩必盛唐」臆說〉，《新疆大學學報（社會科學版）》，第31卷1期，2003年3月
夏長樸：〈《四庫全書總目》與漢宋之學的關係〉，《故宮學術季刊》23卷2期，2005年冬季號
夏翠軍：〈《四庫全書總目》小說類探析〉，《山東圖書館季

刊》，2004 年第 1 期
孫紀文：〈《四庫全書總目》在詩歌批評史上的價值〉，《固原師專學報》，2005 年 5 期
孫紀文：〈《四庫全書總目》對本朝詩歌的批評〉，《寧夏社會科學》，2005 年 3 期
孫紀文：〈《四庫全書總目》對歷代詩歌的批評〉，《內蒙古社會科學(漢文版)》，2005 年 05 期
孫紀文：〈《四庫全書總目》中的詞籍批評〉，《內蒙古社會科學（漢文版）》，第 27 卷第 6 期
孫微：〈《四庫全書總目》所體現的杜詩學〉，《杜甫研究學刊》，2003 年第 1 期
涂謝權：〈論《四庫全書總目》文學批評的經世價值取向〉，《貴州師範大學學報》（社會科學版），2002 年第 3 期
崔富章：〈二十世紀四庫學研究之誤區——以《四庫全書總目》為例〉，《書目季刊》，第 36 卷第 1 期，2002.6
崔富章：《四庫全書》武英殿本刊竣年月考實〉，《浙江大學學報（人文社會科學版）》，第 36 卷第 1 期，2006.1
張兵、王小恒：〈厲鶚與浙派詩學思想體系的重建〉，《文學遺產》，2007 年第 1 期
張寅彭：〈《唐詩三昧集》與詩、禪的分合關係〉，《文學遺產》，2001 年 2 期
張傳峰：〈《四庫全書總目》詩學批評與紀昀詩學〉，《北方論叢》，2006 年 6 期
張麗珠：〈從《四庫全書總目提要》看紀昀的小說觀〉，《國文天

地》，第 19 卷第 4 期，2003.9

郭伯恭：〈四庫全書總目提要考〉，收於《中國圖書文獻學論集》，臺北，明文書局，1986.11

陳美朱：〈析論紀昀對王士禛之詩學與結納標榜的批評〉，《東華人文學報》，第 8 期，2006.1

陳慶元：〈清初至清中葉福建的區域詩話〉，《漳州師院學報》，1997 年 1 期

陳曉華：〈四庫總目學研究述略〉，《西南師範大學學報》（人文社會科學版），第 32 卷第 4 期，2006.7

傅剛：〈「文史」與「詩文評」——論文學批評的分類〉，《新史學》第一輯（鄭州，大象出版社，2003.10）

彭玉平：〈王士禛、趙執信關係考辨〉，《學術研究》，1998 第 5 期

曾聖益：〈從《四庫全書總目·詩文評類》看中國詩文論著之特性〉，《國立中央圖書館臺灣分館》，第 2 卷第 2 期，1995.12；第 2 卷第 3 期，1996.3

黃念然：〈中國古代文學批評學研究的現狀與反思〉，《東方叢刊》，2004 年 3 期

楊有山：〈試論《四庫全書總目》的文學批評觀念〉，《江漢論壇》，2003 年第 4 期

楊有山：〈論《四庫全書總目》的文學史研究〉，《信陽師範學院學報》（社會科學版），2003 年第 3 期

楊有山：〈論《四庫全書總目》的文體研究〉，《南陽師範學院學報》（社會科學版），2002 年第 3 期

楊晉龍：〈王士禛在《四庫全書總目》中的地位初探〉，《中國文

學研究》第 7 期，1993.5

廖棟樑：〈《四庫全書總目·詩文評類序》對文學批評的認識〉，《輔仁國文學報》，第 9 期，1993.6

劉兆祐：〈民國以來的四庫學〉，《漢學研究通訊》，第 2 卷 3 期，1983.7

劉德重、魏宏遠：〈鍾、譚「幽」「寒」心境與「竟陵體」之形成〉，《上海大學學報（社會科學版）》，2006.5

劉黎卿：〈論《四庫全書總目提要》評明代前後七子〉，《臺中商專學報》，第 27 期，1995.6

蔣寅：〈葉燮的文學史觀〉，《文學遺產》，2001 年 6 期

蕭馳：〈玄、禪觀念之交接與《二十四詩品》〉，《中國文哲研究集刊》，第 24 期，2004.3

謝國旺：〈《古詩歸》選詩的標準〉，《河南教育學院學報（哲學社會科學版）》，2006 年 6 期

顏崑陽：〈自有我在與客觀對話〉，《中國文哲研究通訊》，第 12 卷第 3 期，2002.9

羅時進：〈清初虞山派及其詩文化圈〉，《蘇州大學學報（哲學社會科學版）》，2002.7 第 3 期

羅時進：〈清初虞山派詩學觀分歧及其影響〉，《文藝理論研究》，2005 年 5 期

龔詩堯：《《四庫全書總目》之文學批評研究》，國立暨南大學中國語文學研究所碩士論文，2001.6